KB051163

사마귀가
친구에게

II

※ 저자와 협의하여 인지는 붙이지 않습니다.
※ 이 책은 ㈜디앤씨미디어가 저작권자와의 계약에 따라 발행한 것으로 본사와 저자의 허락 없이는
어떠한 형태나 수단으로도 내용을 이용할 수 없습니다.

사마귀가 친구에게

II

윤진아 장편소설

D&C BOOKS

차례

2장

2장

티티라는 웅크린 채 수 시간을 버텼다. 보지 않고는 아주아주 조금밖에 견딜 수 없었고, 귀를 막고 나서야 비로소 거지처럼 속죄할 수 있었다. 그녀는 소조폴을 버린 원죄 때문에 위안거리조차 없는 사람이었다. 그래서 맨몸으로 고통스럽게 버둥댔다.

다만 버둥대도, 고작해야 꿈틀거릴 뿐이었다. 그녀는 자신이 그린 작은 원 안에 갇혀 있었다. 그 탓에 아무도 죽은 물고기 같은 티티라를 건드리지 않았다.

귀를 막아도 주변의 천둥 같은 소음을 밀쳐 낼 수는 없었다. 포격 소리보다 휘파람 소리를 더 두려워했던 예전처럼, 이번에도 그들이 내지르는 고함 소리가 무서웠다. 그 소리는 전주곡처럼 그녀를 괴롭혔다. 우렁차게 배가 울릴 때마다 몸이 요동쳤다.

얼마나 오랫동안 번댔는지 그녀도 알 수 없었다. 다만 눈가에 와

닿던 따가운 햇살이 점차 뭉툭한 빛으로, 저무는 노을로 변하는 것이 느껴졌다.

마침내 밤이 되었다.

티티라는 으슬으슬한 공기에 조금씩 떨었다. 양 팔뚝을 감싼 채 부르르 떨었다.

그러자 누군가 팔뚝을 쥐어 끌어당겼다. 티티라는 눈을 꽉 감은 채 버텼나. 물론 그 힘을 뿌리치는 것은 불가능했다. 그러니까, '버틴다'는 것은 그에게 휘둘리는 와중에 앞을 보지 않겠다는 의지였다.

"데려가."

티티라는 깜깜한 세상에서 몸부림쳤다. 그러나 양 팔뚝을 각기 붙잡은 무자비한 힘에는 방도가 없었다. 무릎으로 끌려가 계단을 쾅, 쾅, 쾅. 가지 않으려 버티다 보니 대우는 더 고약했다.

그녀는 지붕 아래로 들어가자마자 완전히 들려 업혔다. 그제야 눈을 뜬 채 난리를 쳤지만, 목을 눌리자 힘이 빠졌다. 캑캑거리다가 선장실 안에 내팽개쳐졌다.

그녀가 문에 달라붙기 전, 두 명의 군인이 단단히 봉쇄했다. 티티라는 각오하고도 열패감에 주먹질을 했다. 조금도 죽지 않은 기세로 문을 두들기다가 화를 못 이기고 드러누웠다.

넓은 유리창 너머, 밤하늘이 마치 눈앞에 있는 듯 크게 보였다.

티티라는 놀라 후다닥 일어났다. 뒤돌았다. 방금 본 연기는, 아니야. 구름이야. 나는 아무것도 보지 못했어.

그녀는 몸을 숙여 응접실의 책상으로 기어갔다. 시계를 찾아 떨어뜨렸다. 시간을 보니 자정에 가까웠다. 거의 열두 시간 정도를 엎드린 채 버틴 모양이었다. 그제야 허리와 팔에 뻐근한 통증이 느껴졌다. 바닷바람을 맞은 얼굴도 화끈거렸다.

티티라는 책상에 등을 기대어 앉았다. 정신이 멍했다. 무너지는 이즈버르를 봐야만……. 그러나 갑판에 있을 때에도 이즈버르를 똑바로 보지는 못했다. 나는 대체 무엇을 '견딘' 것일까?

사실 그녀는 일종의 무감각 상태에 빠져 있었다. 너무 오랜 시간 동안 큰 소리와 긴장에 시달려 비현실적인 기분이 들었다. 잠깐 팽팽했던 줄을 놓치자마자 무한한 공간으로 튕겨져 나갔다. 그녀는 그 공간에서 졸다가, 번뜩 깼다가, 다시 잠들었다.

티티라는 해가 중천에 떴을 때에야 제정신으로 깨어났다. 급히 달려가 문을 열어 보려 했지만 잠겨 있었다. 그제야 배가 고프다는 느낌이 들었다. 두리번대자 식탁 위 음식이 보였다. 누군가 자신을 깨우지 않은 채 두고 간 모양이었다. 손을 가까이 대니 따뜻했다. 얼마 지나지 않았군.

티티라는 자해하고 싶은 마음이 쥐똥만큼도 없었다. 그래서 빠르게 식사를 해치웠다. 만 하루 만에 드는 따뜻한 국물과 고기에 속이 타들어 가는 것 같았다.

그녀는 식탁에 앉아서 어렴풋이 깨달았다.

주변이 조용했다. 시야도 달랐다.

그들은…… 뭍에 정박해 있었다.

티티라는 얼어붙었다. 음식을 먹다 말고 책상 위로, 창가로 뛰어 올라갔다. 창에 코를 박고 둘러보았다.

이즈버르는 무너진 성벽 외에는 전혀 달라진 것이 없었다. 그렇게 표현하는 게 웃겼지만 정말 그랬다. 부두를 태운 자그마한 불씨들조차 별것 아니었다. 겨울비만 와도 죽을 놈들이니까.

그녀는 최대한 창의 가장자리에 붙어 이즈버르 방향을 흘겨보려 했다. 그러나 아무리 애를 써도 도시 정면은 보이지 않았다. 그녀는 별수 없이 창을 깨야겠다고 생각했다. 바다에 떨어져 봤자 얕은 물일 테니 괜찮은 선택이었다.

티티라는 방 반대편으로 걸어갔다. 심호흡을 하곤, 넓은 창으로 뛰어들었다.

그녀는 '쿵' 하고 튕겨 나갔다. 창살이 교차되고 든든하게 돼 있어 한 번으로는 무리였다. 지치지 않고 다시 한번 달려들었다. 다시 바닥으로 떨어졌다.

티티라는 포기하고 유리 한 칸, 한 칸을 주먹으로 깨려 했다. 톡톡 두드려서 가늠해 보곤, 가장 약해 보이는 중앙의 창을 선택했다. 주먹을 들어—

순간 문이 덜걱거렸다.

티티라는 멈칫했다.

들어오기 전에 깨야 하나? 하지만 한 조각을 깨 봤자 빠져나갈 수는 없었다.

짧게 고민하는 사이 문이 열렸다.

"……."

"……."

총독은 난장판이 된 방에 놀라지 않는 듯했다. 그는 그녀를 무시한 채 침실로 들어갔다. 고개를 빼서 보니 외투와 모자를 갈아입는 모양이었다.

티티라는 활짝 열린 문을 보며, 저자가 도망가라고 허락해 준 것인가 생각했다.

"갈아입어."

흠칫 놀라 그가 던진 옷을 바라보았다.

안스카리우스는 밤을 새 피곤한 기색이었으나, 빳빳한 옷 속에서 총독처럼 서 있었다. 그녀에게 던진 옷 또한 꼭 저 같은 교국의 정복이었다.

티티라는 물었다.

"제가 왜요?"

"따르지 않으면 약을 먹이겠다."

그녀는 그를 노려보았다.

조금 뒤, 옷을 주워 침실로 들어갔다. 그가 지켜보든 말든 관심도 없었다. 그녀는 소조폴식으로 헐렁하고 편한 셔츠와 바지를 벗고, 교국의 껍데기를 뒤집어썼다. 그와 똑같은 차림새였다. 상하의를 가장 바른 자세에 맞추어 꼿꼿이 서 있는 것 외에는 할 수 있는 일이 없는, 몹시도 멍청한 옷.

티티라는 안스카리우스를 돌아보았다. 그는 어처구니없게도 자신을 등지고 있었다.

"됐어요?"

그가 다가왔다. 몸을 뒤로 뺐지만, 그보다 먼저 그에게 깃을 잡혔다. 그는 몸을 숙여 그녀가 어설프게 입은 옷단을 정리했다. 그리고 허벅지까지 오는 망토를 둘러 주었다. 이제 머리부터 발끝까지 지루하고 검은 먼지가 된 느낌이었다.

그녀는 불편하게 움직였다.

"나가서는 한마디도 하지 마. 네가 입을 열면 소조폴 상단의 안전을 장담할 수 없다."

"……."

"대답."

"네. 하지만 사람을 죽이면 소리 지를 거예요. 저는 그런 것까진 용납할 수 없어요."

"안 죽여."

그는 뚝 잘라 대답하곤 먼저 복도로 나갔다.

티티라는 매일 새롭게 그를 증오했다. 제게 물리적인 힘만 있었어도 뒷일을 생각하지 않고 그를 죽였을 것이다. 힘이 약하니 죽이지 못하고 고민할 시간만 길어져서 자꾸만 질질 짜는 것이다. 벼락같이 처치할 수 있다면 죽인 다음 후회할 수 있었을 텐데…….

그들은 갑판으로 걸어 나왔다.

티티라는 곁눈질로 이즈버르를 보았다. 선장실 안에서 목격했던 모습처럼 도시는 제법 온전했다. 특히 언덕 위 고급 저택들은 티끌 하나 다치지 않고 번듯이 서 있었다. 이렇게 안전한 척하다가 갑자기 부자들만 데려와 성벽에 매다나? 티티라는 자꾸만 소조폴이 덧씌워져 겁이 났다.

안스카리우스의 앞에는 누군가 머리를 박고 웅크려 있었다. 티티라는 이즈버르가 항복하는 꼴을 보기가 싫어 고개를 돌렸다.

"이즈버르의 열쇠를 총독께 올립니다."

도시를 다스리는 보호 귀족은 단단한 상자 속, 공단에 감싸인 열쇠를 머리 위로 들어 올렸다.

안스카리우스는 턱짓했다. 옆에 서 있던 군인이 상자를 가져갔다.

"부디 신의 이름으로 자비로운 처분을 바랍니다."

"불신자는 신을 논할 수 없다."

"저희의 불찰입니다. 부디 교국의 지혜를 받아들일 기회를 주소서."
"고려하겠다."
"……."
"너희 미개한 도시의 시정 사항은 공문으로 내리겠다. 첫째, 너희가 무례를 저지른 소조폴과 도이도흐 상단에 사죄할 것."
보호 귀족이 흘끗 티티라를 바라보았다. 그녀는 제 얼굴이 사색이 되는 것을 느꼈다. 그러나 아무 말도 할 수 없었다.
"둘째, 그간 불의한 수단으로 독점하던 사탕수수 농장의 계약권을 전부 교국이 감독하는 정당한 입찰 과정으로 넘길 것. 셋째, 지난 십 년간 이즈버르 휘하 상단의 거래 내역과 생산물들을 정리하여 보고할 것. 이는 교국의 주의 깊은 단속하에 시행되며 잉여 자원은 주변 도시의 부를 침해한 결과로 본다. 따라서 사역관의 논의를 거친 후 결과에 따라 몰수할 수 있다."
"……."
"해산."
티티라는 흠칫 놀라 고개를 들었다.
보호 귀족도 마찬가지인 듯 보였다. 그는 죽음을 각오하고 왔다가 살아남은 눈을 하고 있었다.
사실, 그녀는 방금까지만 해도 총독이 제게 뻔뻔하게 거짓말을 했노라 믿고 있었다. 사람을 죽이지 않겠다고? 헛소리! 소조폴과 도이도흐에서 그랬듯, 항구를 점령하자마자 유력자들을 강제로 불러 모아 죽일 줄 알았다.
그런데 지금 분위기는 조금 달랐다. 총독은 평범한 전쟁의 승리자처럼 항복을 받아 주고 있었다. 요구가 부당하긴 했지만 적어도 대화를 하고 있었다.

군인들이 이즈버르의 보호 귀족을 끌고 갔다.

그녀는 이프루이우호 옆에 나열한 배들을 보며, 군인 수가 적다는 인상을 받았다. 여전히 의심하고 있었다. 이렇게 끝날 리 없어. 벌써 부유한 지역에 총칼이 파고들었나 보다. 이제 대화를 하는 척했으니 부자들을 끌고 올 차례일까?

안스카리우스가 옆에 서 있는 군인에게 무언가를 말했다.

그러자 그들이 내려가, 누가 보아도 귀한 신분인 사람 셋을 데리고 올라왔다. 티티라는 세 사람이 입은 시노드 신넬식 허영에 눈이 멀 뻔했다. 저들은 항복 사절로 온 이보다 더 꾸밀 만큼 눈치가 없는 보호 귀족, 혹은 최상위 상단주들임이 틀림없었다.

"총독께 인사 올립니다."

그들은 긴장했지만 분명히 웃고 있었다.

안스카리우스는 그 웃음을 무시했다. 그녀 쪽을 바라보며 눈짓했다. 나한테? 왜?

다음 순간, 반갑판에 서 있던 사수들이 불을 당겼다.

티티라는 상황을 깨닫고 악을 쓰려 했지만, 제 뒤에 서 있던 우악스러운 군인에게 막혔다. 그를 깨물었으나, 두꺼운 장갑을 끼고 있어 소용이 없었다.

순식간에 수십 발이 터져 나왔다.

퍼퍼펑!

세 사람은 벌집이 되어 쓰러졌다. 얼굴에는 아직도 미소를 띤 채였다.

여러 사람이 달려 나와 갑판에 붙은 불티를 짓밟았다. 그 와중에 시체는 옆으로 굴러 뱃전에 툭 닿았다. 물에 떨어질 뻔한 시체 한

구는 누군가 성의 없이 뒷덜미를 들어 다시 안쪽으로 던졌다.

티티라는 자신을 부여잡은 군인을 떨쳐 내기 위해 미친 듯이 발버둥을 쳤다. 그녀의 홉뜬 눈에 눈물이 고였다. 온몸이 떨렸다.

안스카리우스는 용건을 마친 사람처럼 선장실 복도 안쪽으로 사라졌다.

군인은 굳건하게 주인을 따라 들어갔다. 티티라가 아무리 울부짖고 몸부림쳐도 스스로만 상하게 할 뿐이었다. 그는 활짝 열린 선장실에 들어가선, 그녀를 놓아주기 직전에야 평온하게 말했다.

“난폭합니다.”

“괜찮아.”

“다치실 겁니다.”

“두고 나가.”

군인은 두 번 반문하지 않았다. 대신 품에서 수갑을 꺼내 티티라의 손목에 씌웠다. 다른 한쪽은 선실 안 높은 고리에 단단히 끼웠다. 열쇠는 응접실 식탁 위에 놓였다. 그는 절도 있게 경례를 표하고 떠났다.

티티라는 군인에게서 풀려난 순간부터 더듬거리고 울먹였다.

“아, 안 죽인다고, 개 같은, 개자식이…….”

충격이 가시지 않아 이가 따닥따닥 부딪쳤다. 턱이 부서져라 힘을 주느라 입꼬리는 자꾸만 내려갔다.

“어, 어떻게, 네가…….”

안스카리우스는 그녀를 빤히 바라보았다.

그는 이 순간마저도 안스를 닮았다. 투명하고 정직한, 마음 깊은 친구의 시선.

총독은 그녀를 무시한 채 망토와 겉옷을 내려 두었다. 두터운 상의를 한 겹 더 벗고는, 마침내 셔츠의 팔까지 반쯤 걷어 올렸다.

티티라는 고통 속에서 그의 팔뚝을 바라보았다. 저 팔뚝 위로 안스가 새긴 상처가 있을 것이다. 그녀는 발작하듯 수갑을 흔들었다.

"풀어!"

안스카리우스는 할 일을 마친 사람처럼 천천히 시선을 돌렸다. 그러나 느린 것은 그뿐이었다. 그는 놀랍게도 곧장 걸어와 열쇠를 들었다. 더 가까이 오려다가, 그녀의 험악한 얼굴에 잠시 멈추었다. 티티라는 발버둥 치며 풀어 주려는 그조차 걷어찰 기세였다.

총독은 마침내 그녀의 목을 감싸 벽에 고정했다. 힘이 들어갔다. 반항하던 그녀는 얼굴이 하얗게 질린 채 헐떡였다.

손이 풀려났다. 그와 함께 안스카리우스도 물러섰다.

티티라는 정말로 울기 싫었다. 하지만 분에 가득 차서 자꾸만 울컥했다. 벌떡 일어섰다.

"너는, 너, 네가, 내 앞에서 상주를 죽여? 제발……! 안 죽인다고 했잖아!"

"이즈버르의 내통자였다."

"어떻게 사람을 죽여…… 네가……."

"가만두었다간 이즈버르 시민들부터 화를 냈을걸."

"네, 네 팔뚝을 보고 감히 사람을 죽일 수 있어?"

안스카리우스는 그녀를 빤히 바라보았다.

"내 팔뚝이, 뭐?"

"……."

"저 셋은 죽어야 했다. 교국과 내통하여 이즈버르의 정보를 빼돌린

분란 분자들이니, 앞으로 영구히 이어질 통치에는 도움이 안 된다."

"감히……."

티티라는 고장 난 것처럼 더듬거렸다. 그의 말을 이해하고 있었으나, 설득되기를 거부했다.

"감히, 소조폴에서 무슨 일이 있었는지, 너, 넌……. 부두에 목을 매달지 않으면 그건 처형이 아닌 줄로만 알고, 결백한 척하고, 사실, 다, 다, 똑같은데……. 날 만나기로 했으면 적어도, 어떻게든, 부끄러움을 알아야지……. 그 상처를 봤으니, 네게 소조폴이 어떤 무게였는지, 그쯤은 알아야 할 거 아냐……. 그 상처를 봤으면……!"

총독은 횡설수설하는 티티라를 보고 고개를 저었다. 미친 여자를 달래기라도 하려는 것인지, 왼쪽 커프스단추를 푼 후 차분하게 접어 올렸다.

티티라는 눈이 튀어나올 것 같은 기분으로 그의 팔을 응시했다. 그날 이후 처음이었다. 안스카리우스의 기억이 어떻게 손상되었는지에 대해, 그의 말을 전부 믿지는 않았다. 다만 그렇다고 진지하게 추론한 적도 없었다. 떠올리기만 해도 옛 친구를 추모하는 듯 고통스러워 아예 스스로의 뺨을 갈겨 잊고 살았다.

그러나…… 그 상처는 안스의 마지막 기록이자 무덤이었다.

그걸 잊느니 죽을 거야. 죽을 때까지 기억할 거야.

안스카리우스의 옷자락이 팔뚝까지 접혀 올라갔다. 사역관에서의 기억은 환상이 아니었다. 끔찍하게 파인 글자가 다시 보였다.

소조폴

티티라는 너무도 집중하여 더 이상 떨지 않았다.

1001 26

그 순간, 그녀는 무언가를 발견했다.

티티라는 안스카리우스에게 성큼 다가갔다. 그가 경계하여 팔을 들어 올렸다. 상대가 막아선다면 그녀에겐 가망이 없었기에, 결국 애처롭게 공격할 의사가 없다는 표시를 했다.

“제발, 한 번만…….”

그가 서서히 가라앉았다. 티티라는 안스카리우스의 왼팔을 부여잡았다. 단단하고도 선뜩한 느낌이 들었다. 그녀는 살을 더듬어 올라가 옷자락을 찾았다. 그가 반듯이 접어 올린 소매를 구깃구깃 만졌다. 손끝이 미세하게 떨렸다.

그녀는 옷깃을 한 번 더 접었다. 상처가 이어졌다. 가위 표시가 있었다. 그녀는 뒷걸음질을 치다 나동그라졌다.

“너…….”

안스카리우스가 인상을 찌푸렸다.

“왜?”

“교차된 모양이…….”

“덧난 상처겠지.”

아니야.

티티라는 머리가 차게 식는 것을 느꼈다. 입김까지 하얗게 얼어붙었다. 더 이상 이즈버르 앞에서 누가 죽었는지조차 기억나지 않았다. 교국이 사람을 처형했던 광경은, 그러니까 자신이 산 채로 불에 데었던 상처는, 제 친구에 비하면 전혀 중요하지 않았다.

가위표는 그녀가 멋대로 만든 신호였다. 그것을 안스가 함께 항해했던 선원들에게 건넸고, 그들이 소조폴이 공격받을 때 편지로 보내왔다.

제 첫 호흡 곤란과 두 번째 호흡 곤란을 같이했다. 뜻은 단 하나였다.

'위험'.

티티라는 온 힘을 다해 표정을 들키지 않으려 노력했다.

위험하다면, 누가 적이겠는가?

안스카리우스는 언짢은 기색으로 팔뚝을 끝까지 걷어 올렸다. 기억하던 것보다 굵고 굳은 팔이었다. 상처와 핏대가 도드라졌다. 그 위로…….

소조폴 1001 26 X

총독은 결백을 증명하려는 모양이었다. 물론 그의 말처럼 가위표는 단순히 칼이 비껴 난 상처처럼 보이기도 했다. 티티라가 아무것도 몰랐더라면, 그녀 역시 다른 곳에서 다쳤거나 하얗게 들뜬 얼룩이라고 생각했을 것이다.

하지만 악착같이 글씨를 쓴 사람이 한 획이라도 허투루 남겼을 것 같지 않았다.

티티라는 확신했다.

갑자기 그녀 속에서 불꽃이 살아났다. 무력하던 바람이 바다를 끓일 듯 맹렬하게 타올랐다.

그녀는 모른 척 그에게서 떨어졌다.

"죄송합니다."

총독은 책상에 기댄 채 그녀를 바라보았다. 소년처럼 맨팔을 들추고 있어 꼴이 허술했다. 안스의 머리칼 위로 빛이 미끄러졌다. 난 속지 않아. 텁짓 한 번에 사람 셋을 죽여 놓고서. 안 속아.

"돔니니."

"……."

"이 표시에 의미가 있나?"

"……."

티티라는 제 말을 어제 일처럼 똑똑히 기억했다.

"진짜 위험할 때 써야 해. 진짜 죽기 전에 써야 해."

안스가 그녀를 위해 상처를 남긴 것이 틀림없었다. 눈가가 확 뜨거워졌다. 너는 내가 먼 곳에 있다는 사실을 알면서도 가위표를 새긴 것이다.

그러니 도와 달라는 말보단…… '경고'거나, '유언'이겠지…….

경고라면? 무엇이 위험하지? 누가 안스에게 가위표를 긋게 한 걸까? 누가 안스를 궁지에 몰았을까? 안스, 대답해 봐. 너를 지우고 나타난 '안스카리우스'가 위험하다는 거야?

하지만 저 인간은 지금 멍청한 얼굴로 질문하고 있었다. '이 문신의 뜻이 뭐야?' 정말 바보 같았다. 더군다나 본인 과거가 궁금해 소조폴까지 오지 않았나. 안스를 해친 이가 그 지경으로 애틋하게 굴지 의문이었다. 또한 안스 역시 안스카리우스가 적이었다면 굳이 팔에 상처를 남기지 않았을 것이다.

아…….

티티라는 번쩍 깨달았다. 안스는 자신을 사랑했다. 그러니 가위표에서 말하는 '위험'이 안스카리우스라면, 친구는 절대 증거를 남기지 않았을 것이다. 결단코, 어떤 수를 써서라도 자신과 재회하지 못하게 만들었을 것이다.

제 앞에 선 저 얼간이는 아무것도 몰랐다. 안스를 해칠 수도 없었다. 오히려 안스에게 도움을 받아야 했다. 저자야말로 흰 바탕에서 다시 태어난 안스였으므로.

티티라는 한순간 충격을 받았다. 그녀는 지금까지 안스카리우스와 안스를 정말 잘 구분해 왔다. 얼굴만 같을 뿐, 완전히 다른 사람이라고 철석같이 믿고 있었다.

그러나 이제 처음으로, 그가 안스의 새로운 줄기임을 깨달았다.

나무의 한 줄기는 제게 위험하다는 비명을 남기며 죽었고, 다른 한 줄기는 선택받아 권위 있는 총독으로 서 있었다.

티티라는 울지 않으려고 이를 악물었다. 그만, 제발, 그만 좀 울어. 저놈이 널 어떻게 생각하겠어. 억지로 끌고 와 전쟁의 꼬투리로 삼았는데도 아직 날 친구로 본다고 믿을 거 아냐…….

경고가 아니라면…… 안스가…… 내게 유언을 전한 거라면…….

티티라는 눈을 마구잡이로 비볐다. 생각할 시간이 필요했다. 안스는 왜 몸을 주구 삼아서까지 위험에 처했다고, 나는 살해당한다고 이야기했을까? 안스! 말을 해 줘!

"돔니니."

"……."

"물었다. 이 표시에 대해 네가 아는 바가 있으면 답해라."

티티라는 울다가도 화가 났다. 제 시간을 방해한 죄로 저 덜떨어진 멍청이를 당황하게 만들고 싶었다.

"물론 압니다."

이를 갈았다.

"그건 제게 보내는 편지예요. 절 사랑한다는 뜻이죠."

"똑바로 대답해."

"전 사실만을 말하고 있습니다. 안스가 절 사랑했다니까요. 그래서 무슨 일이 있었는지는 몰라도—"

그녀는 그를 노려보았다.

"—마지막으로 제게 사랑한다고 전하려던 거예요. 당신들이 옛 우스페히 상관을 몽땅 불태우지만 않았어도 그가 내 방에 새겨 둔 가위표를 수십, 수백 개 볼 수 있었을 텐데."

"친구였노라 네가 말했지."

"단지 친구였다면, 당신 팔에 그런 상처가 있을까요?"

티티라는 자신이 내뱉은 말에 공격당했다. 입술이 삐죽였다. 안스가 나를 사랑하지 않았다면…….

안스카리우스는 의심쩍은 표정이었다.

"내가 너를 사랑했다고?"

티티라는 울다가 웃음을 터뜨렸다. 정말이지 기억을 잃은 안스만이 저런 미련한 질문을 할 수 있었다.

"당신이 아니라 '안스', 내 친구가요."

그는 입을 다물었다. 티티라는 으르렁대는 맹수처럼 공격했다.

"대체 무슨 자신감으로 당신이 '안스'라고 생각해요? 당신은 나를 가두었고, 권력으로 협박했어요. 끝끝내 이즈버르까지 끌고 와 전쟁의 핑곗거리로 삼았죠. '여기 소조폴 상주가 있다.' 내 얼굴도 만천하에 공개했네요. 그럼 난 이제 소조폴에 돌아가서 어떻게 하라고? 그딴 건 관심 없죠? 당신 심심할 때나, 혹은 내가 너무 다루기 힘들 때나 짐승 부리듯 살살 달래고. 거기에 속아서 그래도 친구랍시고 화를 꾹 참는 모습이 웃기죠?"

늦은 아침 해가 지나가며 안스카리우스의 얼굴에 그림자를 드리웠다. 차라리 그편이 나았다. 역광의 그는 전혀 안스를 닮지 않았으니까.

"총독께선 내가 포탄에 벌벌 떠는 모습이 웃긴가? 그래서 그런 거예요? 도시가 무너지는 모습을 차마 못 보는 소조폴 시민이 웃겨? 재밌어?"

그는 무언가 말하려 입을 열었다. 그러나 티티라가 한 발자국 더 빨랐다.

"안스인 척하지 말아요. 안스는 날 사랑했어."

그래서 자신이 안스를 내쫓았다고, 그로 인해 마침내 그의 죽음을 불렀다고는 입이 찢어져도 고백할 수 없었다. 그러니 벌레가 꼬이도록 싸구려 설탕을 바른 말이나 뱉어 낼 수밖에.

하지만 벌레 같은 총독은 넘어오지 않았다.

그는 책상을 따다닥따다닥 두드리며 신경을 긁었다. 그러다, 툭 내뱉었다.

"나는 '안스'인 척하지 않아. 네가 착각하는 거지."

그가 진실만을 말하고 있어 속이 끓었다.

"돔니니, 네가 착각하지 않는 관계를 이룩하려면 어떻게 해야 하나?"

"하! 진짜, 제가 당신이랑 관계를 왜 만듭니까? 여행이 끝나면 귀찮게 불러 말을 붙이지 않는다고도 약속했잖아요."

"이 배는 겨울이 지나기 전에 소조폴로 돌아갈 수 없다. 관리 감독의 문제가 있어서."

티티라는 눈을 크게 떴다.

"그건 교국 사정이지요. 이즈버드는 하루 만에 함락되었고 사유도 깨끗했잖아요. 그러니 제 여행은 여기서 끝입니다. 이제 소조폴로 가는 배는 혼자서 구할 수 있으니 내버려 두세요."

"아니, 네 여행은 교국과 함께 끝나야 한다. 그래야 우리 명분이 선다."

그녀는 그의 뻔뻔함에 질렸다.

"억지로 끌고 와서 억지로 머무르게 한다고요?"

"어차피 너도 죄를 저질렀잖아. 그에 비하면 가벼운 벌이지."

"'가벼운 벌'……?"

안스카리우스가 책상에서 한 걸음 걸어 나왔다. 그의 한쪽 팔은 아직도 칠칠맞지 못하게 드러나 있었다. 움직일 때마다 상처 아래로 근육이 섰다.

티티라는 그가 자신에게 다가오고 있다는 사실을 문득 깨달았다. 놀라서 도망치려고 문고리를 꽉 잡았다. 그러자 그가 양손을 들었다. 어설퍼도, 적의가 없다는 표시였다.

그녀는 언제든 달아날 수 있도록 곤두선 채 그를 바라보았다. 안스카리우스가 맨팔을 드러내고 있지 않았더라면, 그 위에 새겨진 안스의 상처가 아니었더라면 그를 피해도 오래전에 피했을 텐데, 상처 때문에 또 속았다.

"나는 네가 이즈버르 침공에 멀쩡할 거라 생각한 적 없다. 그래서 계속 안으로 들여보내려 했잖아."

"그걸 변명이라고 해? 애초에 이 자리엔 왜 끌고 왔어? 총독께선 여자가 고통받는 모습을 즐기는 악취미가 있으신가?"

티티라는 분노로 쏘아붙였다. 말이 마구잡이로 잘렸지만 둘 중 누구도 신경 쓰지 않았다.

"하루 종일 발밑에서 벌벌 떠는 여잘 보는 게 그렇게 좋아서, 이 변태 새끼—"

"내 선택지는 너뿐이었다. 이즈버르의 제안을 거절한 대상이 너밖에 없었어."

"……."

"다들 흔쾌히 수락하여 꼬투리를 잡기 어려웠다. 도이도흐에서 가장 큰 사탕수수 농장을 가진 상단마저 이미 계약을 마쳤지. 그런데 너 혼자 단호히 거절하더군."

"……."

그녀는 제 선택을 되돌아보았다. 그녀는 이즈버르가 교국에 멸망당할 것을 우려해 제안을 물리쳤다. 그런데 바로 그 선택이 교국에게 먹음직스러운 먹잇감이었다고 한다. 이것은 내 꾀에 내가 잡아먹힌 것일까? 아니면, 내 공포에 내가 잡아먹힌 것일까?

"애초에 조용해지면 유폐를 풀어 줄 예정이었다. 이즈버르 원정을 나가며 소리 소문 없이 보내 주었겠지. 말했잖아. 나도 네가 옆에 있는 게 편하지는 않다. 굳이 너를 쓸 이유가 없었어. 하필……."

티티라는 눈을 깜빡였다. 그는 눈썹을 잔뜩 찡그리고 있었는데, 지금까지의 그 어떤 순간보다 어려 보였다.

"하필 거절을 해선 나를 짜증 나게 해."

기가 막혔다.

"제가 언제 저를 이즈버르 침공의 구실로 삼아 달라 부탁했습니까? 왜 본인이 억울해해?"

"너를 속이고 싶지 않았으니까. 적어도 내 과거에 정직했던 만큼의 부담을 지려 했다."

"아, 그러셔? 그래서 실수를 보자마자 개집에 굴려 넣고?"

"잠깐뿐이었어."

"그래서 끌고 와 마스트에 묶어?"

"그건 내가 의도한 게—"

"이용했어, 안 했어?"

"……."

"그 핑계로 나를 네 방에 가두고, 실없는 소리로 계속 정신을 흩트렸지? 마스트에 묶였던 꼴은 백번 양보해 안쓰러웠다 쳐도, 보자마자 '좋은 계획'을 떠올렸겠지?"

"네게도 괜찮은 일이었다. 이유를 알았다면 너는 반드시 반항했을 테니, 가는 내내 약을 먹었을 수도 있다."

"그러니까! 그게 불가항력인 것처럼 말하지 말라고! 날 괴롭히기로 한 건 다 네 선택이었잖아! '총독님', 이렇게 불러 드려야 정신을 차리나? 다 총독님 선택이셨다고요!"

"……."

"그 와중에 제 의사를 존중했던 적이 있긴 있었죠. 이즈버르 앞에서 고통받게 둔 거. 그것만큼은 감사를 드립니다. 제 몸에 불 지른 뒤에 물을 뿌려 준 것 같지만, 그래도 감사합니다, 총독님. 그래서 저한테 남은 게 뭐냐면, 총독에게 소갈머리도 없이 고발해 경쟁 상단들을 망하게 만든 좀생이 평판이네요. 그 와중에 저것은 자기 부모 같은 사람을 죽인 교국에도 달라붙는다고 끌끌거리겠고. 물론 이즈버르가 부서지는 꼴을 버티다 못해 삭아 버린 내 정신도 잊을 순 없죠."

"……."

"이게 다 총독님 선택이었으니까, 그럴 의도가 없었다고 발뺌하지 마세요. 도망치는 게 더 비열해 보여요."

안스카리우스는 대답하지 않았다. 대신 조용히 의자를 당겨 그녀의 앞에 앉았다. 티티라는 문고리를 꽉 잡았다. 그가 마침내 제 시선보다 아래에 있었으나, 오히려 더 압박감이 들었다. 강건한 몸이 시야에 들어오자 공간 자체가 좁아지는 느낌이었다. 그녀는 그 갑갑한 느낌이 너무 싫었다.

눈 아래, 큰 사람이 말했다.

"하지만 너는 내가 고의로 한 짓을 용서할 생각이 없잖아."

티티라는 물러날 곳이 없다는 것을 알면서도 바짝 문에 붙었다.

"뭐, 어쩌라고요? 뭐, 무슨……."

"나는 이번 여행 이후에도 너와 교류할 수 있기를 바란다."

"어, 제가 당신 무엇이 마음에 들어서 그렇게 해 줘요?"

"네 생각은 모르지. 그러나 내가 바라."

"뭐? 이기적인 놈—"

"그러니 노력하겠다."

그녀는 어이가 없어서 물어보았다.

"'노력'하신다고요? 그럼 우리가 처음으로 다시 돌아간다면 절

안 가두실 건가요?"

"아니, 그때 너는 나를 죽이려 했다."

"그럼 최소한 이즈버르 침공의 핑곗거리론 안 삼으실 거죠?"

"선택지가 없다."

"그러면? 저를 몽롱하게 했던 약, 그건 안 먹일 거예요?"

"약이 없었더라면 네가 자리를 망쳤을 테니."

"제 눈앞에서 사람을 죽이지 않는 선택지를 고려해 보실 건가요?"

안스카리우스는 처음으로 생각하는 표정이 되었다.

잠깐의 침묵 뒤, 그가 대답했다.

"미안하다."

"……."

"나는 네가 이해할 줄 알았다."

그녀는 총독이 맨팔을 드러내지만 않았어도 뺨을 갈겼을 것이다. 눈앞에 보이는 삐뚤빼뚤한 상처가 모든 분을 꾹꾹 눌렀다. 안스가 재를 나한테 보낸 이유가 있을 거야. 그치?

"그들은 이즈버르 입장에서도, 우리 입장에서도 죽어 마땅한 이들이었다. 하지만 굳이 네 앞에서 처형할 필요는 없었던 것 같군. 일이 복잡해지지 않도록 신속히 끝내고 싶은 마음에 실수를 저질렀다."

티티라는 낮잠을 자다 부하 관리를 못 한 총독 다음으로, 들어가서 쉬고 싶어 빨리 처형한 총독이 웃겼다. 그걸 입 밖에 낸다는 게 믿기지 않았다.

그녀는 자신이 그에게 그렇게 무해해 보였는지 반성했다. 얼마나 순해 보였으면 다 큰 남자가 재깍재깍 속마음을 털어놓을까? 심지어 본인의 가장 큰 비밀까지 아는 사람에게.

안스카리우스가 고개를 숙였다. 살짝 뻗친 머리카락에 시선이 쏠렸다.

그녀는 툭 내뱉었다.

“다 그래야만 했던 거고, 하나 있는 실수는 ‘미안하다.’ 한마디로 끝이죠?”

“…….”

“저는 사실 여쭤보면서 기대하지 않았어요. 그래서 그러려니 해요. 총독님은 본인이 이기적이란 사실을 인정할 생각도 없으십니다. 뭘 노력해요? 또 어쩔 수 없는 상황이 닥치면 어쩔 수 없이 절 죽이실 텐데.”

그가 갑작스레 고개를 들었다.

“난 너를 안 죽여.”

“그렇게 선언할 수 있는 것도 죽일 수 있는 사람의 특권이죠.”

“질문이 많이 남았다.”

“다 대답해 주면 죽일 건가요?”

“죽일 마음 없다고 여러 번 말했지.”

“총독님께선 이번 바닷길에서 저를 죽이지 않고도 아주 많은 일을 해내셨습니다. 덕분에 정말 힘들고요. 그러니 그 말씀은 별로 의미가 없어요. 그냥 총독님 얼굴을 안 보게만 해 주세요. 이상한 미련 가지지 마시고요.”

안스카리우스의 팔이 살짝 들렸다. 티티라는 애써 안스의 상처를 외면했다. 그렇게 시선을 피하느라, 그가 제 팔뚝을 노렸다는 사실도 몰랐다.

티티라는 한순간 팔뚝을 쥐이곤 흠칫 놀랐다. 그가 자신을 끌고 가거나 제압하려 들지 않을 때 잡힌 것은 처음이었다. 힘이 들어가 있었지만, 그것은 허리에 부드럽게 매이는 가죽조끼 정도였다. 단순히 감싸기 위한 힘.

"네 바람을 하나 말해다오. 사제왕의 묵墨[1]으로 맹세하겠다."

그녀는 총독의 시선을 읽기 어려웠다. 단지 돌변한 태도가 꺼림칙할 뿐이었다.

당장 내 앞에서 꺼지라고 말하고 싶었지만, 총독이 갑작스레 '맹세'니 '사제왕'이니 하는 이상한 단어들을 꺼내 들어, 그가 약속을 진짜로 영원히 엄격하게 지킬까 봐 조금 걱정이 되었다.

교국인의 알량한 자존심으로 번복하지도 못하는 거 아냐? 내가 꺼지라고 하면 정말 끝끝내 못 보게 되는 건가? 소조폴에서 스쳐 지나가면서도 못 봐? 앞으로 무슨 일이 있을 줄 알고?

티티라는 어리석게 미련을 가진 스스로가 슬펐다.

"돔니니, 네 말이 타당하다. 여행 중 고난이 있었으리라 생각한다. 교국을 위해 내린 선택이 네게 해를 입혔다. 그러니 그를 보상하기 위해 사제왕의 맹세를 하겠다. 이는 절대로 어길 수 없다. 절대로……."

그는 주저하는 게 아니라, 그녀가 건넬 바람을 기다리고 있었다. 그 얼굴에선 따분하고 냉정했던 평소의 기색이 빛을 바랬다. 실낱 같은 긴장을 가다듬고 있었다.

"제가 말하는 순간 성립되는 계약인가요?"

그녀는 '맹세'를 '무상 계약' 정도로 알아들었다.

1) 얼굴이나 팔뚝의 살을 따고 홈을 내어 먹물로 죄명을 찍어 넣던 벌.

"그래."

"그러면."

티티라는 안스카리우스를 바라보았다.

"다시는 제 이름을 부르지 마세요."

그는 허탈할 정도로 쉬운 부탁에 의아해하는 듯했다. 안도한 듯 어깨가 살짝 내려갔다. 그가 생각한 게 얼마나 거친 '무상 계약'이기에 이렇게 긴장했을까? 실없게 느껴졌다.

그녀는 다시 한번 다짐하듯 말했다.

"절대, 죽어도, 제 이름을 부르지 마세요. 돔니니도 안 돼요. '저 자', '저 여자', '그녀', '너'. 대명사를 쓰세요. 남들에게 소개해야 할 때는 그냥 '소조폴 상단주'라 하세요."

"알겠다. 맹세한다."

티티라는 고개를 끄덕였다. 아주 많은 것들을 걱정한 뒤, 절대 돌이킬 리 없는 바람 하나를 떠올렸다. 내가 너의 이름을 부르지 않듯, 너도 나를 부를 수 없어.

그에게 이름이 불리지 않는 것만으로도 자신은 그를 안스와 구분해 낼 수 있었다. 이 살인마 총독과 안스 사이에 작은 관문을 만들어 냈다.

"……그리고 전 라요나와 같이 잘 거예요. 억지로 선장실에 넣어두지 마세요."

"그래."

티티라는 문을 확 열어젖혀 떠났다.

마침내 다시 만났을 때, 라요나는 티티라를 걱정한 듯 눈물을 글

썽였다. 울지 않은 척했지만 눈가가 햇살에 빛나는 것을 다 보았다.

티티라는 자신보다 반 뼘은 큰 상대의 머리를 쓰다듬었다. 라요나가 질색하며 물러났다.

"뭐 하는 거예요?"

"날 걱정했어?"

"건드리지 말아요! 저는 못 나가고…… 방 안에선 바깥이 제대로 안 보인단 말이에요. 저는 티티라 씨를 도우러 왔는데 소식이 없었잖아요. 어떻게 된 건지 걱정이 됐죠. 당연히요."

"그래."

티티라는 웃었다.

"너는 아직도 못 나간대? 누구 명령이야?"

"모르겠어요……. 그동안 이 문이 열렸던 적이 없었거든요."

그녀는 곰곰이 생각하며 일어섰다.

"나가 보자. 우릴 막는 사람이 있으면 안 되는 거겠지. 더 이상 여기 있다간 돌아 버릴 것 같으니 시도하지 않는 것보단 나아."

"……."

"너도 그렇지?"

라요나는 두려움과 욕망 사이에서 저울질하고 있었다.

"라요나, 내가 이즈버르의 두하 언덕을 보여 줄 수 있어. 거기 귀족청이랑 분수가 얼마나 화려한지 알아?"

"……."

"좋다는 뜻이지?"

"……."

티티라는 씩씩하게 문을 열고 나갔다. 선장실에 들으라는 듯 요란한 소음과 함께 상아색 복도를 지났다.

그녀는 갑판에 나오자마자 자신에게 수갑을 채웠던 군인을 발견했다. 군인은 얼굴을 잔뜩 찡그린 채 안으로 떠났는데, 아무래도 총독에게 허락을 맡으러 간 모양이었다. 그 전에 잽싸게 나가야지. 그녀는 자신을 따른 라요나의 손목을 잡았다.

"빨리 내려가자. 우릴 잡는 사람이 없네."

"그래도…… 되나요?"

"빨리, 빨리."

티티라는 마침내 라요나와 땅으로 내려오는 데 성공했다. 그녀는 맨바닥에 발을 몇 번 굴러 보았다.

"드디어."

"……."

"라요나, 첫 항해에 뱃멀미를 안 한 건 정말 천운인 줄 알아."

"차라리 뱃멀미가 문제가 되는 항해였더라면 좋았을 거예요. 와, 그런데…… 성벽이 다 무너졌네요. 꿈인 줄 알았는데 진짜였어요."

"……그렇게 신나 해 놓고선 '꿈이 아니었느냐'고?"

정말이지 철이 없었다. 나는 무너진 성벽을 보기 싫어 일부러 라요나만 바라볼 지경이었는데.

그녀는 겁쟁이면서도 뻔뻔함을 잃지 않는 라요나가 마음에 들었지만, 가끔 그 무신경함이 놀랍기도 했다. 아주 먼 세대였다.

"제가 언제 신났는데요?"

"나한테 바깥 얘기를 해 주면서 잔뜩 흥분했잖아."

"그, 그건…… 어쨌든 저희가 탄 배가 가라앉지는 않을 거라 안심이 된 거고요……."

“성벽 안에도 죽기 싫은 사람이 있었을 텐데?”

“…….”

라요나는 고개를 푹 숙였다. 티티라는 조롱하려다가 상대가 지나치게 기가 죽은 듯하여 당황했다. 교국의 승리에 단순하게 안도했던 만큼, 눈앞의 폐허에도 단순하게 미안해하는 것 같았다.

티티라는 정직한 열이곱 살짜리 아이에게 마음이 쓰였다. 자신이 무엇을 해 줄 수는 없었지만, 비슷한 시절을 지나온 사람으로서 걱정이 되었다.

“라요나, 주변에 널 가르쳐 주는 사람이 없어?”

“무슨 뜻이에요?”

“‘선생님’. 어린 사환들에겐 선생님이 필요해.”

“없어요.”

“그러면 나이 먹어선 뭘 하나? 늙어 죽을 때까지 심부름꾼을 하진 못할 텐데?”

“왜 못 해요?”

“상단의 사환들은 나이를 먹을수록 더 가치 있는 정보를 다뤄. 하지만 교국은 시노드 신넬인들을 안 믿기 때문에, 더 위로 올라갈 수가 없단 말이지.”

“전 몰라요.”

“항상 똑같으면 언제든 어리고 튼튼한 애들로 대체될 수 있잖아. 말 그대로 심부름만 한다면 말이지. 너 말고 다른 사환들은 어떻게 생각해?”

“신경 안 써요.”

라요나는 기분이 상한 것 같았다.

티티라는 어깨를 으쓱이곤—

문득 바닥에 점점이 무너진 돌들이 보였다.

그녀는 금세 과묵한 사람이 되었다. 갑작스레 자신이 교국의 옷을 입고 있다는 사실을 자각했다. 치우지 못한 잔해가 점차 잦아졌다. 아무도 그들의 곁에 오지 않았다. 티티라는 차라리 누군가 제 어깨를 치고 지나가기라도 했으면 좋겠다고 생각했다.

적의조차 느낄 수 없이 정복당한 도시라니.

그렇게 생각하는 순간 팔뚝을 쥐였다.

"아!"

돌아보자, 아까 제게 수갑을 채웠던 군인이었다.

"내 호위하에 움직인다. 이즈버르는 아직 안전하지 않다."

"……."

그는 그녀의 팔뚝을 놓아주었다. 속 터지게도 라요나가 꾸벅 인사를 했다.

"호위해 주신다니 너무 감사—"

"'호위'가 아니라 '감시' 아닙니까? 제 입을 틀어막고 수갑까지 채운 분이."

"므니모니오 디아세."

무안하라고 한 말이었는데, 이름을 밝히고 있었다. 티티라는 정말이지 교국 놈들이 싫었다.

"나를 무시해도 좋아."

군인은 주변을 둘러보았다. 그 순간 공기가 서늘하게 식는 느낌이 들었다. 아니, 실제로도 그랬을지 모르겠다. 모두가 그들을 피하기 위해 좀 더 바깥쪽으로 향했으므로.

그는 심지어 지나가던 교국 군인 몇을 불러 어디 어디로 가라고 명령하기까지 했다. 총칼을 지닌 교국군이 쩌렁쩌렁한 목소리로 복창했다. 점령지의 시민이 움츠러들 만한 태도였다.

조용히 산책을 하기는 글렀다. 티티라는 두하 언덕의 초입에 접어들며 생각했다. 하지만 기분이 나쁘다고 다시 배로 돌아가고 싶지는 않았다. 총독이 바로 그것을 노렸을 테니, 원래라면 자신이 했을 법한 행동과 정반대로 하기로 했다.

그녀는 꿋꿋이 언덕을 등반하며 설명해 주었다.

"여기는 인장印章[2]을 만드는 유명 장인이 운영하는 곳이야. 이즈버르뿐 아니라 도이도흐, 소조폴에서도 많이 찾아오지. 나도 여기 인장을 두 개 가지고 있어. 하나는 동물 뼈로, 하나는 산호로 만들었지."

"와! 구경하고 싶은데…… 문을 닫았네요."

티티라는 라요나가 있어서 다행이라고 생각했다. 어이가 없어 웃음이 나왔다.

"넌 도시가 망한 날에 장사를 하겠어?"

"아……."

그들은 언덕을 돌아 좀 더 걸어 올라갔다. 중간 지역에는 상인들의 고급 저택이 많아, 라요나가 입을 벌리며 구경하는 대로 두었다. 소조폴에도 비슷하게 부유한 구역이 있었지만 교국이 침공했을 때 모두 불탔다.

티티라는 디아세를 흘끗 바라보았다. 그는 옷깃에 묻은 얼룩을

2) 일정한 표적으로 삼기 위하여 개인, 단체, 관직 따위의 이름을 나무, 뼈, 뿔, 수정, 돌, 금 따위에 새겨 문서에 찍도록 만든 물건.

살피고 있었다. 정말 이즈버르에 개똥만큼도 관심이 없나 보다.

언덕을 올라갈수록 발아래 온전한 이즈버르를 발견하곤 기분이 이상해졌다. 검은 성벽만이 귀신처럼 사라졌을 뿐, 나머지는 예전과 똑같았다. 심지어 두하 언덕의 화려한 분수도 멀쩡히 작동하고 있었다! 세상에. 이 자리에선 도저히 소조폴의 말로를 상상할 수 없었다.

티티라는 미칠 듯이 궁금해졌다. 교국의 태도가 왜 바뀌었을까? 선전 포고도 없이 도시 하나를 박살 내고, 유력자들을 모조리 잡아 죽이고, 그들의 근거지와 도시의 상징을 불태우던 교국은 어디로 갔나……?

“여긴…… 귀족청이야. 예쁘지?”

티티라는 밋밋하게 말했다…….

“이즈버르 귀족청 앞 울타리는 자기들의 부富를 자랑하기 위해 도자기로 만들었어. 해안가 언덕에 도자기 장식물이라니, 정말 미친 짓이지. 바람이 조금 세게 불 때마다 깨진다니까? 그런데 얘들은 깨뜨리고 다시 어떤 색으로 채울지 논의하는 걸 더 좋아해. 그런 사람들이지.”

라요나가 탄성을 지르며 분홍색 도자기 울타리 한쪽을 만졌다. 경비병이 없어 오로지 그녀만을 위해 마련된 작품 같았다. 그 곁에선 디아세도 살짝 들여다보는 꼴이, 여전히 아무도 파괴에 관심이 없는 듯 보였다.

그녀는 정신이 이상해질 것 같아서 다시 언덕 아래를 내려다보았다. 격렬한 전투의 흔적, 그러니까 이프루이우호에 찾아왔던 남녀의 얼굴에 서린 증오 같은 것을 찾고 싶었다.

그래, 있기는 했다. 그나마 현실 감각이 돌아왔다. 폭삭 내려앉은 성벽, 검게 탄 부두와 갤리선, 그 사이 위풍당당하게 서 있는 거대한 교국의 범선. 침공의 흔적이 보였다.

티티라는 자기도 모르게 중얼거렸다. 적의를 불태우기 위해서였다.

"이번에 여기서 몇 명이나…… 죽었지?"

디아세가 툭 끼어들었다.

"한 사람도 안 죽었다."

티티라가 홱 돌아보았다. 그러자 그가 무언가 떠오른 표정을 했다.

"아, 세 명 죽었다. 내통자들."

"……."

"와, 정말요? 그렇게 오랜 시간 동안 포격을 했는데도요?"

"항구를 무력화하는 게 목표였지, 살인은 아니었다. 겁쟁이들이 성벽과 부두에서 도망쳤다면 아무도 안 죽는 게 당연하다."

"대단하네요! 피 한 방울 흘리지 않고 대도시를 점령하시다니요!"

"우리에겐 명백한 개전 사유가 있었으니까. 잘못을 시정할 사람들이 죽는다면 의미가 없지."

티티라는 그를 노려보았다. 디아세는 그녀를 정확히 무시했다.

"그럼 이즈버르는 한 사람도 안 죽고 항복한 거죠?"

"그래."

"왜일까요?"

"대답할 수 없는 문제다."

물론 티티라는 라요나가 던진 질문의 답을 알고 있었다.

이즈버르는 애초에 교국에 맞서 성벽을 지킬 의지도, 능력도 없었다. 한동안 성벽 안에서 맥아리 없는 포탄이나 날리다가, 사정거리가 비교가 안 된다는 사실을 알고 다 포기했을 게 뻔했다. 보호 귀족들이 도시에 존재하기에, 딱 그들 정도의 역할을 성벽이 해낸 것이다. '단지 존재하는 것'.

소조폴과 도이도흐 이후 구 년의 세월이 지났어도 시노드 신넬의 병력은 '단지 존재하기만' 했다. 교국과의 전력 차가 명확해서, 결사 항전을 고집해도 승리할 가망이 없었다.

당연히 일반 시민들은 도시를 수호하고자 하지 않았을 것이다. 그 이기적인 마음을 교국이 돌봐 주었다. 우리는 성벽만 무너뜨릴 예정이므로 항복하면 일반 시민들은 안전할 것. 물론 이외에는 보장 못 함.

그러니 이즈버르의 항복은 일반 시민이 상주와 보호 귀족을 제물로 내놓은 것과 마찬가지였다. 이놈들만 죽이라고. 티티라는 구역질이 났다.

티티라는 이 주변 호화 저택의 주인들이 어디로 도망쳤을지 씁쓸하게 궁금해했다. 그리고 이즈버르를 '배반'하면서까지 일반 시민의 범주에 속하고 싶어 했던 내통자들이 안타까워졌다.

그렇게 비장하려는 순간, 라요나가 다시 물었다.

"교국 군인들은 지금 무얼 하고 계신가요?"

"시민 등록 확인."

"사람을 잡아 오는 건가요?"

"아니, 확인. 잡아 올 인력도 안 된다."

새끼손가락 마디가 따끔따끔 아팠다.

디아세는 본인이 판단해야 하는 질문에는 일절 대답하지 않았다. 단지 사실에 대해서만 분명히 짚고 넘어갔다. 교국은 친절하게 이즈버르를 점령했다는 그 '사실' 말이다.

그가 차분하게 설명할 때마다 티티라는 둔탁해졌다. 지난 며칠간 불태웠던 악이, 바다에 섞인 민물처럼 시름시름 흐려졌다.

티티라는 이즈버르의 안내인 역할을 충실하게 수행했다. 그러나 평화로운 광경에 점점 더 혼란스러워졌다. 자신은 발을 구르고 울고 악을 쓰며 항구 도시의 멸망을 슬퍼했다. 어쩔 줄 모르는 총독에게도 기어이 사과를 받아 냈다.

그런데 정작 이즈버르는 너무도 멀쩡했다. 라요나는 배로 돌아오는 길에, 몰래 장사하는 행상에게서 과일 타르트를 사 왔다. 맛있다고 디아세에게 한 입 먹여 주기까지 했다.

세상이 제게 장난치는 것 같았다. 열일곱 살 소녀가 마음대로 나다니며 간식을 사 먹을 수 있는 침공 다음 날이라.

티티라는 그날 밤 뜬눈으로 지새우며 잠을 잘 수가 없었다. 그물 침대에서 대롱대롱 흔들리며 생각했다. 그래도 내일은 무슨 일이 생기지 않을까?

다음 날이 왔다. 계엄戒嚴[3]은 풀리지 않았다. 그러나 누군가가 죽지도 않았다. 그리고 자신이 보기에 몰래 장사하는 행상은 조금 더 늘었다.

다다음 날도, 다다다음 날도, 그다음 주도 똑같았다. 오히려, 교국군 탓에 범죄자가 몸을 사려 이즈버르는 더욱 안전해졌다.

한 주가 지난 뒤엔 도망갔던 상단의 중간급 관리자들이 다시 나

3) 일정한 곳을 병력으로 경계함.

타났다. '이 정도면 나는 안 죽겠지.' 생각하는 것이 다 보였다. 그들이 나타나자 교국은 정해진 낮 시간 동안 상업 활동을 허가했다. 이즈버르는 금세 도떼기시장처럼 변했다.

달라진 것이라곤 귀족청과 재판소가 무기한으로 폐쇄되고 입법, 행정, 사법 업무가 이프루이우호로 이관되었다는 것뿐이었다. 그 중 대부분의 일이 선장실에 집중되었다. 그 탓에 안스카리우스는 코빼기도 보이지 않았다. 그가 같은 배에 있다는 증거는 매일 밤 위층 선장실에서 새어 나오는 불빛 정도였다.

라요나와 티티라의 경우, 여전히 같은 방에서 생활했다. 배 바깥으로 나갈 때면 항상 디아세가 호위 겸 감시로 붙었다. 당신, 기억해 보니 이프루이우호의 '대대장' 아니었느냐 물어보았지만 무시당했다.

티티라는 지겹도록 가 본 곳에 또 가고 싶지 않아 주로 배 갑판에 붙어 있었고, 결국 라요나와 디아세만 외출하는 일이 잦아졌다.

그들은 단순히 구경을 나가나 했더니, 어느 날부터는 간식을 사 왔다.

티티라는 조용히 물어보았다.

"돈은 지불했어?"

"그냥 가져가도 된다는데요?"

그녀는 보자기를 풀다 멈칫했다.

그대로 손바닥만 한 짐을 든 채 갑판으로 나갔다. 라요나가 어리둥절하게 따라오는 것이 느껴졌다.

"므니모니오 디아세."

그는 선원에게 무어라 손짓을 하고 있던 중이었다.

티티라는 그대로 주먹을 갈겼다.

디아세는 순식간에 벌겋게 부어오른 뺨으로 그녀를 돌아보았다.

"처신 똑바로 해라."

"아, 아, 아니, 티티라 씨……."

그녀는 '라요나를 제대로 관리하라.'고 말하지 않았다.

"총독의 명령 없이 도시를 노략한 죄. 고의로 그랬어도 용납할 수 없지만, 네 머리에 든 게 없으면 더 문제다."

"'노략'……?"

그는 고개를 돌려 라요나를 쳐다보았다. 그녀는 잔뜩 겁먹은 표정을 하고 있었다. 디아세는 아무 말도 하지 않고 다시 선원에게로 몸을 돌렸다. 선원은 얼어붙어 있다가, 그가 세 번이나 되물었을 때에야 대답했다.

티티라는 라요나를 돌아보았다.

"알고 그랬어?"

"네, 네? 뭘요? 죄송해요……. 하나 사 먹었는데요. 맛있어서 배로 들고 가고 싶다니까, 여섯 개나 싸 주셨어요……."

"돈을 안 받았다면서."

"네……."

"저 새끼는 그걸 봤어?"

그녀에게로 갑판의 모든 시선이 꽂혔다. 어쩌라고, 죽이든가. 티티라는 이놈들에게 붙잡힌 이상 정말로 삶에 아무 미련이 없었다.

"모르겠어요……."

"저놈을 감싸 주려고 하는 말이면 다시 생각해."

"그, 그냥 호의로 주신 거 아닌가요? '노략'이라니……. 얼마 하지도 않는데…….”

티티라는 더 물어보지 않았다. 라요나를 등지고 부두로 걸어 내려갔다. 그녀가 무서워서 따라오지 못하는 것이 느껴졌다.

티티라가 부두를 벗어날 때 즈음, 묵직한 걸음이 따라붙었다. 그녀는 소갈머리도 없는 군인에게 짜증이 났다.

“왜 따라와?”

“명령이니까.”

“애가 그러는 걸 정말 못 봤어?”

“네가 말하는 그 ‘애’는 열일곱이다. 곧 열여덟이 될 거다. 너희에게 어른의 기준이 얼마나 낮은지는 모르겠으나, 다 알고 하는 짓이지.”

“넌 못 봤냐고.”

“못 봤다.”

티티라는 더 말할 가치를 못 느꼈다. 보자기 천에 직조된 상호를 확인한 뒤 급하게 걸어갔다. 그녀 뒤로 성큼성큼 따라오는 군인 탓에 모두가 그녀를 피했다.

티티라는 상점 문을 열고 들어갔다.

안쪽에서 나오던 주인이 움츠러드는 모습이 보였다.

“안녕하세요, 제 사환이 포장해 간 커스터드 크림 파이 여섯 개. 값은 소조폴 상단 앞으로 달아 두세요.”

“……괜찮습니다.”

“달아 두시라고요.”

“…….”

“하나만 묻겠습니다. 제 사환이 돈을 지불하지 않으려 했나요?”

상인은 슬쩍 시선을 뒤로 보냈다.

"아니요. 제가 호의로 드렸습니다."

"잘 알겠습니다."

그녀는 거칠게 짐을 챙겨 다시 상점 바깥으로 나갔다. 파이를 다 망치며 저벅저벅 걸어가다가, 문득 생각이 난 사람처럼 돌아보았다.

"다시는 이런 짓 못 하게 해."

"라요나는 스스로 판단할 수 있나."

"애가 혼자 판단해 봤자 애써 멍청하기만 하지."

디아세는 한쪽 눈썹을 찡그렸다. 티티라는 그가 무슨 생각을 하는지 알았다. 굳이 논쟁하고 싶지 않아 침묵할 뿐, 자꾸만 다 큰 이를 아이 취급하는 것이 이상해 보인다는 생각일 것이다.

하지만 티티라는 어리석은 열일곱에 너무 큰 선택을 한 사람이었다.

그녀는 배에 돌아와 커스터드 파이를 탁자 위에 던졌다. 라요나가 우물쭈물 죄송하다고 말했다. 대답 없이, 자신이 들고 온 책과 함께 그물 침대로 들어갔다.

티티라는 라요나가 벌인 소동 때문에 주변을 더 유심히 살피게 되었다. 약탈범들을 찾으러 본격적으로 거리를 돌아다녔다. 만일 교국이 유력자를 죽이지 않는다면 적어도 어딘가에선 도둑질이 일어나고 있으리라는 게 제 결론이었다.

그러나 라요나의 커스터드 파이 여섯 개 외에, 군인들이 무언가를 손에 쥔 꼴을 본 적이 없었다. 군인들은 격자형으로 뭉치고 흩어지며 이즈버르를 감시하는 데 바빴다. 외부인인 선원들은 교국의 이름을 파는 행위 자체를 무서워했다. 자유로운 사람은 자신과 라요나밖에 없었다.

티티라는 마침내 알아차렸다. 교국의 유일한 도둑질은 선장실 안에서 일어나고 있었다. 그리고 그녀는 그것에 참견할 권리가 없었다. 승자의 합법적인 권리니까.

지금까지 소조폴에서 발효된 교국령만 적용해도 이즈버르는 산 시체가 될 것이다. 그런데 거기에 특산물에 대한 추가 조항들을 덧붙인다면? 그녀는 이즈버르가 천천히 잠기는 모습을 볼 수밖에 없었다.

그녀는 오트카저트를 죽이면서도 그랬듯, 자신이 '그때' '그 선택'을 피했다면 어떻게 되었을까 고민하지 않았다. 내가 이즈버르의 제안을 거절하지 않았어도 교국은 반드시 개전 사유를 찾았을 것이다. 죄는 그들의 욕망에 있다. 나는 그들의 욕망 사이에 끼인 끼움쇠일 뿐이다.

물론 그렇게 머리로 아는 것과, 정말 아무 일 없던 것처럼 등 돌리는 것은 조금 다른 일이었다. 때문에 티티라는 사죄하듯 이즈버르의 대로를 돌아다녔다.

곧 순찰을 하고 다니는 소조폴 상주 티티라 돔니니에 대한 소문이 퍼졌다. 몇 주째 지치지도 않고 돌아다닌다고. 나쁜 놈을 보면 재판에 넘기는데, 오히려 그 모습이 모욕적이라고. 제깟 게 뭔데 이즈버르를 관리해? 뒤에 붙인 교국군이 없으면 아무것도 아니면서?

티티라는 그 평판을 다 알고도 돌아다녔다. 옛 소조폴을 지키듯 배회했다.

가끔은 라요나가 조용히 따라와 도와주었다. 그녀는 자신이 실수를 저지른 다음부터 쭈뼛쭈뼛 눈치를 보며 뭐든 열심히 했다. 라요나는 심지어 그녀에게 책을 몇 권 사 주면 안 되냐고 조심스레 물어보기까지 했다. 티티라는 흔쾌히 골라 주었다.

말했지, 디아세 개자식아. '애'라고. 이즈버르가 왜 이렇게 된지도 잘 모르고, 교국의 목적도 잘 모르고, 소조폴이 왜 지금 그 꼴인지도 잘 모르는 '애'.

그렇게 티티라는 눈을 부리부리 뜬 이즈버르 대로의 야경꾼[4]으로, 라요나는 잔뜩 소심해져 방 안에서 공부하는 사환으로, 그리고…… 안스카리우스는 한 번도 볼 수 없었다. 선상실에 우르르 오가는 그림자들이나 잔뜩 목격했을 뿐이다.

그들이 이즈버르에 도착한 지 한 달이 지났다. 해는 312년으로 넘어갔다. 점령이 너무도 평온하여 익숙해졌다. 그렇게 느끼는 스스로에게 구역질이 났다.

어느 날 티티라는 몸이 뻐근하여 오밤중에 깨어났다. 낮에 어떤 놈 때문에 두하 언덕을 달려 올라가느라 죽는 줄 알았는데, 그 탓인 모양이었다.

넓은 곳에서 몸을 풀어야겠다. 그녀는 팔을 쭉쭉 뻗으며 갑판으로 나갔다. 경험상 군인은 부두와 대로에 있을 뿐 배 위를 지키지는 않았다. 그러니 홀로 자유롭게…….

멈칫했다. 갑판 천을 걷어 올리는 순간, 혼자 배를 내려가는 안스카리우스가 보였다. 계엄으로 어두컴컴한 부두. 범선에서 희미하게 흘러내리는 빛만이 그의 걸음을 밝혔다. 그는 부두 입구에서 경계하던 경비병들에게 손을 들어 보이곤 어둠 속으로 사라졌다.

티티라는 총독이 어디로 떠난 것인지 너무너무 궁금해졌다. 선장실의 비밀을 엿보지는 못했지만, 이 밤에 혼자 행차해야 하는 장소

4) 밤사이에 화재나 범죄가 없도록 살피고 지키는 사람.

만큼은 알고 싶었다.

그녀는 재빠르게 머리를 굴렸다. 이윽고 조용히 선실 복도로 들어가 그물 침대를 풀어냈다. 그 아래 먼지가 뽀얗게 쌓인 구식 철 포탄을 들었다. 그녀는 철 포탄들을 열심히 그물 침대로 엮었다. 한쪽 끝을 갑판으로 끌고 왔다. 드르륵드르륵 끄는 소리가 안 나도록 엄청나게 노력했다.

티티라는 숨을 들이켰다.

철 구슬을 끌어안고 바다에 떨어졌다.

첨벙! 겨울 바다는 얼음장처럼 차가웠다. 뼈가 시렸다. 덕분에 정신이 번쩍 들었다. 그물 침대에 이어 두었던 포탄 열 개가 순서대로 수면에 떨어지는 요란한 소리가 났다.

그녀는 수영의 귀재는 아니었지만, 그럼에도 소조폴 시민이었다. 구슬을 이용해 충분히 깊게 잠수한 뒤, 또 나아간 뒤, 가까스로 풀어 주었다. 온몸으로 헤엄쳤다. 얼어 죽기 전에 나가야 했다. 눈앞이 뿌옜다.

다행히 거대 범선들이 지표가 되어 주었다. 이프루이우호가 가장 안쪽에 정박해 있었으니…… 하나, 둘. 티티라는 두 번째 배의 가장자리를 발로 차 방향을 꺾었다. 아무것도 없는 바다로 접어들었다.

허공에 발을 내딛는 기분이었다. 맞을 거야. 맞아야 해. 얼굴을 내밀었다. 부두 한가운데. 다행히 맞았다.

그녀는 오들오들 떨며 무너진 성벽의 주춧돌을 짚었다. 돌아볼 기력은 없었지만 반대편 배들에서 부산스러운 소리가 들리긴 했다. 여기까지 잘 왔는데 들키면 무슨 창피겠어. 그녀는 급하게 뭍으로 올라갔다.

교국이 성벽을 무너뜨린 덕분에 오래 걸리지는 않았다. 물에 젖은 손을 털었다. 성공했다는 기쁨 이전에, 추워 죽을 것 같았다.

티티라는 낮의 상인들이 상점 앞에 덮어 두고 간 천들을 마구잡이로 뒤집어썼다. 그레슈카 상단, 프리폼 상단, 젤렌추치 상단, 프리폼 부속 상단. 그녀는 마침내 대형 광고판 같은 차림새가 되었다.

벌벌 떨며 머리를 굴렸다. 매일같이 돌아다니느라 이스버르 지리를 정확히 파악하고 있었다.

안스카리우스가 아까 그 길로 걸어갔다면, 갈 만한 곳은…….

티티라는 몇 군데로 선택지를 좁히곤, 그중 가장 가까운 장소로 빠르게 걸어갔다.

걸을 때마다 천이 축축 늘어졌다. 여전히 물에 빠진 생쥐 꼴이었다. 너무 추워서 화가 났다.

첫 번째 갈림길에서는 아무것도 찾지 못했다.

교국의 통제하, 도심의 모든 문과 창문은 빛 샐 틈 없이 닫혀 있었다. 쥐새끼 한 마리 지나가지 않았다.

티티라는 다음 선택지로 향했다. 이를 따닥따닥 부딪치며 달려가다가, 얼핏 큰 그림자 하나를 보았다. 그녀는 몸을 뒤로 뺐다. 빛이 일그러졌다. 찾았다! 급히 선회해 그를 쫓아갔다.

티티라는 골목 두 개를 더 돌았다. 그리고 마지막 모퉁이를—

그녀가 주저앉았다. 돌벽에 칼이 부딪치는 소리가 났다. 뒤집어쓴 천과 함께 검은 머리칼이 차르륵 떨어졌다. 조금 잘렸다.

"저예요!"

내뱉고는 제 머리를 치고 싶었다. 너라서, 뭐?

정적이 흘렀다.

"여기서……."

티티라는 위를 올려다보았다. 어두웠지만, 안스카리우스였다.

"배에서 어떻게 나왔지?"

그녀는 벌떡 일어섰다. 물 먹은 천이 축 늘어졌다. 총독은 그 순간 그녀의 '탈출 방법'을 깨달은 듯했다. 그는 말없이 다가와 젖은 천을 뜯어냈다. 티티라는 빼앗기지 않으려 하다가 중심을 잃고 고꾸라질 뻔했다.

"당장 돌아가."

"……."

별수 없었다. 입을 벌리고도 아무 말 못 했다. 애초에 네가 들키지를 말았어야지. 그녀는 패배자답게 고개를 숙였다. 돌아가야 했다. 그가 천을 빼앗아 가 너무 춥기도 했다.

"떠나기 전에 무단으로 외출한 사유를 말해라."

그는 뒤늦게 범죄 고백을 듣고자 했다. 다 알면서 묻나?

"초, 초, 초, 총독님께서 떠나시기에, 어, 어딜 모, 몰래 가시나 궁금, 구, 궁금했습니다. 으……."

너무 추워서 이가 부딪쳤다.

안스카리우스가 외투를 벗었다.

티티라는 그의 행동을 그림자로 엿보곤 혀를 찼다. 총독이 미쳤나……? 그러나 제게 얹히는 외투의 질감과 무게는 진짜였다. 심지어 던지긴커녕 어깨에 걸쳐 주었다. 그녀는 너무 당황스러워 무슨 말을 하지도 못했다.

혼란에 휩싸인 채 고개를 들었다. 왜? 입 밖에 내진 않았지만 제 얼굴이 같은 말을 하고 있었다.

"네가 순순히 배로 돌아갈지 모르겠군."

"네?"

"따라와."

"저, 저, 정말요? 아, 추, 춥, 진짜."

티티라는 거절하지 않고 반쯤 얼어붙은 팔을 외투에 욱여넣었나. 그에게는 허벅지까지 내려오는 외투였지만, 그녀가 입자 허수아비가 된 느낌이었다. 꼴은 우스워도 어쨌든 종아리까지 닿아 따뜻했다. 그녀는 드디어 살 것 같아 어깨를 팡팡 두드렸다.

"추, 추워 주, 죽을 뻔했네."

"항구 도시에선 겨울 바다에 뛰어드는 법을 가르치나?"

바보짓을 한다고 고상하지도 않게 말한다. 티티라는 언짢으면서도, 그와 이런 대화를 나누고 있는 게 참 이상하단 느낌을 받았다.

그가 다시 걷기 시작했다. 티티라는 열심히 그의 곁을 따라잡았다.

정적 속에서 빠르게 걷는 두 사람의 발소리만 들렸다. 티티라는 안스카리우스가 조금도 추워하지 않는 듯하여 신기했다. 아무리 두터운 긴팔 상의와 조끼를 껴입었다 해도, 이즈버르는 중부로 가는 초입이 아닌가. 그런 도시의 1월은 농담이 아니었다.

안스였다면…… 아주 오래전에 엄살을 피웠을 것이다.

티티라는 쓰게 웃었다.

"안 추우세요?"

자신은 어느새 떨지 않고 있었다.

"따뜻한 날이다."

그녀는 들으라는 듯 콧방귀를 꼈다.

"너는 물에 젖어 추운 것뿐이야."

"오늘 엄청 춥습니다. 그냥 엄청 추워요."

"추운데 왜 바다에 뛰어들어?"

"그야 총독님이 어디 가는지 보려고요. 말씀드렸잖아요."

"그게 너와 무슨 상관인데?"

"총독님이 이즈버르를 어떻게 착취하는지 궁금했어요."

"착취는 네 하인이 했지."

티티라는 의외의 답에 그를 올려다보았다. 라요나 이야기였다. 그것도 몇 주 전의.

"라요나 일을 아세요?"

"네가 므니모니오 디아세의 뺨을 갈겼다는 소식까지."

"……괜찮답니까?"

"디아세는 냉정한 사람이다. 괜찮아. 그리고 그의 잘못이 없진 않았지."

티티라는 무려 '총독'이 그날 디아세의 잘못을 파악하고 있다는 데 놀랐다. 고작해야 커스터드 파이 여섯 개라도, 그것을 점령군의 일원이 무단으로 가져왔다는 사실에 대한 잘못 말이다.

사실 그녀는 평화로운 이즈버르에서 최초에 품었던 적의를 잃어가고 있었다. 그런 그녀에게 안스카리우스의 말은, 지금껏 정말 저 혼자만 유난스러웠던 것은 아닌가 의심하게 만드는 신호탄이었다.

안스카리우스는 용건을 찾은 듯 창고로 보이는 큰 건물 앞에 멈추었다.

티티라는 드디어 총독의 폭정을 욕할 기회가 왔다며 기대에 찼다.

그가 문을 두드렸다. 누군가 바로 열어 주었다. 매캐하고 찐득한 설탕 냄새가 확 풍겼다. 좋아, 저걸 몰수한다고 하겠지.

안스카리우스는 바깥에 서 있는 그녀에게 손짓했다. 들어와. 따라 들어갔다. 뒤에서 문이 닫혔다.

"견본見本은?"

"이쪽으로 오십시오."

대답하는 녀석은 이즈버르인이 분명했다. 아니나 다를까, 기둥에 그레슈카 대상단의 장식이 보였다. 티티라는 안에 교국군이 서 있는지 꼼꼼하게 살펴보았다. 그러나 아무도 없었고, 총독과 관리인은 급기야 한자리에 서서 설탕을 찍어 먹기 시작했다.

티티라는 궤짝에 기댔다. 내가 한밤중에 바다를 뚫고 나온 것이 남들 설탕 먹는 꼴이나 보기 위해서였단 거지.

"소조폴 상주시죠? 그쪽도 한번 드셔 보세요."

그녀도 끌려갔다. 끝까지 의심을 버리지 않았다. 설마 아편이라든가? 인상을 잔뜩 찌푸린 채 찍어 먹었다. ……품질 좋은 설탕이었다. 평가를 기대하는 듯한 관리인과 마주 보았다. 그들만의 수화로 대화했다.

"무슨 뜻이지?"

상인의 손짓을 모르는 이가 곁에 있었다.

"아……. 괜찮은데, 정제가 좀 덜 됐다고요. 그래서 저분이 혹시 보관 문제일지 모른다며 다른 걸 보여 주겠다고 하셨고요."

"아니, 괜찮다. 추후에 연락하지."

티티라는 설탕을 한 번 더 찍어 먹곤 안스카리우스를 따랐다. 관리인은 깊이 인사하며 그들을 배웅했다.

그는 부두로 향하지 않았다. 티티라는 요란 피울 생각이 없었다.

총독이 한밤중에 홀로 나온 이유가 슬슬 파악되었다.

총독은 다른 창고의 문을 두드렸다. 새로운 상단의 1조장이 나와 맞이했다. 이번에도 설탕 견본을 찍어 먹었다. 티티라는 스스럼없이 평가하려다가 문득 안스카리우스를 바라보았다. 그가 이해한 듯 귀를 가까이 기울였다.

새로운 안스에게선 바다가 아닌 나무 냄새가 났다. 확 트인 공간에서 맡는, 죽은 나무의 반들반들한 향.

그녀는 숨을 잠시 멈추었다……. 잠시 뒤 조용히 속삭였다.

"아까보단 별로예요."

안스카리우스는 다시 한번 맛보더니 추후 전갈을 보내겠다며 몸을 돌렸다.

말없이 다음 창고로 향했다. 그 와중에 처음으로 교국 군인과 마주쳐 경례를 받았다. 군인은 어찌나 훈련이 잘되었는지, 총독의 외투를 입고 있는 그녀에게도 눈길 한번 보내지 않았다. 다만 티티라가 마음이 쓰여 ―끔찍하게 비싼 재질의― 옷을 들춰 보았다. 당연하지만 안쪽이 흠씬 젖어 축축했다. 잘못하다간 냄새가 나서 버려야겠는걸…….

그들은 그 밤에 설탕 창고를 총 열한 군데 돌았다. 마지막 창고에서 나왔을 때에는 새벽보단 동틀 녘에 더 가까웠다. 티티라는 외투를 벌려 킁킁거리며 냄새를 맡다가, 그가 돌아보자 아무 짓도 하지 않은 체했다.

그가 입을 열려다가 닫았다. 그러다 다시 말문을 뗐다.

"바깥에서 씻고 가지."

"……."

"배에선 따뜻한 물을 못 쓰잖아."

"……."

물론 그의 말이 맞았다. 배에선 라요나와 서로 망을 봐 주며 찬물을 끼얹고 나오는 것이 목욕의 전부였다. 비누는 가시덤불을 굳혀 만들었다고 해도 믿을 정도로 빡빡했고, 아무 향도 안 느껴졌다. 엉망이었다.

결국 티티라는 기묘한 기분과 함께 동의했다. 혼자 씻고 간다고 선언했지만, 계엄이 풀리기 한참 전이라 그의 도움 없이는 불가능했다.

티티라는 잽싸게 몸을 담그고 나갔다. 그의 모든 제안을 넙죽넙죽 받아들였으므로 그 정도 배려는 해야 할 것 같았다. 그녀가 긴 통로를 지나 홀로 나왔을 때, 안스카리우스는 공중목욕탕의 입구에서 대로를 바라보고 있었다. 그렇게 표현해도 된다면, '멍하니'.

일부러 기척을 내자 그가 돌아보았다. 그녀는 공중목욕탕에 빚을 져 나름대로 멀끔한 겨울옷을 입고 있었다. 한 팔에 든 총독의 외투를 흔들었다.

"외투는……. 이건 제대로 빨아야 하는데, 제가 알아볼게요. 이즈버르에도 쓸 만한 세탁소가 있어요."

"마음대로."

서서히 동이 트고 있었다. 안스카리우스가 걸음을 뗐다.

티티라는 그의 등을 바라보다가 나지막이 물었다.

"오늘은 설탕 공납처[5]를 선정하기 위해 창고에 방문하신 건가요?"

"그래. 창고를 직접 보지 않으면 제대로 알 수 없어서."

5) 점령자에게 의무적으로 물품을 제공하는 상단.

"상등품을 생산하는 것으로 인정받은 상단은 어떻게 되나요? 그들의 상주를 죽이고 친교국 인사로 교체하나요?"

"품질에 따라 상단의 점수를 매기고, 그 점수에 따라 사탕수수 농장을 배분한다. 점수가 높을수록 더 많은 계약권을 따낼 수 있기에 공납량도 늘어난다. 그 사이에서 이윤을 만드는 것은 그들의 일이지."

티티라는 교국의 영리하고 교활한, 무엇보다 '시노드 신넬'적인 정책에 혼란스러워졌다.

다시 한번 물었다.

"정말 아무도 안 죽여요?"

"안 죽여."

말도 안 돼.

"다들 잘 협조해 주어 일이 순조롭다. 두 달 안에 대리인을 세우고 소조폴로 돌아갈 수 있을 것 같군."

"……귀족청은요? 안 부숴요? 시노드 신넬의 상징이잖아요. 소조폴에서도, 도이도흐에서도 눈에 띄는 건 죄다 부쉈잖아요."

"귀족청 건물은 그대로 쓴다. 이제는 '사역관'이 되겠지."

"왜……?"

"너는 교국이 이 도시를 부수길 바랐나?"

티티라는 우뚝 멈췄다.

교국은 이즈버르의 성벽과 부두를 무력화하고 평화로운 항복을 받아 냈다. 항복 이후, 아침 8시부터 저녁 8시까지만 통행하도록 한 것을 빼면 보통의 이즈버르는 자유로웠다. 상단들도 새로운 보호자에게 적응하고 있었다.

티티라는 입술을 깨물었다.

이런 안녕한 광경은 이즈버르가 아니라, 우스페히 씨의 소조폴이어야 했다.

이즈버르가 초토화되길 바란 것은 아니었다. 하지만, 하지만……. 그들이 이토록 안전하다면…… 교국이 첫발을 내디뎠던 소조폴이 너무도 억울해졌다……. 왜, 왜 하필, 우리만 난폭하게……. 교국도 시노드 신넬의 방식을 배울 수 있었는데…….

코끝이 찡했다. 소조폴도 누구보다 잘 점령당할 준비가 되어 있었다. 그런데 그들은 다 죽고, 이즈버르는 저렇게 헤실헤실 웃으며 총독을 맞이해? 모든 게 운명의 장난 같았다.

"저는…… 그냥, 왜 하필 소조폴에…… 그랬을까…… 하는 생각이 들어서요."

그가 돌아보았다. 동쪽 항구에서, 그러니까 그의 등 뒤로 해가 뜨고 있었다. 티티라는 헷갈리지 않았다. 저 사람은 안스카리우스였다.

"'하필'이라 생각하지 마라. 신이 다스리는 세상에 우연은 없으니."

총독의 말이었다.

티티라는 새겨들었다.

그는 몸을 돌려 부두로 향했다.

티티라는 그날 밤 이후 냉정히 따져 보았다.

교국 놈들은 무례한 돼지다. 그래서 자신에게 사기를 쳐 개전 사유를 만들었다. 다만 이후 부드럽게 순탄한 통치력을 보여 주고 있었다. 이제 소조폴과 도이도흐를 떠올리며 눈에 불을 켜고 경계하는 사람은 그녀뿐이었다.

현실을 깨닫자. 그녀는 차라리 이즈버르가 멸망했으면 좋았겠다는 생각도 했다. 부끄럽지도 않았다. 그냥 다 죽이지. 그러면 마음 놓고 교국을 악당이라고 욕할 텐데.

일상으로 돌아온 이즈버르의 시민들이 짜증 났다. 웃는 모습을 볼 때마다 난도질하고 싶었다. 너희도 십 년 전에 점령당했으면 소조폴 꼴이었어. 교국의 정찰선이 무려 너희 권역 안에 있는 마주두 제일섬으로 왔었잖아. 너희가 먼저 점령당했어야 하는데. 너희가 다 죽었어야 하는데.

그렇게 상상하다 갑작스레 본래의 자신으로 돌아왔다.

사실 안 죽어서 다행이야. 하지만 나는 고통스러워. 나는 너무 오랫동안 교국의 통치 방법을 이해하려 애썼어. 결국 성공했어. 총독의 얼굴을 똑바로 보며 '그래, 너희 방식 또한 효율적이었다.'고, 패륜적인 말을 했어. 그런데…… 그들도 변할 수 있었잖아.

우린 무엇 때문에 죽은 것일까? 저들의 발전을 위해?

티티라는 들리지 않게 조금 울었다.

그날 밤 있었던 일은 안스카리우스에 대한 제 생각도 바꾸었다. 그는 소조폴과 도이도흐 학살에 연대 책임을 지고 있을 뿐이었다. 학살이 끝나고도 십 년이나 지났는데, 그는 한 해 전 임명받아 단지 좀스럽게 상단을 착취해 왔을 뿐인데, 실제로 다른 도시를 침공했을 때에는 누구보다 친절한 지배자가 되었는데.

티티라는 그냥 그가 교국인이라 싫어하면 되었다. 참살을 했느니, 어쩌니 다른 이유를 붙일 필요가 없었다. 깔끔하게 제 편견에 따라 꺼려도 충분했다.

그녀는 일주일 뒤, 깨끗해진 외투를 들고 선장실 문을 두드렸다.

"들어와."

티티라는 문을 열 때까지도 망설였다.

안스카리우스는 책상에 앉아 있었다.

"외투 가져왔어요."

"……."

"그날 제가 일으킨 소란을 수습해 주시고, 제가 파손한 배의 물품을 묵인해 주시고, 또 외투도 빌려주셔서 감사합니다."

그녀는 정식으로 감사 인사를 했다. 그에게 고맙다는 말을 하면서도 자존심이 상하지 않기는 처음이었다.

안스카리우스가 자리에서 일어서 걸어왔다. 그는 그녀가 팔을 뻗으면 닿을 정도의 거리에서 멈추었다. 외투를 건네받았다.

"돔……."

그가 말을 사렸다. 이름을 부르려 했던 모양이다. 티티라는 그의 맹세를 기억했다.

"앞으로는 주의해라."

총독의 주의하란 말은 이제 조금쯤 가볍게 느껴졌다. 지금까지 그는 여러 번 진심으로 관계를 이어 나갈 의지를 내비쳤다. 그렇게까지 질기게 군 사람을 두려워할 필요가 있을까?

냉정해지고 나서야 깨달았다. 그는 이상하게도 제게 약했다. 아무리 과거의 흔적이라지만, 결국 본인은 죽었다 깨어나도 모를 기억인데.

티티라는 대답했다.

"네."

침묵이 흘렀다.

어색했다.

그는 너무도 명백히 자신을 바라보고 있었다. '나를 평가하나' 싶었지만 도저히 그런 시선은 아니었다. 차라리 비유하자면 예술품을 뜯어보는 눈이었다.

정적 속에서, 안스카리우스가 낮게 운을 뗐다.

"'소조폴'은 해석하기 쉬웠다."

"……."

안스카리우스의 투명한 개울물 같은 시선에는 이미 익숙해졌다. 그는 제 친구를 닮았다.

"'10월 1일'도 어렵지는 않았어."

"……."

"하지만 '26'은 알 수 없었다. 기한이 10월로 정해져 있어 내가 그때까지 의미를 파악하지 못할까 걱정이 컸다. 나는 소조폴의 모든 2월 6일생들을 추렸다. 그들 중 구 년 전에도 소조폴에 머물렀던 사람들을 찾아 총독이 아닌 척 마주 보았으나, 누구도 나를 몰랐다."

그녀는 입을 다물었다. 어마어마한 규모의 일이었다.

"그 뒤 26호 창고를 소유한 상단주, 26번 부두에 도착하는 모든 배들의 선주와 선장, 일등 항해사들, 일반 선원들을 찾았다. 나는 주로 맨몸으로 부두에 앉아 있었다. 아무도 나를 알아보지 못했어. 나는 마침내 '10월 1일'뿐 아니라 '소조폴' 또한 거짓말이 아닌가 생각했다. 내가 잘못 찾아왔나? 상당한 노력을 들여 왔는데, 그것이 모두 헛되었나?"

티티라는 멍하니 부두에 앉아 있었을 안스카리우스를 생각하고 기분이 이상해졌다. 그를 잘 알던 사람들은 모두 소조폴에 없었다. 유일하게 남아 있던 자신은 교국 군인들에게 감시를 받아 부두에서 고개를 들지 못했다. 전부 교국, 교국 때문에.

그런데 정작 그 교국의 총독으로 온 사람은 아는 이를 애타게 찾아다녔다는 것이다. 신의 고약한 장난 같았다.

“시노드 신넬 두 개 항구의 총독으로 물망에 오른 사람은 총 여섯 명. 그중 하나를 죽이고, 하나는 북부에 적거謫居[6]시키고, 나머지 셋과는 협상했다.”

“……죽여요?”

총독은 고개를 끄덕였다.

“나는 사제왕이고, 그들은 주제를 모르던 후계자들이었지. 법황이 내 이름을 흘렸을 때 사제왕이 아닌 자들은 모두 물러서야 마땅했다. 그것을 버텼으니 자연스러운 결과다.”

“아니, 아무리 그래도, 당신이 직접 살인을 저질렀다면 당당할 수는 없어요.”

“내가 죽이기엔 시간이 없지. 아버지께서 처리하셨다.”

티티라는 큰 충격에 눈을 부릅떴다. ‘아버지’?

“아버지가 계세요……?”

그는 눈썹을 치켜세웠다. 생각하자면 당연한 일이다. 안스에게도 부모는 있었을 테니까.

그러나 티티라에게 그 깨달음은 조금 다른 것이었다.

그녀는 전광석화같이 안스카리우스의 왼팔을 떠올렸다. 심장이

6) 일정 기간 추방함.

쿵쿵 뛰었다. 가위표, 가위표! 안스는 상처를 새길 때 분명 위험한 상황에 처해 있었다. 자신이 공격받을 것을 알고 있었단 말이다. 누군가 그를 해쳤다!

친구가 살해당한 잔해 위에서 안스카리우스가, 교국의 사제왕이 태어나지 않았던가. 착한 안스를 지운 뒤 교국의 사제왕으로 만들고 싶어 한 사람이 있었던 것이다. 누군가 그에게 왕관을 씌워 주고자 했던 것이다. 사제왕을 마음대로 부릴 수 있는 이라면, 법황이거나…….

'아버지', 가문의 책임자.

바를라암 가문에 안스카리우스보다 더 높은 사람이 있었다. 안스가 정말로 그의 핏줄이고 소조폴에 표류해 왔다면, 아버지가 아주 오랜 시간 동안 아들을 되찾고 싶어 했다 해도 무리는 아니었다. 따라서 그는 아주 유력한 범인이었다. 그자가 무슨 짓을 저지르지 않았더라도, 최소한 추궁할 가치는 있었다. 사실을 알고 있을 터!

티티라는 갑작스러운 깨달음에 눈앞이 어지러웠다. 그의 개인적인 이야기를 단 하나 들었는데도 흥분해서 정신을 못 차렸다. 힘이 쭉 풀려 눈앞에 있는 사람을 부여잡았다.

"……문제가 있나?"

"저는 안스가 고아라고 생각했으니까요, 평생……."

"……."

"지금 총독님께서 사제왕이신데…… 어떻게 아버님께서 생존해 계신지 여쭤볼 수 있을까요?"

"사제왕 위는 자의로 승계할 수 있다. 군인을 겸하기에 보통 쉰을 넘어가면 양선[7]한다."

7) 물려줌.

'사제'라면서 '군인'을 겸한다는 말은 웃기지도 않는 농담이었다. 하지만 그의 아버지가 아들에게 사제왕 위를 흔쾌히 넘겼다는 점은 새겨들을 가치가 있었다.

"그럼 아버님은 교국에 계신가요?"

"그래. 교읍지에 계신다."

티티라는 다시 속이 짜 미히는 것을 느꼈다. 자신은 그의 아버지를 협박해 답을 얻어 낼 수 있기는커녕, 바다를 건널 수조차 없을 것이다.

그녀는 실망하여 한숨을 뱉어 냈다.

"그렇군요……. 놀라워요. 전 정말 안스의 부모님을 생각해 본 적이 없거든요. 저도 없다시피 자랐으니까. 그런 면에서 비슷했다고 해야 하나……."

안스카리우스는 그녀의 손을 떼어 냈다. 아니, 떼어 내려다, 가만히 붙잡고 있었다. 티티라는 무언가 착오가 있을 거라 생각하며 맞닿은 자리를 내려다보았다.

"저……."

"부모가 없나?"

"……잘 모르겠는데요."

"무슨 뜻이지?"

"어렸을 때 상단에 팔린 뒤로 본 적이 없어요."

"몇 살 때?"

"일곱 살요."

내가 소조폴에 왔을 때 맞이해 준 사람이 이런 질문을 하다니.

"그때 팔려 와 나를 만났나?"

"……네."
그는 손을 놓아주었다. 티티라는 팔을 뒤로 숨겼다.
"그러면 네게 우스페히는 부모 같은 존재였겠군."
"'네게'가 아닙니다. '우리에게'예요."
"……."
"총독님, 26구역을 어떻게 찾았는지 말씀해 주세요. 저는 듣고 싶어요."
그녀는 주제를 돌렸다.
안스카리우스의 눈동자가 그녀를 바로 보지 못한 채 옆을 향했다.
"너무 오랫동안 같은 생각에 머물러 있었다. 아마…… 가을 초입까지."
"……."
"그러다 보고 문서에서 '21구'라는 명칭을 발견했다. 미리 소조폴을 익히고도 한참 동안이나 내 상처와 지구의 숫자를 연결 짓지 못했어. 그러나 '21구'가 눈에 띄자, 곧이어 '22구'와 '23구'도 보이더군. 지도를 찾아 펼쳤다. '26구'는 성벽과 떨어진 작은 언덕으로, 복잡한 주변부에선 도드라지게 한적한 곳이었다. 약속 장소일 법했다. 나는 언덕을 살피고 돌아오며 내가 정답을 찾았을 수도 있겠다는 희망을 가졌다."
"……."
"그럼에도 그날이 올 때까지 긴장했다. 내가 실패한다면 꼬박 한 해를 더 기다려야 할 테니."
"……."
"그리고……."

안스카리우스는 다시 팔을 뻗었다. 티티라는 제게 손을 대는 버릇을 고쳐 주고 싶었지만, 동시에 이 순간을 막고 싶지 않았다. 그의 손이 제 짧은 머리칼에 닿았다. 그녀의 목덜미가 살짝 떨렸다.

"성벽을 나서는 순간부터 언덕에 있는 사람을 발견했지."

그는 잘린 머리 끄트머리를 손으로 쓸었다. 티티라는 눈치 빠르게도, 그가 처음부터 제 짧은 머리를 신기하게 여겨 왔다는 사실을 깨달았다.

"나무 옆에 그림자가 있었어. 나는 너무 기대하지 않도록, 내 생각을 정리할 수 있도록 천천히 다가갔다."

"……."

"네가 달려와 나를 껴안더군."

"……."

"나는 한동안 드디어 찾았다는 생각에 기뻤고, 동시에 다소 허탈했다."

"제가 볼품없어서요?"

"전혀 달라. 너는 노력해서 얻어 냈을 때 허탈해 본 경험이 없군."

티티라는 눈을 깜빡였다.

"얻은 게 무엇이든…… 그 긴 시간이 성취 하나로 응축되는 이상한 공허감이 있다."

그녀는 그 감각이 무엇인지 알았다. 그러나 그와 화기애애하게 허무에 대해 이야기할 생각은 추호도 없었다.

"총독님, 저는 총독님이 '얻은 것'도 아니고, 총독님의 '성취'도 아니에요. 그날 밤, 제게 취하신 안스의 기억이야말로 총독님께서 마침내 찾아내신 것이지요. 그뿐이에요."

안스카리우스는 머리칼을 놓지 않았다. 티티라는 점차 껄끄러워졌다.

“총독님?”

“머리칼은?”

“네?”

“네가 잘랐나? 소조폴에서도 흔치 않아.”

“아…… 네, 네.”

그녀는 바보같이 두 번 대답했다. 제 짧은 머리에는 안스의 흔적이 남아 있었다. 아무리 혼자 정돈하는 것이 익숙해졌다고는 하나, 언제나 태어난 장소를 기억하는 열네 살짜리 머리칼이었다. 눈앞에서 저 얼굴을 한 놈이 물으면 당연히 버벅일 수밖에 없지.

“왜?”

“뭐가 그렇게 궁금하세요?”

“나는 네게 충분히 이야기해 주었다. 부족한가?”

“아니, 그렇다고 제가 답할 이유는 없는데요.”

그가 웃었다. 그제야 떨어져 나갔다.

티티라는 웃는 안스카리우스가 싫었다. 안스를 닮은 척하다니.

그녀는 꾸벅 인사하고 돌아 나갔다.

티티라는 더 이상 이즈버르에 애틋하게 굴지 않았다. 그들은 그들인 대로, 제 상처는 상처인 대로 두었다.

벌써 항구에 머문 지 두 달이 넘어갔다. 골목골목 익숙해졌다. 낮과 밤의 항구는 소조폴과는 다른 맛이 있었다. 소조폴이 둥글게 파인 산호섬 같다면, 이즈버르는 인간의 힘으로 만들어 낸 조각상 같았다. 그만큼 인간적으로 아름다웠다. 성벽이 다 무너진 뒤에도 그러했다.

성벽. 그래, 성벽. 무너진 잔해는 모조리 바다에 던져졌다. 교국은 이즈버르가 예전보다 더 튼튼한 성벽을 지을 수 있도록 십 년 계획을 세워 지원하겠다고 공포했다. 놀랍게도 비용은 사역관이 걷어 가는 ―어마어마한― 세금에서 지출하겠다고 했다.

티티라는 그 이야기를 듣고 귀를 의심했다. 천국에서 내려온 침략자도 아니고, 자기들이 무너뜨린 유일한 건축물을 자기 돈으로 복구한다고? 자재도 구매해. 노역에도 돈을 지불해. 심지어 계엄 시간을 철저히 지키기까지 했다. 그건 순식간에 이즈버르 거지들의 단비 같은 직업으로 자리매김해, 일종의 복지 사업이 되었다.

이는 성벽뿐 아니라 썩어서 폭발하기 직전이던 하수도 개선 작업에도 동일하게 적용되었다. 또한 항구 편의 시설 신설에도, 창고 확장에도, 불법 천막 시설 철거책에도……. 이즈버르는 모든 것이 슬금슬금 멋지게 올라가는 중인 개미집 같았다.

티티라는 이즈버르의 이전 지도층을 잘 알았다. 쓰레기 같은 놈들이었지. 그녀는 더 이상 입맛 쓰지 않게 인정했다. 인정해야만 했다. 교국은 다스리는 데 있어선 타의 추종을 불허했다.

물론 소조폴을 돌아보자면, 교국이 개자식들이라는 점은 변함없었다. 죽을 때까지 변함없을 것이다. 그러나 왜 보통 시민들이 부드럽게 교국의 통치를 받아들였는지 알게 되었다. 이전에는 머리로 알았다면, 이제는 정말 진심으로 깨달았다. 처음의 학살을 제하면 그들은 확실히 오래 묵어 부패한 보호 귀족들보다 나았다. 누군가에게는 그 발전이 학살보다 중요했을 것이다.

티티라는 현실을 배워 가며 더 자세히 교국의 일을 살폈다. 이즈버르로 출타하기보단 반갑판에서 어떤 일이 벌어지는지 보곤 했다. 사역관이 곧 이프루이우호였다. 덕분에 권력의 핵심에서 돌아다니는 사람과 물건이 흥미로웠다.

그러다 희한한 것을 발견했는데.

"너희 사귀어?"

그녀는 입이 딱 벌어져 물어보았다.

라요나는 디아세와 헤어져 선실로 들어가려 하고 있었다. 소녀는 반갑판에 대롱대롱 매달린 티티라에게 붙잡혀 당황스러운 듯했다. 그러나 그것도 잠시, 라요나가 살짝 웃자 티티라는 충격을 받았다.

"정말? 걔 몇 살이야?"

"디아세 씨는 스물넷이세요."

티티라는 잔뜩 인상을 찌푸렸다.

"여섯 살 차이잖아."

"제가 먼저 고백했어요. 너무 화내지 마세요."

그녀는 화를 내기도 전에 '화내는 사람'이 되어 있었다. 물론 화를 내기는 낼 건데…….

"나이가 몇인데 애를 데려다가—"

"제가 먼저 고백했다니까요. 그리고 티티라 씨가 계속 절 애 취급하는 것, 좀 그래요. 안 그러셨으면 좋겠어요."

"뭐? 그런데 넌 실제로 애잖아."

"제가 잘못한 걸 잘못했다고 지적해 주시는 건 좋은데요, 그게 어려서 그러는 거라고 하지는 말아 주세요. 기분 나빠요. 게다가 티티라 씨, 제가 사역관에서 십 년을 자랐는데, 교국 군인에게 그냥 헤벌쭉 넘어갈 거라고 생각하세요?"

"애니까."

"아, 정말."

티티라는 꽉 막힌 굴뚝처럼 대화를 거부했다.

"디아세 씨는 훤칠한 미남이시고 저를 많이 배려해 주세요. 또 교국에서부터 지금까지 겪었던 다양한 경험을 들려주시고요. 무엇보다 자라 온 환경이 비슷해서 이야기가 통하기도 해요."

"그게 가능하긴 해? 걔는 교국인—"

"네, 충분히요. 교국이고, 시노드 신넬이고 상관없어요. 그리고 한 가지 말씀드리자면요. 티티라 씨는 저를 저로 안 보고 '어린 소조폴 여자애'로 보시고, 디아세 씨를 디아세 씨로 안 보고 '교국 군인'으로 보시잖아요. 그렇게만 보셨다간 아무것도 해결이 안 돼요."

그녀의 말에 전혀 설득되지 않았다. 오트카저트가 떠오르지 않았다면 거짓말이다. 그러나 그보다 복잡한 문제가 있었다.

티티라는 툭 던졌다.

"다 좋은데, 자지 마라."

"뭐라고요?"

"만난 지 두 달 만에 열여덟 살짜리 여자애랑 사귀는 교국 놈을 난 안 믿는다."

"아니, 일단 누가 애— 됐네요. 그리고 말씀 못 들으셨어요? 제가 먼저 고백했다고요."

"네가 스스로 그렇게 생각한 건지, 그러도록 만든 건지 어떻게 알아? 절대 자지 마. 정말 좋아해서 후회가 없다 해도 잠자리랑은 또 별개의 이야기니까. 잤다간 아이를 가질 거고, 아이를 가지는 순간 교국 놈은 책임 없이 달아날 거다. 그놈들은 시노드 신넬인들을 사람 취급 안 해. '불신자'는 곧 사람이 아니란 뜻이지."

그녀의 목소리는 조금 컸다. 말하는 도중 주위가 조용해지는 것을 느꼈다. 그러나 교국 배에서 교국 욕을 하는 데에 따르는 당연한 결과라고 생각했다. 그리고 그 결과가 두렵지도 않았다.

"사람이 아니면 사랑할 대상도 못 되는 거야. 일종의 애완견 같은 거지. 개처럼 발라당 누우면 그 모습이 귀엽긴 할 텐데, 그게 무슨 소용이 있나? 수간하던 개가 임신했다고 그게 자기 새낀가? 그보단 먼저 겁이 날걸. 자기가 어긴 천륜을 먼저 생각하겠지. 그러니 널 인간으로 보지 않는 사람하곤 관계를 맺지 마. 그냥, 아무 의미 없는 거야. 그들의 감정은 감각 같은 거지. 마치 내가 지금 너를 보고 듣는 것처럼 한순간 느낌으로 있는 거라고."

티티라는 확신을 담아 연설을 끝냈다. 왜 이렇게 조용해? 얼마나들 충격을 먹었기에? 심지어 불쾌해할 법한 라요나도 눈만 되록되록 굴리고 있었다.

티티라는 주갑판으로 총총 내려갔다. 라요나를 끌고 들어가 더 심도 깊은 대화를 할 작정이었다.

몸을 돌렸다.

라요나 앞에는 선실로 들어가는 입구를 가린 천이, 천 안에는 그걸 반쯤 연 사람이 서 있었다.

티티라는 그제야 왜 누군가 제 뺨을 갈기는 대신, 모두가 침묵 속에서 흘끔흘끔 눈치를 봤는지 깨닫게 되었다. 안스카리우스가 라요나와 마주친 채 잠시 멈추어 있었다.

물론 그녀는 여러 번의 사적인 대화 끝에 그를 두려워하지 않게 된 사람이었다. 뜻밖에 총독의 얼굴이 보여 놀랐지만, 사실 별로 신경이 쓰이진 않았다. 다만 그의 체면을 생각하여 꾸벅 고개를 숙였다.

……잠시 머릿속에서 말을 고른 뒤 부드럽게 사과했다.

"저, 죄송합니다. 총독님께서 계신 줄 몰랐습니다."

나름대로 변명을 더했다.

"애가 철없이 연배 차이가 나는 교국군과 사귄다고 해서 말이 괴격했어요. 애랑 스물넷이라니, 말이 안 됩니다. 화가 나서 저지른 짓이니 부디 용서해 주십시오."

물론 말이 길어진다고 술렁술렁 대답했다는 사실은 가려지지 않았다. 오히려 더 명백해지는 것 같았다.

그는 대답하지 않았다.

티티라는 굽신거리며 라요나의 손목을 잡았다. 그리고 총독을 스쳐 지나갔다. 라요나가 계속 뒤를 돌아보았으나 티티라의 힘을 이기지는 못했다. 키가 훌쩍 큰 소녀는 계속 겅중거리며 그녀를 따라왔다.

티티라는 부선장실에 들어와서야 라요나를 놓아주었다.

"아무튼, 관계를 청산하라고 말할 권리는 나한테 없지만—"

"총독님께 사죄드려야 해요! 어떻게 그런 말씀을 하실 수 있어요!"

"뭐? 뭔 소리야?"

전혀 이해하지 못했다.

"어, 어떻게, 교국인들이 시노드 신넬인과 자면 수간을 하는 거라는 말을, 총독님 앞에서, 어떻게……."

"아! 그건 내가 장담한다! 총독이 시노드 신넬 여자랑 잘 때 그 생각 안 했으면 내가 소조폴 앞바다에 빠져 죽을게."

"정말……!"

"진짜야. 진짜니까 내 말 좀 새겨들어."

"티티라 씨!"

"아니, 총독이 무슨 상관이야? 지금 네 얘기를 하고 있잖아."

티티라는 급기야 짜증을 냈다. 그녀는 디아세가 나이도 많은데 교국인이라 엎친 데 덮친 격으로 엉망이라고 생각했다. 아주 큰일이었다. 어떻게든 일을 돌이켜야 했다. 그리고 시간이 남으면 디아세 엉덩짝을 걷어차러—

"티티라 씨, 이따 총독님께서 돌아오시면 정식으로 사죄드려 주세요. 총독님은 좋은 분이세요. 애초에 사역관에 여자가 드나든 적도 없지만, 그럼에도 수간을 한다는 모욕을 들으실 이유가 없어요."

"네가 왜 그 사람 기분을 신경 써?"

"내내 저한테 잘해 주셨으니까요. 전 정말로 티티라 씨가 무례한 발언에 대해 사과하셨으면 좋겠어요. 총독님께서 교국분이 아니라고 생각해 보세요. 도대체 어떤 소조폴 사람한테 '네가 누구랑 잔 건 수간'이라고…… 그렇게 말하는 게 가능한가요? 정말 감히 그렇게 말씀하실 수 있으세요?"

"달라—"

"같아요! 총독님도 사람이에요. 똑같이 불쾌해하신다고요."

"라요나."

"총독님께 사과하시면, 저도 디아세 씨에 대해 더 생각해 볼게요. 어차피 지금은 제 고백을 거절한 디아세 씨에게…… 가까스로 부탁해서 산책을 다녀온 정도의 사이니까요."

"뭐야, 진짜 사귀는 건 아니었어?"

티티라는 좀 맥 빠진 소리를 냈다. 난 진짜 관계가 있는 줄 알고 적어도 대여섯 명이 있는 자리에서 자랑스럽게 누구랑 자니, 수간이니 떠들었네.

"그게 중요한 게 아니에요. 전 티티라 씨가 사과하지 않으면 계속 디아세 씨랑 산책에 나갈 거예요. 깊게 생각 안 할 거예요."

"나한테 불리하지 않아? 난 네가 당장 마음을 접었으면 좋겠는데. 그걸 조건으로 걸면 사과하고 오지."

"절대 안 잘게요. 그건 맹세할 수 있어요."

그녀가 고민하는 표정이 되자, 라요나는 결연하게 한 번 더 같은 말을 반복했다. 지금까지 자신이 봐 온 라요나는 성급하거나 생각이 짧은 면이 있어도, 정직했다. 맹세를 믿을 수 있는 사람이었다.

티티라는 어깨를 으쓱였다.

"반드시 약속해야 해."

"네."

"좋아. 난 한숨 잘 테니까 총독이 돌아오는 소리가 들리면 깨워 줘. 선장실에 들어가기도 전에 잽싸게 사과하고 오지."

라요나의 한숨 소리를 뒤로하고 침대로 기어들어 갔다.

그렇게 얼마나 지났을까, 누군가 제 어깨를 흔드는 바람에 정신없이 깨어났다.

"뭐야?"

"총독님이 돌아오셨어요. 어서!"

"뭐……?"

"무례한 말씀을 사과하셔야죠!"

티티라는 떠밀려서 침대 아래로 굴러떨어졌다. 평소였다면 절대 라요나의 힘에 당하지 않았을 텐데, 비몽사몽간이었다.

그녀는 엉겁결에 선실 바깥으로까지 나갔다. 고개를 들자 선장실을 여는 안스카리우스가 보였다. 어리둥절한 얼굴로 뒤를 돌아보았으나, 라요나가 '쾅' 하고 문을 닫아 버렸다.

내가 뭘 하려 했더라.

안스카리우스는 그녀를 무시한 채 선장실 안으로—

티티라는 허겁지겁 달려가 문을 받쳤다. 그의 팔뚝 아래로 끼어 들어갔다.

"총독님, 죄송합니다."

그가 자신을 내려다보았다. 무슨 표정인지 읽기 힘들었다. 그녀는 도무지 진지하게 사과할 수 없는 자세라는 사실을 깨닫곤 미꾸라지처럼 선장실 안으로 들어갔다.

아직도 문을 열고 있는 총독에게 다시 한번 사과했다.

"총독님, 죄송합니다. 아까 제 사죄가 부족했던 것 같아 말씀 올리러 왔습니다. 바쁘실 텐데 시간을 빼앗아 더욱 죄송합니다. 그렇지만 정말…… 죄송하니 용서해 주시면 좋겠습니다."

그녀는 중언부언했다.

그가 문을 닫았다.

내가 나가야 할 길인데. 티티라는 말을 뚝 멈췄다.

"총독님?"

"야다트 그레슈카를 아나?"

티티라는 고개를 기울였다. 갑자기 '야다트 그레슈카'라니? 그녀는 이즈버르, 그리고 옛 도이도흐에서 첫째가는 상단의 대표였다.

짐작할 수 있듯 그녀는 도이도흐 학살을 운 좋게 피한 사람이었다. 따라서 당연히 이즈버르가 무너지던 날 도망쳤고, 아직까지도 교국이 두려워 돌아오지 않고 있었다.

"……네, 만나 봤어요. 여럿이 모인 자리에서, 한 번이지만."

"그자에게 이즈버르로 돌아오면 일신의 자유를 보장한다는 편지를 쓸 예정이다. 이는 총독 명으로 보장되니, 네가 보증해 주면 좋겠군."

뭐?

"제가 뭘 보증해요? 그레슈카가 돌아오면 총독님이 죽이실 수도 있잖아요."

"그레슈카 다음가는 상주는 이미 이즈버르에 머물고 있다. 그 덕에 거래에서 크게 이득을 봤지. 무엇보다 지난 두 달 동안 안 죽었고."

"이미 그레슈카 상단 하수인들이 잘하고 있는데 왜 굳이 상주를 부르려 하세요? 한데 모아 소탕하시려는 건 아니고요? 저는 절대 안 합니다."

티티라는 날카롭게 쏘아붙였다.

안스카리우스는 들은 체 만 체 저벅저벅 걸어가 서류 더미를 뒤졌다. 종이 한 장을 조심스레 빼냈다. 그와 함께 빈 종이를 잡더니 식탁 위에 턱 내려놓았다.

"이걸 보고, 여기에 써라."

"안 한다고 말씀드렸습니다."

"그자가 돌아와야만 이즈버르가 완벽히 복구된다."

"총독님, 제가 같은 말을 세 번 드리길 원하세요?"

"야다트 그레슈카는 사역관의 대상對商직을 맡게 된다. 이 건이 끝나야 이프루이우호가 이즈버르를 떠날 수 있다.”

“…….”

티티라는 자기도 모르게 흘끔 식탁 위를 바라보았다.

총독의 서체는 당연하게도 안스와 무척 달랐다. 안스는 효율적인 악필을 사용했는데, 총독의 글씨는 활자로 찍어 낸 듯 무게감 있는 정자체였다.

[그레슈카 상단의 상주, 야다트 그레슈카.

그간 혁혁한 공로를 고려하여 그대를 사역관의 대상으로 임명한다. 대상에게 부여되는 권한은 첫째, 항구 임차권 조율. 둘째, 관세 협상권이다. 마지막으로 대상은 적절한 사유로 교국군을 동원할 수 있다. 이는 현재 소조폴과 도이도흐에서도 시행되고 있는 제도이니 참고하도록.

이 제안은 312년 전반기 부로 종료된다. 이후에는 상주가 직접 다스리지 않는 상단의 항구 거래를 담보할 수 없다. 따라서 상반기 내 이즈버르로 돌아와 직위를 받을 것을 권한다.

안스카리우스 드라수스 바를라암.]

이름 옆에는 교국의 소름 끼치는 인장이 있었다. 긴 십자가, 그 아래 말 위에 탄 두 사람의 군인.

티티라는 고개를 돌렸다. 그가 기다렸다는 듯 말했다.

“약속하지. 야다트 그레슈카가 돌아오면 이 주 안에 모든 일을 마감하고 출항하겠다.”

그의 말이 자신을 쿡쿡 찔렀다.

지금까지 일로 봤을 때 교국이 그레슈카를 죽일 것 같지는 않았다. 그레슈카는 못 되더라도, 두 번째, 세 번째 가는 상단의 주인들은 벌써 이즈버르에 돌아와 있었다. 생명의 위협을 받기는커녕 교국군의 호위를 받고 있었다.

하지만…….

"만약에 제가 보증하지 않으면요?"

"그레슈카가 돌아올 때까진 내가 이즈버르에 남아 다스려야지."

티티라는 정말 소조폴로 돌아가고 싶었다. '버텨 볼까' 고민했지만 그럴 가치가 있는지 잘 모르겠다. 이미 제 평판은 교국인들에게 사랑받는 개인데 이번 한 번을 더한다고 큰 차이가 있을까?

티티라는 빠른 자기 합리화 끝에 펜을 들었다.

그러나 첫 글자를 쓰기 전에 문득 안스카리우스를 바라보았다.

"사실 안 믿어요."

그의 눈썹이 기울었다.

"저는 총독님이 그레슈카 씨를 죽일 거라고 생각하고 쓰는 거예요."

펜을 종이에 눌렀다. 잠시 기다리느라 그늘이 졌다. 티티라는 종이를 노려보며 읊조렸다.

"저는 소조폴로 돌아갈 거예요. 그걸 위해 손에 피를 묻힌다 해도 상관없어요."

사람이 죽어도 괜찮다는 이 무책임한 생각은 어디서 흘러나왔을까. 아마 이즈버르가 안정되었기 때문이겠지. 번영하는 이즈버르를 원망하지는 않았지만, 더 이상 마음 쓸 생각도 없었다. 동지도 아니었고, 애틋하지도 않았다. 단지 인생이 늘어지며 더해 오는 한 덩어리 짐 정도였다. 마음에 걸려도 밟고 지나갈 용기가 생겼다.

티티라는 마침내 종이에 썼다.

[중부의 대상, 그레슈카 상주께.

엄동설한에 건강은 안녕하신지 여쭙습니다. 이전에 뵈었을 때 소조폴 상단에 많은 도움을 주셔서 감사했습니다. 이후 마땅히 찾아뵙고 안부 인사를 드렸어야 했는데, 잡다한 사정이 켜켜이 쌓여 침묵했던 점을 매우 부끄럽게 생각합니다.

다만 서간으로나마 평소 품은 생각을 전달드리려 합니다. 교국의 제안을 긍정적으로 검토해 주시길 부탁드립니다.

사역관은 교국 통치의 핵심이 되는 기구입니다. 그들이 중앙 집권을 선호하므로, 귀족청보다 한층 더 위력적이라 볼 수 있겠습니다.

그런 사역관의 대상직은 그레슈카 씨께서 이즈버르의 모든 상인을 대표하신다는 의미입니다. 이에 따라 이즈버르 부두의 임차권을 조율할 수 있고, 교국의 관세에 대해서도 매년 대표로 협상할 수 있습니다. 마지막으로 필요시 교국군을 동원할 수 있습니다. 만일 에모치오날의 금 광산이 몹시 필요하신데 강력한 경쟁자가 있다면 교국에 보고하십시오. 이득이 된다면 군의 도움으로 계약을 체결하실 수 있을 겁니다.

물론 여러모로 검토하실 부분이 많은 점을 잘 알고 있습니다. 하여 적절한 시일 내, 모쪼록 진지하게 숙려하시어 가불가를 결정하시면 제게 큰 기쁨이 될 것입니다.

소조폴 상주,

티티라 돔니니 올림.]

그녀는 펜을 내려놓았다.

안스카리우스는 그녀가 쓴 글을 뜯어보는 듯했다.

"작문을 배웠나?"

티티라는 기막힐 기력도 남아 있지 않았다.

"총독님보다 오래 배웠죠. 총독님은 십 년 동안의 기억이 없으시니까 진짜로, 더 오래요."

있는 힘껏 모욕했다. 그러나 그는 고개를 흔들고 말 뿐이었다.

"아무튼 고맙다."

그녀는 흠칫 놀라 몸을 뒤로 뺐다.

"뭐라고요?"

그는 물러나지 않았다.

"고맙다."

"강요해 놓고 해 주면 고마운 건지, 참……."

"나한테 죄송하다면서. 그러니 고맙다는 말이라도 가만히 들어."

티티라는 꿀 먹은 벙어리가 되었다. 눈만 뒤룩뒤룩 굴리며 총독의 눈치를 살폈다.

그제야 총독이 웃었다.

"난 짐승에게 감사해하진 않는다."

다 듣고 있었군. 티티라는 바닥을 노려보았다.

"그러면 제 사과는 받아 주시나요?"

"네 감상을 사과할 필요는 없지."

마음 한구석이 찜찜했다. 막말을 할 때에는 전혀 신경 쓰이지 않았는데, 정작 그가 괜찮다고 말하니 기분이 이상해졌다.

그 순간 티티라는 부르르 떨었다. 총독에게 티끌이라도 미안하다는 감정이 들자 스스로를 용서할 수가 없었다. 안스와 얼굴이 같단 이유만으로 자꾸만 내 인정을 탐내다니.

그래서 더 큰 소리로 딱딱거렸다.

"사과하지 않아도 된다고 하시니 다행입니다. 전 정말 그렇게 생각하니까요."

"그래."

"……."

"나가도 좋아."

그녀는 의혹에 빠졌다. 사실 말다툼이 좀 더 길어질 것이라고 생각했기 때문이다.

불쑥 말이 나왔다.

"총독님이 진짜로 시노드 신넬인들을 개라고 생각하신다면, 총독님도 십 년 동안 개였던 거예요."

언뜻 부린 짜증이었지만, 안스의 껍데기를 쓴 자가 부디 그런 생각을 하지 않았길 바라는 마음이 컸다.

안스카리우스는 아무 말도 하지 않았다.

티티라는 울컥해서 덧붙였다.

"총독님도 개자식이라고요."

"넌 어차피 내 말을 안 믿잖아. 내가 뭘 해명해야 하나?"

그는 정말 궁금하다는 듯한 표정을 지었다. 그처럼 정직하고 안스를 닮은 얼굴을 보자니 부아가 치밀었다. 내가 총독을 안 믿는 건…… 사실이야! 하지만 그렇다고 그가 먼저 포기하는 꼴을 보자면 머리털을 다 뜯어 버리고 싶었다.

"그레슈카를 죽이지 않는다 해도 믿지 않을 테지. 그래서 말 안 했다. 하물며 내가 너희를 나와 같은 인간으로 본다 하면, 믿을 텐가?"

"……."

티티라는 식탁 한구석을 노려보았다.

정적이 흐른 뒤, 총독이 종이를 잡아 들었다. 글자로 한 바닥 물든 앞장을 훅 불었다. 원본 편지와 함께 두 장을 돌돌 말더니 주머니에서 줄을 꺼냈다. 묶는다. 모든 동작은 확신을 담아 신속하게 이루어졌다.

그는 그녀를 스쳐 지나갔다. 방을 떠났다.

티티라는 자리에 붙박인 듯 서 있었다.

얼마 뒤, 야다트 그레슈카가 이즈버르로 돌아왔다. 편지를 보낸 뒤 보름도 안 되어서였다. 티티라는 그레슈카가 복귀할 명분을 찾아 기다렸다는 사실을 깨달았다.

겨울날은 맑았다.

안스카리우스는 갑판 한가운데 서서 이즈버르의 대상주를 맞이했다. 그레슈카는 백발이 성성한 노인으로, 지팡이를 짚었으나 여전히 정정했다.

"이즈버르로 돌아온 것을 환영한다."

"이 나이 든 몸을 흔쾌히 중직에 임명해 주셔서 감사합니다."

"시노드 신넬의 상주는 이 대륙의 가장 귀한 자산이지. 항상 겸손한 자세로 그대들에게 배우고자 한다."

티티라는 콧방귀를 참았다. 그러나 주변을 둘러보니 의외로 다들 진지하게 경청하고 있었다. 교국군들도, 상단의 일원들도.

"천부당만부당한 말씀이십니다. 무지한 보호 귀족들보다 교국의 현명한 치하에 든 것이 큰 복입니다. 저희 머릿속에 든 하찮은 지식은 대해大海를 넘어온 교국의 지혜와 비교할 수 없음이 분명합니다. 그러니 부디 아량을 베풀어 그릇된 태도를 바로잡아 주소서."

그레슈카의 눈은 형형하게 빛나고 있었다. 결단코 적의는 아니었다. 그들은 서로를 존중하며 협상하는 중이었다.

"제가 비록 어리석게 이즈버르를 떠났으나, 곧장 돌아오고자 하는 마음을 가누기 어려웠습니다. 다행히 총독께서 직접 저를 초청해 주셨고, 또—"

그녀가 휙 티티라를 바라보았다.

"소조폴 상단주의 믿음 어린 편지에 감복하여 돌아올 수 있었습니다."

티티라는 신발 안에서 발을 꼼지락거렸다. 자신은 그녀처럼 산전수전을 다 겪은 시선을 해석하기가 어려웠다.

그레슈카는 다시 지팡이에 의지해 총독을 응시했다.

"총독님, 앞으로 이 그레슈카를 잘 부탁드리겠습니다. 이 땅의 일이라 익숙지 않은 부분들이 있으시다면 제가 성심성의껏 도움을 드리겠습니다."

"고맙다."

그레슈카는 고맙다는 말에 주름진 웃음을 지었다.

"복되게도 긴 삶을 살면서 가장 귀중히 품는 것은 새롭게 존경할 수 있는 분입니다. 다시 한번 존경할 기회를 주셔서 감사드립니다."

"그대에게 신의 자비가 있기를."

그들은 감사와 격려를 반복하며 마침내 서류를 주고받았다. 그레슈카는 서류를 받자마자 그레슈카 대상단의 인주를 현명하신 총독께 바치겠다며 고집을 피웠다. 서로 주고, 사양하고, 겸양하고…….

티티라는 한바탕 장대한 외교적 수사를 펼치던 그녀가 배에서 떠나자, 천천히 주저앉았다.

자신만 쏙 빼놓고 세상이 굴러가고 있었다. 그걸 저 육십 노인도 알았다.

멍하니 앞을 바라보는데, 갑자기 그레슈카의 얼굴이 다시 올라왔다.

"마지막으로 실례합니다. 제게 좋은 조언을 주었던 소조폴 상주와 따로 말씀을 나눠도 되겠습니까?"

티티라는 번쩍 정신을 차렸다. 그레슈카는 지난번 이즈버르 방문 시에 의례적으로 한 번 만난 것을 제하면 개인적으론 전혀 모르는 사이였다.

물론 저놈의 총독은 내 의사라곤 하나도 묻지 않은 채 허락하겠지.

"물론."

그럴 줄 알았다. 그는 스스로 베푼 수많은 작은 호의들을 한 번에 무너뜨리는 재주가 있었다.

"그레슈카를 따라가라, 소조폴 상주."

티티라는 안스카리우스를 보지도 않고 벌떡 일어섰다. 그레슈카와 눈이 마주쳤다. 상대가 몸을 돌리자 그녀도 성큼성큼 배를 내려갔다. 나이 든 사람의 걸음이 느려 순식간에 따라잡을 수 있었다.

그녀가 옆에 섰을 때, 그레슈카가 조용히 속삭였다.

"불쌍한 년."

티티라는 기가 막혀 눈을 크게 떴다.

"뭐라고?"

"온 항구 도시들이 네가 총독의 개가 되었단 사실을 안다. 걱정

마라. 그중 대부분이 널 부러워하고 있으니."

"너 미쳤어?"

"얘야, 나는 무슨 말을 해도 된다. 이즈버르로 돌아온 순간부터 넌 내게 목숨 빚을 진 거란다. 내가 죽으면 네 탓이잖느냐."

티티라의 맹렬한 기세가 폭우를 맞은 양 푹 꺼졌다.

그레슈카는 그녀를 기다리던 호화로운 마차에 탔다. 의자에 꼿꼿하게 앉아 손가락을 까닥였다. 티티라는 이를 악문 채 올라갔다. 하인들이 부드럽게 문을 닫아 주었다. 마침내 그녀는 여왕벌과 함께 밀봉된 벌집 안에 갇혔다.

"내가 교국 놈들을 한두 해 겪는 줄 알아? 아펭글로부터 지금까지, 아주 진저리가 나는구나."

"……."

"요놈들, 아주 끝까지 따라와. 아펭글로 때문에 환멸이 나 고향을 떠났더니, 도이도흐에선 연놈들을 죽여 대며 쫓아오고, 이제는 이즈버르까지 기어들어 오는군."

그레슈카는 이즈버르 출신으로, 교국 표류자 아펭글로를 후원하여 동부로 보내 준 대상인이었다. 일찍 돌아가신 아버지를 대신해 처음 내린 결정이 아펭글로에 투자하는 것이었기에 한때는 모든 신뢰를 잃을 뻔했다. 그러니 교국과 악연이 있다고 말해도 좋겠지.

"그 와중에 네년은 앞가림도 못 하고 교국에 핑계를 줘? 누군가는 걸렸을 테니 난 잘못 없다고 위로하진 않겠지? 이즈버르가 침공당한 것보다 네 연약한 마음이 더 불쾌하구나."

"이즈버르로 돌아오기로 한 건 네 선택이었잖아. 근데 왜 나한테 분풀이를 해?"

화를 못 참고 쏘아붙였다.

"요년 봐라, 당돌한 게."

"'년', '년' 하지 말아요. 늙어 죽을 게. 당장 내일 이가 다 빠져 있어도 이상하지 않을 노친네 말본새가 왜 이래?"

"너, 나한테 편지는 왜 썼느냐? 그렇게 길게 말이지. 정성 들여."

"총독이 쓰라고 협박하니까."

"너 정도 되는 규모의 상단이 널뛰듯 돌아다니면 피해가 걷잡을 수 없이 커질 게야. 그러니 어차피 오기로 마음먹은 김에 너만큼은 확실히 꺾어 놓자 싶었다."

"'꺾어'?"

"총독한테 빠져나오고 싶지? 소조폴로 돌아가고 싶지 않느냐고."

"그걸 알아냈다고 사람을 들여다볼 수 있는 척할 수는 없죠."

"네 약점은 아마 소조폴 상단일 테지. 거기 있는 사람들, 자본, 거래처. 전부 교국이 말려 죽이겠다고 했을 게야."

"……."

"내가 생각하는 해결책은 상비에게 그간 네가 키웠던 상단을 주고 갈라서는 것이다."

"뭐라고요?"

미친 사람을 보듯 그레슈카를 바라보았다. 티티라는 삶의 삼분의 일 동안 소조폴 상단을 일구었다. 그걸 오블레드에게 몽땅 넘기라고? 오블레드는 남부에서 자신을 믿어 주었던 사람들 중 하나일 뿐이었다. 제 목숨을 맡기기엔 턱없이 부족했다.

그레슈카는 눈을 가늘게 떴다. 주름 탓인지, 의심 탓인지 구분할 수가 없었다.

"넌 네 상비를 믿지 않느냐?"

"너는 믿어?"

"당연하다. 넌 내가 누구에게 그레슈카 상단을 맡기고 이즈버르를 떠났을 거라 생각하지?"

"……."

"설마 욕심 많은 상주들처럼 신뢰하지도 않는 멍청이를 상비에 세웠다고 말하지 마라."

"……."

"네 부모가 우스페히지?"

티티라는 입을 다물었다.

"우스페히도 사람을 안 믿었지. 그래서 어린애들을 키웠어. 그의 첫 상비는 그가 직접 키운 사내아이였고, 그나마도 소조폴 침공 시 모두 사라졌다. 믿을 만한 상비가 없던 자의 최후 아닌가."

그녀는 이 미친 노인네를 죽이고 싶었다.

"상비가 없는 이십 년이라, 나는 상상도 할 수 없구나. 믿는 동지가 없다니. 네 몸이 열 개라도 되는 줄 아느냐?"

"입 닥쳐."

"처신을 잘못해서 교국 무뢰한들에게 끌려다니는 주제에 말이 많군. 네가 상비를 신뢰하면 될 일이다. 그러면 상비가 상단을 잘 보관하여 진정한 주인이 돌아올 때를 기다릴 터이니. 교국은 명분을 위해 너를 끌고 다닌다. 그러니 네가 명분이 된 이유를 없애 주면 된다. 상단을 책임지지 않는 자유인이 되는 게지."

티티라는 육십 먹은 노인을 때리면 제 양심이 얼마나 남을지 셈하고 있었다. 하지만 내 후견인을 모욕하면서 맞을 각오도 하지 않았을까?

"티티라 돔니니, 혹시 이즈버르가 안전하다고 안심하고 있나?"

그녀는 대상주를 노려보았다.

"교국이 이즈버르를 정치가처럼 대했다고 생각하느냔 말이야. 명심해라. 노련한 정치가는 칼을 빼 드는 것도 순식간이다. 너는 그자에게 도덕성까지 심어 주고 있어. 그건 아주 큰 무기다. 어쩌면 교국은 내륙으로 들어가려는 전초전을 펼치고 있는지도 모른다."

티티라는 입을 꽉 다물었다가, 마침내 공대했다.

"그렇게 잘 아시면서, 이즈버르는 지난 십 년 동안 무엇을 했습니까?"

"음? 나야 돈을 벌었지."

기가 막혔다. 마차가 느릿느릿 멈추었다. 어딘가에 도착한 모양이었다. 그러나 귀한 사람의 마차답게 누구도 강제로 문을 열려 하지 않았다.

노인은 여유롭게 머리를 틀어 올려 긴 핀을 꽂았다. 길고 푸석푸석한 머리칼은 부서지기 직전의 흰 낙엽처럼 보였다. 그토록 부유한 사람이 모양새에 미련을 두지 않는 것이 신기했다. 그러나 바로 그 때문에 그녀의 대답이 더 성의 없게 느껴지기도 했다.

그레슈카는 손을 내린 뒤 마침내 뼈 있는 말을 던졌다.

"지난 긴 시간 동안 교국은 소조폴과 도이도흐에서 벗어나지 않도록 명령을 받았을 거다."

"그걸 어떻게 압니까?"

"그 외에는 설명이 안 되니까. 다른 항구를 추가로 점령하면 무조건 이득을 보는데, 왜 가만히 있겠어? 누군가 그들을 못 나오게

막았음이 분명하다.”

“하지만 보급이 부족해 그랬을 수도―”

“십 년 동안?”

“…….”

“아주 많은 사람들이 아주 많은 이유를 떠올렸지. 그러나 그 어떤 것도 십 년짜리 침묵을 설명할 수는 없었다. 지리적, 군사적, 정치적 요건을 모두 따져 보아도 마땅치 않았다. 그들이 십 년 동안 보금자리 속에 틀어박혀 있었던 것은, 비논리적인 이유가 아니면 설명이 안 된다.”

“…….”

“누군가 그들에게 강제로 금제를 걸었다. 그 장본인은 아마 법황일 것이고.”

논리가 너무도 빠르게 흘러갔다. 티티라는 반 박자 늦게 대답했다.

“너무 심한 억측입니다.”

“장장 사 개월간의 항해를 거쳐 시노드 신넬에 도착했는데도, 그 압도적인 전투력을 가지고도 욕심을 안 부려? 명령이 있었다니까. 명령이 있었으니 못 나가고 꾸역꾸역 한자리에 머물렀지. 그리고 누가 사제왕들에게 명령할 수 있지? 법황뿐이다.”

“이제 알겠습니다. 이즈버르 상단들이 바다 건너 법황을 믿고 멍청한 제안을 뿌렸군요. 근거도 없이 ‘법황이 명령했으니까’ 이즈버르는 안전할 거라고.”

“물론 무모한 짓이지. 잠자는 사자의 코털을 건드리는 일이야. 때문에 우리 상단은 만류했다. 하지만 각자가 독립된 개체인 것을 나보러 어쩌라는 말이냐?”

"결국 바꾼 건 하나도 없으면서 아는 척하지 마십시오."

"하여간 지금에 이르러 이즈버르가 무너졌단 사실은 전혀 중요하지 않아. 정말 중요한 건 '금제가 깨졌다'는 것이지. 저들이 소조폴과 도이도흐라는 코딱지만 한 도시에서 벗어났다고. 우리는 좀 더 앞을 바라봐야 한다. 풀려난 괴물에게 명분까지 심어 주어서는 안 된다."

"아, 근거라곤 하나도 없이 법황이 '공격하랬다가, 공격하지 말랬다가' 한 거라고요? 전부 당신 머릿속에서 벌어지는 싸움 같은데요. 제가 보기에 교국은 천천히 침공 준비를 했고 마침내 시일이 다가온 겁니다. 그 이상도, 이하도 아니에요. 당신이 교국에 대해 뭘 안다고?"

그레슈카는 지팡이로 바닥을 꾹 짚고 일어섰다.

"정말 한 치 앞도 못 보는 모습이 가련하구나."

티티라는 모욕감을 견뎠다.

"돔니니, 교국의 졸卒이 되고 싶으냐? 그럼 말리지 않으마."

그레슈카에게서 이상한 자신감이 느껴졌기 때문이다. 그녀는 기묘하게도 교국을 상대 가능한 적처럼 묘사하고 있었다. 이프루이우호에선 벌벌 기었으면서 어떻게 저런 태도가 가능한지 몰랐다. 노망이 났나?

"하지만 그들이 떠날 때 함께 죽을 각오를 해라."

티티라는 기가 막혀 웃었다.

"교국이 떠나요? 여길? 시노드 신넬에서 손꼽히는 항구를 십 년 동안 지배했고, 심지어 이즈버르를 박살 냈고, 이제는 당신 말마따나 내륙으로 향할지도 모르는 교국이?"

"그러니 네가 한 치 앞도 모른다는 게야. 어쩌면 교국에 오래도록 점령되었던 것이 네게 패배주의를 심어 주었을지도 모르겠구나."

"그래요. 교국이 떠날 날만 손꼽아 기다려 보세요. 자알 기다리세요."

그레슈카는 그녀보다 반세기는 어린 상주를 빤히 바라보다가 툭 내뱉었다.

"소조폴에서 정말 많이도 죽였구나."

"뭐요?"

"교국이 왜 사람을 두름으로 묶어 처형했는지 이제 이해가 간다. 소조폴은 완전히 단절되었다."

"당신이 소조폴에 대해 뭘 안다고—"

"소조폴은 끝장났다. 억울하다고 악을 쓰기만 한다. 아무짝에도 쓸모없이 나약한 백치들."

"……."

"네 멍청함을 사과하고 싶으면, 상단을 상비에게 넘기겠다는 결심을 한 다음에 돌아와라."

"……."

노인이 지팡이로 마차 문을 거칠게 쳤다. 잽싸게 하인이 나타나 문을 열어 주었다. 그녀는 하인과 지팡이의 부축을 받아 계단을 내려갔다. 그리고 인사도 없이 명령했다.

"이분은 다시 부두에 모시도록 해라."

"예."

"고맙다."

"별말씀을요, 상주님."

노인은 기우뚱기우뚱 안개처럼 움직이며 저택의 문 안으로 사라졌다.

티티라는 그레슈카의 말에 대해 생각했다. 오블레드에게 상단을 넘기고 나중에 다시 돌려받는 것이 말도 안 되게 불가능한 일은 아니었다.

심지어 그건 일전에 이미 자신이 떠올렸던 안이기도 했다. 그녀가 사역관 개집에서 죽음을 각오했을 때 말이다. 당시에는 오블레드에게 상주직을 넘기는 것이 아쉽지 않았다.

다만 지금과 상황이 완전히 달랐다. 또한 당시에는 스스로 생각했고, 지금은 그레슈카라는 미친 늙은이에게 제안받았단 점에서도 달랐다. 그것도 허무한 근거에 기반해 윽박지르듯 강요당했지. 티티라는 자존심상 도저히 그것을 용납할 수가 없었다.

우선 그녀는 오블레드에게 편지를 썼다.

[오블레드.

건강하지? 나는 여전히 존경하는 총독님과 함께하고 있다. 다만 총독님께서 상단에 기대하시는 바가 많아, 부족한 능력에 고생이 적지 않다. 이에 어떻게든 총독님께 탄원을 올리고자 하는데 나 혼자선 어려운 점이 있어. 그러니 네가 도움을 준다면 정말 고맙겠다. 내가 잠시 본 상단의 업무를 내려놓는 것도 좋은 선택지가 되겠지.

검토 부탁해.

티티라 돔니니.]

어떤 방식으로 전갈을 날리든 총독에게 내용이 올라갈 것이 뻔해 최대한 말을 다듬었다. 물론 그럼에도 속 내용이 가려지지는 않겠지만, 이 정도가 오블레드와 자신을 이해시키기 위한 최선이었다.

그렇게 우편함에 넣은 지 다시 보름이 지났다.

티티라는 안스카리우스에게 이제 소조폴로 돌아가자며 재촉할 수도 있었지만 그러지 않았다. 계속 생각하는 중이었다. 아마, 오블레드에게서 답장이 오지 않았기 때문에.

그러니까, 답장이 안 왔다.

오블레드……. 설마 나를 배신하려는 건 아니겠지?

그녀는 그간 소조폴에 연락하지 않았다. 연락하면 교국군과 소조폴 상단 간의 관계를 암시하는 것처럼 보일까 걱정했기 때문이다. 혼자만의 일탈로 여겨지길 바라는 미약한 희망이었다.

물론 그러고도 전혀 불안하지 않았는데, 끌려가는 상주에게 짐을 바리바리 싸 보낸 오블레드가 자신을 배신하리라곤 상상조차 하지 못했기 때문이다.

그러나 지금은…….

의심이 스멀스멀 피어올랐다. 설마 이렇게 불쌍하게 묶여 있는, 교국을 증오하는 상주를 버리고 뭔가를 도모할 생각은 아니겠지? 아니라면 혹시…… 내가 교국에 붙었다고 생각하나? 교국을 증오하는 남부 사람으로서 배신자를 처단하기로 마음먹었나? 그녀는 식은땀이 쭉 흘렀다. 아니, 나를 칠 년 동안 알았으면서?

물론 짐작할 순 있었다. 떠나던 당시, 오블레드는 그녀가 교국군과 도이도흐에 가는 줄 알았을 것이다. 그러다 대뜸 들은 소식이

'이즈버르가 교국군에 함락되었으며 소조폴 상주는 멀쩡히, 자유롭게 총독 옆에 서 있더라. 심지어 점령 이후로는 교국군의 호위 아래 돌아다니며 위세를 부리더라.'였겠지.

하지만, 그래도, 개집에 갇혀 있던 나를 봤으면 말이야……. 아니, 나와의 수년을 기억하면 말이지…….

그레슈카가 굳이 지적하지 않았어도, 모두의 눈에 자신이 교국에 붙어 일확천금의 꿈을 꾼 상주로 비칠 것은 잘 알고 있었다. 하지만 그녀가 남부에서 직접 데려온 오블레드는, 그 시간을 함께했으면 그러면 안 되었다. 정말 그래선 안 된다.

티티라는 밤마다 머리가 깨질 듯 아파 자주 산책을 나갔다. 멀리 나가기보단 배 위에서 컴컴한 수평선을 보며 정적을 견뎠다.

그녀는 돌아오지 않는 편지를 생각하며 담요를 움켜쥐었다. 초조해질 때의 버릇이었다. 아무도 깨어 있지 않은 밤이라 생각은 더 깊어졌다.

벌써 겨울 고비를 넘었다. 소조폴을 비운 지 한 계절이 지나고 있었다. 가끔 눈이 쌓이던 겨울 바다도 이제는 고요하기만 했다. 그동안 오블레드가 나를 잊었거나, 아니면 특별히 증오하게 되었거나…….

그때, 누군가 급하게 부두를 뛰어오는 소리를 들었다. 신발이 힘있게 바닥을 밀치는, 의지를 가진 소음이었다. 티티라는 어리둥절한 채 소리가 나는 방향으로 몸을 돌렸다. 벌써 갑판으로 요란하게 달려오는 교국 군인이 보였다.

그는 한달음에 그녀가 서 있던 반갑판으로 올라왔다. 티티라가 눈에 띄게 놀랐지만 군인은 개의치 않았다. 그녀를 완전히 무시하곤 달려가더니, 언제 쓰나 궁금했던 구석진 종 문을 열었다. 그 종은 심지어 이즈버르를 침공할 때에도 사용되지 않았기에, 그녀는 반쯤 장식이라고 생각하고 있었다.

교국군은 주저하지 않고 종을 울렸다.

뎅. 크고 묵직한 소리가 났다. 조금 떨어져 있던 제 몸까지 부드럽게 떨렸다. 뎅. 파도를 반대로 밀고 나가는 진동이었다. 뎅. 서서히 배가 소란해졌다. 뎅. 계단에서 무수한 인간들이 뛰쳐나왔다.

건장한 장교들이 일사불란하게 올라와 열을 맞춰 섰다. 옷을 어설프게 갖춰 입은 이들이 대다수인 것으로 보아, 무언가 급한 일이 벌어진 것 같았다.

티티라는 뱃전에서 수그러들었다. 멍하니 있는 사이 기회를 놓쳤다. 이제 선실로 돌아가려면 수많은 장교들 앞을 지나가야 했다. 수그러들다가, 그림자 속으로 쪼그라들었다. 눈에 띄지 말아야겠다.

마침내 선장실로 이어지는 문이 열리는 소리가 들렸다. 자신이 하루에도 십수 번씩 여닫는 문이기에 똑똑히 알아들었다.

티티라는 총독의 발걸음 소리도 알아챌 수 있었다. 지나칠 정도로 단호한 걸음이었다. 그가 종을 울린 사람이 있는 반갑판으로 올라온다.

안스카리우스는 구석진 곳에 웅크려 있는 티티라를 바라보았다. 아주 잠깐이었다. 그는 종 문 옆에 서 있는 군인에게로 걸어갔다.

총독은 무릎을 꿇었다.

티티라는 딸꾹질을 할 뻔하다가 입을 틀어막았다.

군인은 다른 손에 든 종이를 펼쳤다.

"안스카리우스 드라수스 바를라암 즉견卽見[8]. 문장은 법황령으로

8) 편지글에서 즉시 보라는 뜻으로 덧붙이는 말. 아랫사람에게 편지할 때 그 이름 밑에 쓴다.

공개된다.”

그녀는 주먹을 꽉 쥐었다. ‘법황령’?

“‘너는 신과 법황의 뜻을 거역하고 침공을 강행했다. 방황하는 사제왕에게는 인도자가 필요한 법. 임무를 되새길 수 있도록 초대 총독 사제왕 안디프 오모스 탈란타우에와 법황의 대리인 소존데를 파견한다.’”

티티라는 눈이 튀어나올 것만 같았다. 이게 무슨 소리지? 아니, 이미 튀어나온 모양이다. 더듬이처럼 눈을 곧추세우곤 터질 듯한 심정으로 안스카리우스를 바라보았다.

안스카리우스는 양손을 바닥에 짚은 채 고개를 숙였다. 그녀는 거기서 멈출 줄로만 알았다. 그러나 그는 곧장, 갑판에 큰 소리가 퍼질 정도로 세게 머리를 박았다.

티티라는 부르르 떨리는 엉덩이 아래 진동에 진저리를 쳤다. 무슨 상황인지 누가 알려 줬으면 좋겠어, 제발.

“‘신의 대리인, 법황 이디이.’”

군인의 마지막 말은 꿈결처럼 들렸다. ‘이디이’. 법황의 이름.

안스카리우스는 일어섰다. 표정 하나 바뀌지 않았다. 밝은 달 아래서 냉정하기만 한 시선이었다. 오로지 살짝 벌건 이마만이 그가 방금 굴종했다는 증거 같았다.

그는 예를 차리는 군인에게서 편지를 받아 들었다. 종이를 품에 넣으며 주갑판을 내려다보았다. 부드럽게 말한다.

“해산.”

방금 전 그 소동이 일어난 뒤에도 장교들은 빠르게 경례했다. 놀랍게도 그들이나 총독은 이번 편지에 전혀 충격받은 것 같지 않았다. 티티라는 교국인들의 정신 상태를 의심했다. 방금 절대 권력 같던 주인이 머리를 박았는데도 이전과 똑같이 존경하는 눈길로 따라와?

그러나 한 마디도 못 하곤, 주저앉은 채 눈만 되록되록 굴렸다.

안스카리우스는 그제야 티티라를 돌아보았다. 그녀는 혼자서 벌떡 일어섰다. 바로 떠나려 했으나, 엉거주춤 굳었다.

그가 말했다.

"한 가지 공유할 내용이 있군."

티티라는 침묵했다.

"교국의 바다 전서구는 최대 두 달 거리를 일주일 안에 찾아온다. 말인즉슨, 초대 총독과 법황의 대리인이 두 달 거리에 있다는 이야기지."

"……."

"따라서 우리는 그들이 도착하기 전까지 이즈버르에서 움직일 수 없다. 미안하게 되었군."

몸을 돌려 떠나려는 안스카리우스의 웃옷 자락을 잡았다. 그는 우뚝 섰다. 그녀를 돌아보았다.

"왜?"

"어떻게 그렇게 평온해요?"

그는 눈썹만 치켜세웠다.

"이마를 다쳤잖아요. 그 정도로 굴욕적으로……."

"너희는 익숙하지 않겠군. 법황의 성묵聖墨[9]을 받을 때에는 반드시 이마에 멍이 들어야 해."

9) 성스러운 편지.

"……."

"바깥이 번잡해진다. 들어가자."

총독이 손짓했다. 티티라는 처음으로 그의 말에 고분고분 따랐다. 반쯤은 그에게 설명을 듣고 싶은 마음, 반쯤은 아직도 무슨 일이 일어났는지 몰라 얼떨떨한 마음이었다.

선실 복도에 들어섰다. 그는 그녀와 나란히 걸어가다가, 선장실과 부선장실이 갈리는 위치에서 혼자 방향을 꺾었다. 그가 자신만 부선장실로 보내려는 듯하자, 티티라는 급하게 그를 불렀다.

"총독님."

그는 선장실의 잠금을 풀다가 의아한 듯 돌아보았다.

"왜?"

"정말 총독님 독단으로 이즈버르를 침공하신 건가요? 편지에서는—"

"그랬으면 법황의 대리인 혼자 소리 소문 없이 와서 나를 잡아갔겠지."

티티라는 더듬더듬 기억을 되짚었다.

"법황의 대리인만 오는 게 아니라…… 초대 총독이 함께 오잖아요. 초대 총독……."

"그래, 사제왕 안디프 '오모스 탈란타우에'. 그의 이름이 먼저 불렸다는 것은, 그가 사절을 이끌고 있다는 뜻이지."

티티라는 이성적으로 대화하며 서서히 정신이 돌아왔다. 탈란타우에. 소조폴과 도이도흐를 점령하고 학살한 뒤 신속하게 떠난 초대 총독. 갑자기 눈가에 열이 올랐다.

"탈란타우에……."

그녀의 목소리는 몹시 낮았다.

그 순간, 안스카리우스가 몸을 돌려 계단을 내려왔다. 그리고 읊조리던 티티라의 앞에 섰다. 그녀는 흠칫 놀라 몸을 뒤로 빼려 했다. 그러나 상대가 제 양어깨를 짚는 게 먼저였다. 시선이 마주쳤다.

"어림없는 짓 하지 마라. 그는 내가 아니야."

"……."

"그를 죽이려 했다간 넌 산 채로 혀가 뽑힌다. 명백한 죄목이 있다면 나도 막을 수 없다."

"……."

"대답해."

티티라는 바닥을 노려보았다. 탈란타우에. 자신이 소조폴로 돌아왔을 때, 불탄 잔해와 잔인한 위명만을 남기고 떠난 인간. 아니, 인간이라고 부를 수도 없는 괴물. 우스페히 씨를 죽인 총독은 짧은 점령 후 바다 건너로 사라져 다시 만날 수 없을 줄 알았다.

그런데 이곳으로 오고 있다고.

"탈란타우에는 교국에서 폭동을 일으켰던 불신자 수장을 오 년째 성에 가둬 두고 있다. 그에게는 눈코입, 혀와 손톱이 없다. 음식은 몸에 구멍을 뚫어 먹인다. 범죄자는 지하 감옥의 입구에 정물화처럼 걸려 있다. 그 정도로 잔인한 이다."

그녀는 잡다한 정보를 차단했다. 그다지 중요한 내용이 아니었다. 안스카리우스가 이상하게 친절한 것일 뿐, 솔직히 총독을 죽이겠다고 각오했으면서 저런 상상을 안 해 봤다면 정상인가? 그녀는 충분히 각오한 사람이었다. 겁은 나도 참을 만했다.

안스카리우스가 인상을 찌푸렸다.

"목숨에 별 가치를 두지 않는 것 같아 말한다. 탈란타우에는 너 하나로 끝내지 않는다. 소조폴 시민 백 명 중 하나를 죽일 거다. 반드시 연대 책임을 물어 항구에 시체를 내걸 사람이다."

"……."

"명심해. 네가 저지르는 순간 천 명이 더 죽는다."

"……."

티티라는 고개를 돌렸다.

어깨를 쥔 손에 힘이 들어왔다. 그녀는 약한 신음을 흘렸다. 겨우 다시 총독을 마주 보았다. 그의 눈은 어두운 곳에서 형형했다.

"경고했다."

"뭘요? 전 무슨 말씀을 하시는지 모르겠어요."

"탈란타우에는 네게 가능한 모든 고문을 할 테니 처음부터 건드리질 마."

"제가 대체 왜요? 뭘 잘못 알고 계시네요."

그들은 침묵 속에서 대치했다.

마침내 안스카리우스가 뒤로 물러났다.

티티라는 디아세와 헤어진 라요나가 살금살금 들어오는 모습을 지켜보았다. 소녀는 반갑판을 살피다가, 마침내 구석진 그늘에 숨어 있는 티티라를 발견하곤 숨을 삼켰다.

"저기, 그러려던 건 아니고요."

티티라는 반응하지 않았다. 더 걱정이 된 듯한 라요나가 다가왔다.

"저…… 디아세 씨랑 정식으로 만나기로 했어요. 물론 티티라 씨의 조언도, 제 약속도 잊진 않았고요. 언제 한번 저희 같이 식사라도 해요. 이즈버르에 좋은 곳이 많아요."

정적이 흘렀다. 라요나는 기죽은 얼굴로 상대를 살피더니, 곧 후다닥 선실 안으로 사라졌다.

티티라는 고개를 저었다. 그래 봤자 내가 들어가면 마주칠 텐데. 이내 몸을 움직여 따라갔다. 어차피 바깥에서 말할 수 없는 내용이었다.

그녀는 휑한 선실 복도를 사이에 두고 라요나를 마주 보았다.

"걔가 널 좋아한대?"

라요나는 방어적인 자세로 섰다.

"네."

"그 인간이 스물넷이나 되는 교국인이란 사실은 신경 안 쓰여?"

"네. 저는 그 사람을 사랑하진 않아요. 목숨 안 건다니까요. 그냥 좋아해요. 그도 저를 좋아하고요. 만나면 설레요. 생각보다 순진한 사람이라 이즈버르에 많이 놀라더라고요."

"나도 순진한 척할 수 있어."

"저 사람은 진짜예요. 그리고 이제 이즈버르 여자들도 교국군이랑 어울리던데, 왜 저만 가지고 그래요?"

티티라는 그녀를 빤히 바라보았다. 자신에게도 저런 시절이 있었다. 세상에 어떤 것도 나와 욕망 사이에 설 수 없을 때. 그러나 그 시절을 이해할 뿐, 이제는 소녀와 욕망 사이에 그림자를 드리우는 어른이 될 작정이었다.

"너는 나를 도와줬잖아."

라요나가 눈을 크게 떴다.

"제가 언제…… 아……."

"교국이 이즈버르를 침공할 때 내 손을 잡아 줬어."

"그건 당신이 너무 떨었으니까요. 누구라도 그랬을 거예요."

"하지만 그때 내게 도움을 줄 수 있는 사람은 너밖에 없었지. 네가 그렇게 생각하는 사람이니 날 도와준 거야. 그러니까 나도 내 나름의 보답을 하려는 것이고."

라요나가 한숨을 쉬었다. 큰 키로 성큼성큼 걸어왔다.

"티티라 씨, 저도 생각이 있어요. 도움을 주시려면 제가 필요로 할 때 주세요."

"……."

"그리고 저희랑 식사해요. 티티라 씨가 외출하지 않으신 지도 엄청 오래되셨잖아요. 같이 나가 보면, 대화해 보면 생각이 달라질지도 몰라요."

티티라는 여전히 디아세를 싫어했고, 그들의 미래는 불 보듯 뻔하다고 생각했다. 그럼에도 라요나의 부탁을 들어줄 필요가 있었다. 라요나를 설득하는 데에도 도움이 될 것이고, 한편으론 예의의 문제기도 했다.

그녀는 결국 물러났다.

"알겠어."

라요나의 눈이 믿기지 않는다는 듯 커졌다. 환하게 웃었다.

"아! 좋아요! 언제로 할까요? 그레슈카 대상단의 빈객실賓客室에서 좋은 식사를 대접하곤 한대요. 조금 비싸다지만 그래도 제가 지불할 거예요. 겨우 승낙하셨으니까……."

"난 이번 주가 좋아."

"네! 약속 잡아 볼게요!"

라요나는 신나서 다시 갑판으로 달려 나갔다.

티티라는 어정쩡하게 텅 빈 복도에 서 있었다. 배 바깥에서 끼룩 끼룩 바닷새 소리가 났다. '그레슈카'에는 가지 말자고 할 걸 그랬나. 그러나 너무 피하는 모양새도 좋지 않았다.

'그레슈카'를 떠올리자 끝끝내 침묵하는 오블레드가 떠올랐다.

한순간 뜨거운 불이 스쳐 지나간 것처럼 몸이 더웠다. 초조했다. 당장에라도 소조폴로 가고 싶었다. 그런데 탈란타우에가…… 교국이…….

티티라는 눈을 질끈 감았다. 얼마 전만 해도 가장 고약한 고민이 라요나의 연애였다는 사실이 믿기지 않았다. 이제는 하나만 떠올려도 언짢은 사실들이 줄줄이 딸려 왔다. 모든 것은 단순한 한 가지 고민이 아니었다. 그레슈카는 교국이었고, 탈란타우에였고, 안스카리우스였고, 또한 라요나였으며, 오블레드였다.

그중 단 하나도 자신이 원하는 대로 풀릴 것 같지 않다는 사실이 그녀를 괴롭게 했다. 자신은 그레슈카의 바람을 들어줄 수도, 오블레드를 설득할 수도, 안스카리우스의 속내를 이해할 수도 없었다. 또한 라요나는 디아세와 사귈 것이고, 탈란타우에는 위풍당당한 사절로서 이즈버르에 도착할 것이 분명했다.

티티라는 세상의 바퀴 사이에 끼인 작은 쥐가 된 것 같았다.

잠시 서 있었다.

그러나 깔려 죽더라도 찍찍대긴 해야겠지.

티티라는 부선장실로 들어갔다. 오블레드에게 다시 편지를 쓸 수는 없었다. 궁지에 몰린 사람이 재촉하는 듯 느껴질 것이다. 그렇다고 소조폴에서 가장 그녀를 신뢰했던 사람으로서, 이 상황에서 다른 이에게 털어놓기도 어려웠다.

대신 넌지시 떠보기로 했다. 그녀는 붉은 돛 상단에 그들과 소조폴 상단과의 새로운 계약에 대해 문의하는 편지를 썼다. 오블레드의 귀에도 들어가겠지. 그러면 그녀도 행동을 취할 수밖에 없을 것이다. 침묵보단 적대가 나았다.

그리고 어느 때처럼 바쁜 안스카리우스의 방으로 밀어 넣은 편지를 썼다. '소조폴에 있는 제 상단이 배신하여 저는 더 이상 상주가 아닙니다. 그러니 부디 저를 의무에서 면제해 주십시오.' 어차피 돌아가는 상황을 알고 있을 안스카리우스였다. 네가 알고 있는 것을 나도 안다며 예의 바르게 경계를 촉구하고 싶었다.

티티라는 손을 털었다. 일이 엉망이 되어 가는 가운데 스스로를 추스르려는 노력이었다. 효과가 있는지는 잘 몰랐다. 하지만, 해야 했다.

며칠 뒤, 티티라는 라요나에게 손을 붙잡혀 나왔다. 그레슈카 대상단의 이 층에 겨우 자리를 잡았노라 했다. 티티라는 디아세를 노려보느라, 끊임없이 조잘대는 라요나를 무시했다.

디아세는 의외로 시선을 피했다. 혹시 양심이 있나? 티티라는 궁금해하며 배에서 내려갔다.

라요나는 가는 내내 대화를 잇기 위해 무진 노력했다. 그러나 대화는 주로…….

"디아세 씨랑 지난주에 〈여섯 번째 기회〉 연극을 봤는데요. 연극에서 자주 사용하는 폴랴르 천이 신기하다고 하시더라고요. 교국에는 그런 천이 없다고요. 맞죠, 디아세 씨?"

"그래. 그렇게 얇은 천은 쓸모가 없어."

"베일은 있다면서요?"

"의식용이지."

"신기하지 않아요, 티티라 씨?"

"얼어 죽기 직전의 날씨라면 베일이 필요하겠어?"

"비록 소조폴만큼은 아니지만 그렇게 춥지는 않다. 최남단 에예우가 이즈버르 정도의 날씨겠군."

"그러면 나머지 땅에선 다들 얼어 뒈지기 직전이겠네."

"……."

라요나는 다시 노력했다.

"디아세 씨는 시노드 신넬로 오는 교국군에 자원하셨대요."

"이등 시민이 사는 도시에 일등 시민으로 오는 거라면 얼마나 기분 좋겠어. 당신 욕심도 알 만하군."

"……교국에서 시노드 신넬로 오는 건 그다지 매력적인 선택지가 아니다. 얻는 것이 있다면 포기하는 것은 더욱 크지. 무엇보다 더러워진 몸으로는 법황 성하 직속에 들 수 없으니까."

티티라는 갑자기 귀가 밝아지는 것을 느꼈다.

"시노드 신넬로 오면 당신 몸이 더러워지는 거라고? 법황…… 님이 싫어하나?"

"예언된 나라는 교국뿐이다. 그러니 다른 대륙으로 넘어가는 것은, 아무리 잠깐이라도 성하께서 용납하시기 어렵지."

"근데 지금 다들 여기에 있잖아? 그것도 왕창. 무려 사제왕도 계시고. 여기 계신 사제왕은 곧 두 분이 되실 거고."

"사제왕께선 교국 바깥으로 나가는 것이 신의 영광을 드높이는 방법이라고 믿고 계신다."

그녀는 그와의 대화에 집중하느라 돌부리에 걸려 넘어질 뻔했다.

"뭐야? 사제왕은— 아니, 사제왕께선 나오고 싶어 하시고, 법황 성하께선 나가지 말라 하시고?"

"조잡하게 요약했지만, 비슷하지."

갑자기 머릿속으로 빛이 새어 들어왔다. 완벽하게 논리적이니 아름다운 빛이!

"아! 그래서, 다들, 교국군은 그 사실을 아는 사람들이라…… 지난번 법황님의 편지가 왔을 때에도 아무렇지 않았구나? 원래 그런 거니까?"

"……."

"총독님이 바닥에 머리를 처박았는, 아니, 찧으셨는데도, 그 꼴을 보면서도 멀쩡했던 게 그 둘은 항상 그렇게 싸웠으니까……!"

티티라는 그레슈카의 지붕 아래로 들어가며 본격적으로 정리하기 시작했다.

"나는 아무리 생각해도 이상했거든. 총독님은 사제왕이시고, 사제왕은 법황 성하의 첫째가는 심복인데 왜 굳이 '사제왕'과 '법황의 대리인' 두 분이 같이 오시나 했어. 총독께서, 당신이 정말 독단으로 행동했다면 '법황의 대리인' 혼자 왕림해서 당신 목을 쳤을 거라 말씀하셨는데…… 앞도 뒤도 없이 혼자 말씀하시기에 이해를 못 했는데…… 그래서구나! 그래서……."

티티라는 법황이 바다 너머에 닿기는커녕, 그 내부에서도 옥신각신 중이라는 사실을 깨달았다. 신은 존재하지만 그를 사칭하는 사람이 이제 법황과 사제왕, 두 개의 명패를 달게 된 것이다.

그들은 조용한 홀로 안내되었다. 라요나가 아까와는 조금 다른 눈으로 초조하게 음식을 부탁했다.

티티라는 미친 사람처럼 끊임없이 중얼거렸다.

"이제야 다 이해가 가네. 아, 드디어, 이제야……."

"시노드 신넬에 오는 것은 법황 성하의 불가역적인 의지를 어기는 짓이지. 여긴 그런 놈들뿐이다. 돌아갔을 때 교국에선 어떤 공적인 자리도 찾을 수 없겠지. 평생 몰랐던 쟁기를 들어야 할 수도 있고."

"그러면 왜 오는 거야, 여길? 아무리 그래도 고향에서 출세하는 게 먼저지."

디아세가 빙그레 웃었다.

"나는 고아에 아무 연줄도 없으니까."

티티라는 이 값비싼 홀에 고아들만 옹기종기 모였단 사실에 웃음이 터졌다.

"그래서 라요나가 너와 비슷하다고 생각했군."

"그래요. 제 말은 제대로 안 듣고."

"아니, 난 또 이상한 헛소리나 하는 줄 알았지. '우린 생각하는 게 비슷해요.' 이런 거."

디아세는 포크를 툭툭 건드렸다.

"시노드 신넬에서 교국으로 온전히 돌아갈 수 있는 사람은 단 하나다."

그녀는 정답을 알고 있다는 기쁨에 소리를 질렀다.

"사제왕!"

"……말조심해라. 예의를 지켜."

"주의할게."

"그분을 제한 나머지는 교국 땅을 다시 밟을 땐 더러운 인간 취급을 받을 각오를 해야 한다."

"다 같이 똥을 밟았으면서 왜 사제왕님만 괜찮은 건데?"

"사제왕의 명예는 함부로 할 수 없다. 그분은 신의 영광을 전파하기 위해 오물을 뒤집어쓰시는 분이다. 처음 미친 짓을 구상했던 사제왕 탈란타우에의 성스러운 공은 성인聖人의 위명에 다다라 있다."

미친 새끼, 학살자가 기가 막히네. 그녀는 생각했다. 그러나 디아세에게 사제왕에 대한 감상을 적나라하게 말하는 것은 그다지 현명한 처사 같지 않았다.

"그래서 이번에 두 분이 같이 오시는 건, 사실상 사제왕 탈란타우에께서 인도하시는 거라고?"

"그렇지. 법황 성하께 올리는 예법은…… 외부인에겐 그렇게 비칠 수도 있겠군. 생각하지 못했다."

티티라는 앓던 이가 빠진 표정을 했다. 아귀가 맞지 않던 수많은 부분 중 하나가 멋지게 맞아 들어간 느낌이었다.

그렇게 싱글벙글 웃던 와중 전채前菜가 도착했다. 티티라는 웃으며 제 것을 받고, 반대편으로 고개를 들었다가 우뚝 멈췄다. 라요나가 자신을 도와준 디아세의 뺨에 입을 맞추고 있었다.

티티라는 손가락질을 했다.

"식사하는 자리에서 그러지 마."

라요나는 인상을 찌푸렸다.

"방금까진 디아세 씨랑 잘만 떠드셨으면서."

"그야……."

"디아세 씨가 그 귀한 정보를 그냥 알려 주셨겠어요? 다 저 때문이지."

"그게 자랑이야, 넌?"

그녀는 기가 막혀 노려보았다. 얼마나 생각이 없으면 자기가 애인이 되어 정보를 준다는 게 기분 좋은 일이 되는 거야?

디아세가 불쑥 끼어들었다.

"네가 왜 불안해하는지 안다, 티티라 돔니니."

"그럼 죽든가."

정보도 빼냈으니 더 이상 디아세는 필요 없었다.

"내 관계를 설명해야 할 의무는 없지만, 라요나가 불편하다고 말하니 어쩔 수 없지."

"므니모니오 디아세, 나이 먹고 잘하는 짓이다."

"나는 교국에 돌아갈 수 없다고 말했다. 대부분의 교국군이 그렇듯이 시노드 신넬에 붙박인 처지다."

"그래서? 방랑자가 아니니까 다행인 거라고? 그래도 네가 소조폴에서 특권을 누리고 있다는 사실은 변하지 않는데? 소조폴을 지배하는 인간이 소조폴인을 사귀어?"

"나는 한 번도 라요나에게 강요한 적 없다. 애초에 라요나에게 노릴 것이 있는지도 모르겠다."

"'관계'가 있지."

그가 인상을 찌푸렸다.

"난 여자랑 자 본 적 없는데. 잘 생각도 없고."

티티라는 갑자기 확 달아올랐다. 그가 너무 뻔뻔하게 받아쳐서 할 말을 잃었다.

라요나는 웃다가 의자째로 뒤집어졌다.

"어, 어흑, 아니, 아, 웃겨!"

"티티라 돔니니, 혹시 내가 무슨 경험이 많아서 라요나와 관계를 가지고, 버리고…… 그런 시노드 신넬식 상상을 하진 않길 바란다."

"……."

"신께 받은 몸을 힘부로 대하는 것은 죄악이다."

티티라는 여전히 벌건 얼굴로 허공을 응시했다. 그녀는 태어나서 자기가 동정이란 말을 저토록 당당하게 하는 남자는 처음 보았다. 보통 남자들에게 동정은 창피하고, 빠르게 과거로 남겨야 할 일이니까.

"……어떻게 그런 말을……? 경험이 없다고……. 우린 남이나 다름없는데 쪽팔리지도 않나……."

"난 이미 비슷한 일을 라요나와 함께 겪었지."

"저도, 저도, 하하하! 티티라 씨랑 똑같았어요. '이 남자가 미쳤나?'"

"그래서 많은 대화를 나눠 본 결과, 우리의 '동정'이란 말은 시노드 신넬에서 남자가 '경험이 있다'고 하는 것과 동치라는 사실을 깨달았다. 교국인은 절대 어디서도 관계했다는 말을 자랑스레 떠들지 않는다. 그건 수치스러운 일이야."

그녀는 문화 차이에 길을 잃었다. 시노드 신넬에선 '경험이 있다'는 것은 전혀 부끄러운 일이 아니었다. 여자들에게도 물론 그랬지만, 특히 남자들이 강박적으로 외치는 주문과 같은 말이었다. 나는 당연히 경험이 있어. 경험이 없으면 덜떨어지고 약한 남자야.

그런데—

"나는 당연히 동정이고, 적법한 관계를 만날 때까지 순수를 지킬 것이다. 네가 걱정했던 게 그거라면 말이다."

라요나는 바닥에서 거의 울고 있었다.

티티라는 거울을 보지 않고도 제 얼굴이 붉으락푸르락하는 것이 느껴졌다.

"말도…… 말도 안 돼."

하지만 쥐어짜 냈다.

"거짓말이야! 더럽게 노는 교국 놈들을 내가 한둘 본 줄 알아?"

"물론 그런 이들도 존재한다. 천박한 욕구는 누구에게나 있으니. 신과 자기 자신을 함께 버린 놈들이지. 하지만 그것들도 만일 교국에 돌아가게 된다면 과거를 숨길 거다. 교국 사회는 그렇다."

"그게 가능하다면 너도 충분히—"

"나는 신을 무한히 믿는다."

"……."

"나는 만물을 주관하시는 신의 도덕률을 믿는다."

티티라가 아는 신은 돈을 부르는 잡신밖에 없었다. 도저히 당당하게 맹신하는 사람을 이해할 수가 없었다.

라요나는 바닥에서 구르다가 다시 의자를 세워서 올라왔다.

"티티라 씨, 이제 좀 아시겠죠?"

"……."

"저한테 디아세 씨랑 자지 말라고 하셨잖아요. 그 약속은 지킬 수 있을 것 같아요."

"난, 도무지……."

"못 믿으시겠으면 티티라 씨도 총독님을 꼬드겨 보세요. 그분이 티티라 씨하고 자려고 드실지 궁금하네요."

라요나는 총독을 공경하면서도 시노드 신넬인다운 태도를 버리지 못했다. 디아세가 고개를 절레절레 저었다. 나한텐 입조심하라더니, 라요나에겐 아무 말도 안 하는군.

"라요나의 말을 듣고 헛짓거리 할 생각 마라. 사제왕께선 당연히 순수를 지키신다."

라요나는 바닥에 우당탕탕 엎어졌다. 또 운다.

"'순수'!"

흡사 비명이었다.

티티라는 난장판 속에서 혼란스러운 듯 물었다.

"그럼, 뭐야……. 교국인들은 언제 잘 수 있는데?"

"당연히 적법한 혼인 의식을 치르고. 이걸 내가 왜 설명하고 있어야 하는지 정말 모르겠다."

"히익, 흑, 흐흐흑……."

"라요나, 조용히 좀 있어. 교국인하고 시노드 신넬인이 잔 사례는 수두룩 빽빽해도 결혼한 사례는 없는데 무슨 헛소리야, 너?"

디아세는 이마를 몇 번 쓸었다. 그가 대답하려는 순간, 음식이 들어왔다. 직원들은 공손하게 남은 식기를 치우고 새로이 김 나는 요리를 올렸다. 티티라는 뭉게뭉게 피어오르는 수증기 사이로 디아세를 노려보았다.

사람들이 나가자마자 쏘아붙였다.

"말만 번지르르하게 하고 결국 잘 거지?"

"티티라 돔니니, 나는 교국의 일반적인 도덕에 대해 이야기한 거다. 너희에게도 도덕이 있겠지. 누군가는 지키지 않을 것이고."

"너는 지키겠다고?"

"그래."

그의 말을 증명할 방법은 없었다. 하지만 그가 소조폴의 버러지인 자신에게 구태여 변명할 이유도 없었다.

티티라는 큰 덩이로 나온 고기를 제 앞으로 끌어당겼다. 말없이 썰어 냈다.

그 와중에 디아세가 라요나를 일으켜 세워 주는 모습이 보였다. 더 이상 투덜대지 않고 무시했다. 대신 그들이 다시 자리에 앉자마자, 그릇을 밀어 주며 날카롭게 말했다.

"그런 건 인간에게만 지키는 예의일 수도 있지. 교국인들은 시노드 신넬인을 인간이라고 생각하지 않잖아. '불신자'는 인간이 아니라고."

"돔니니, 그건 누구에게 들은 이야기지?"

"다른 사람들."

"선지자께선 모든 인간이 평등하게 창조되었다고 말씀하셨다."

"하지만 같은 신을 믿지 않으면 같은 인간이 아닐 텐데."

"우리에게는 지성이 있는 불신자들을 지옥의 입구에서 구원해야 할 의무가 있다. 같은 인간으로 생각하지 않았다면 구원하긴커녕 모두 죽이라고 했을 거다."

식탁의 공기가 잠시 싸늘해졌다.

디아세는 말을 내뱉어 놓고 약간 당황한 것처럼 보였다.

"성경에 나오는 말이다. 문장이 강하니 너무 곧이곧대로 듣지는 마라."

"너희는 우리를 '불신자들'이라고 부르는데 그건 경멸하는 말이 아니야?"

"정리하지. 우리는 너희를 독립된 개체로 존중한다. 당연히 너희에게도 도덕이 있다고 생각한다. 그러나 진리는 신에게 있고, 너희 또한 그 사실을 깨달아야 한다고 믿는다."

"……그런 것치곤 지난 십 년 동안 포교를 안 하던데."

"음, 그건 다시 처음으로 돌아가야 한다. 법황 성하께서 허락하지 않으셔서 신을 설파할 수가 없다."

티티라는 두 손 두 발을 다 들었다.

"식사나 하자. 복잡하다."

"그럼 이제 티티라 씨도 저랑 디아세 씨 사이가 괜찮으신 거죠?"

"……."

그녀는 열심히 먹었다. 라요나가 까르르 웃으며 박수를 쳤다.

"디아세 씨는 정말 시노드 신넬 음식을 좋아하세요."

"교국에 있을 때와 맛이 비교가 안 되니까."

"그렇게 맛없어요?"

"가난했던 내게 교국 음식을 평하라면 교국에는 좀 억울한 일이다. 라요나, 사역관에 오기 전의 너에게 시노드 신넬의 음식을 평하라는 것과 같지."

"난 그래도 맛있다고 할 건데. 저는 상단 연회에 가서 많이 적선 받았거든요. 거긴 그런 거 없어요?"

"지금 소조폴 빈민들에게 배분하는 식이다. 단 한 사람도 굶지 않는 대신 질은 그다지 높지 않지."

"와, 그러면 디아세 씨랑 전 같은 걸 먹고 자란 거네요."

"아마 그럴 거다."

"입대하면 맛있는 걸 주나요?"

"본토에서는 그렇지. 하지만 사 개월간의 항해 동안은 차라리 빈민식이면 다행일 음식들을 먹는다."

라요나는 웃으면서 포크로 감자 한 조각을 찍어 그에게 먹여 주었다. 디아세는 은근슬쩍 고기를 썰어 그녀의 그릇에 덜고 있었다.

티티라는 온몸에 소름이 돋아 그들을 외면했다. 편견을 헤치고 보면 그들은 그저 연인이었다. 그러나 그녀는 죽어도 편견을 지울 생각이 없었다.

"그러고 보니, 디아세 씨는 총독님과 함께 오셨잖아요—"

"그래, 너!"

티티라는 건수를 잡았다는 듯이 벌떡 일어섰다.

"너! 우리가 마스트에 매달렸을 때 아무 짓도 안 했잖아. 지금 무려 이프루이우호의 '대대장'이면서, 그땐 부당하게 묶인 여자 둘을 구하려고도 안 했지? 넌 위선자야."

"아, 우리 이미 그때 이야기도 했어요. 총독님의 명이셨대요."

혹 떼려다 혹 붙인 경우였다. 티티라는 갑작스레 안스카리우스에 대한 화가 솟았다.

"그놈이 거짓말을……."

"저기, 티티라 씨. 정확히는 총독님께서 출항 전에, 기존 대대장에게 흠이 될 만한 부분을 반드시 눈여겨보라고 하셨대요. 그래서 그놈이 죄 없는 저희를 매단 걸 보고 이거다 싶으셨다는데요. 그놈 몰래 선장실에 보고해야 해서 감시망을 벗어나기 힘드셨다고 해요. 하지만 결국 총독님께 보고드리는 데 성공하셨고요."

"재는 입 없어? 디아세, 네가 말해."

"……나는 사제왕 바를라암 각하를 따라 시노드 신넬에 왔다. 이프루이우호는 총독의 배인데, 우리가 도착했을 때 그 배를 책임지는 대대장은 이미 한참 전에 임명된 뒤였다. 총독님은 대대장을 자기 휘하로 교체하고자 그런 명을 내리신 거다."

"아, 그래서 우리가 그 취급을 당한 건 좋은 땔감이었다?"

"즉각적으로 상관에게 항명하기가 여의치 않아 지체되었다."

둘러보지니, 라요나와 디아세 모두 다소 지친 시선을 하고 있었다. 티티라는 스스로도 제가 고집을 피우고 있단 사실을 알았다. 사실 마스트에 매달린 건 제게 그다지 눈물겨운 상처도 아니었는데.

"티티라 씨, 제가 착해서 용서한 게 아니에요. 저는 다 들었고 사정을 이해했어요. 그리고 모든 게 인정으로 돌아갈 순 없잖아요. 그걸 저보다 훨씬 잘 아는 분이면서, 교국에만 너무 박해지시니."

"왜냐하면 쥐가 고양이의 사정에 공감하다간 잡아먹히기 때문이야."

"……."

"알겠어, 그만할게. 너희들이 사귀든 말든 신경 안 쓸게. 라요나한테도 더 이상 뭐라고 안 할 거야."

"……."

"하지만 디아세, 네가 만일 신앙을 어기면, 네게는 불신자보다도 더 낮은 지옥이 기다릴 거다."

"그래. 신을 알고도 공경하지 않는 자에겐 더 가혹한 벌이 필요하다."

티티라는 질린 눈으로 그를 바라보았다.

그때, 갑자기 작은 홀의 문이 벌컥 열렸다. 그녀는 다음 음식이 나왔나 하는 생각에 몸을 돌렸다.

젠장.

티티라는 식기를 부서뜨릴 듯 식탁에 내려놓았다. 방금 본 것을 못 본 척 행동하고 싶었다. 그러나 상대는 주의를 요하듯 큼큼거렸다. 결국 짜증 섞인 눈으로 문을 흘겨보았다.

야다트 그레슈카가 부축을 받으며 서 있었다.

"안녕하십니까. 저는 이 건물의 주인이자 그레슈카 상단의 주인 야다트 그레슈카입니다. 손님 여러분께 인사를 드리며, 혹시 무례가 아니라면 잠시 소조폴 상주를 따로 모셔도 되겠습니까?"

티티라는 쏘아붙였다.

"안 됩니다. 중요한 식사 자리를 방해하시는군요."

"그래요? 그러면 제가 합석을 해도 되겠습니까? 이 식탁의 주인은 돔니니 씨가 아니라, 저분으로 보이는군요. 성함이?"

"……라요나입니다."

"저는 이즈버르 제일상단의 주인이자, 사역관의 대상입니다. 더 귀한 음식을 대접하겠습니다. 더불어 흥미로운 이야깃거리도 듬뿍 가지고 있지요. 합석을 허락해 주시겠습니까?"

라요나는 반사적으로 대답했다.

"좋아요."

어린아이들 특유의 태도로, 거절하기가 계면쩍어 수락한다는 투였다. 티티라가 소리 없이 항의했지만 내뱉은 말을 돌이킬 수는 없었다.

"고맙습니다."

그레슈카는 곧장 걸어와 하인이 빼 주는 의자에 앉았다. 걸음걸이가 어찌나 정정한지 하마터면 지팡이를 들고 있다는 사실마저 잊을 뻔했다.

"고래 고기를 내오거라."

라요나의 눈이 크게 뜨였다. 보통 사람들이라면 평생에 한 번도 먹기 힘든 음식인 것이다.

"어제 갓 잡은 놈입니다."

"와, 대단해요……."

그레슈카가 빙그레 웃었다.

"귀여운 아가씨군요."

나한테는 '불쌍한 년'이라고 했지.

"세 분은 어떤 사이십니까? 실례가 안 된다면."

"저는 이번 여행길에서 티티라 씨의 편의를 봐주는 사람이고요. 아, 티티라 씨는 소조폴 상단의 상주신데요, 이번에 소조폴에서 교국군과 함께 오셨어요. 그리고 이분은 교국 군인 므니모니오 디아세 씨예요."

라요나는 정말 순수했다. 겉으로 보기에 이즈버르가 안온하니까, 이즈버르 토박이 앞에서 침공한 사람의 정체를 밝히는 데에도 거리낌이 없는 것이다.

티티라는 디아세 역시 침묵에 빠졌다는 사실을 눈치챘다. 내가 교국 군인과 공감대를 형성할 거라곤 꿈에도 생각 못 했는데.

"역시. 품위 있는 옷차림으로 얼추 짐작했지만 모두 교국의 가르침을 받으셨군요. 세 분께서 친밀하신 듯한데, 소조폴에서부터 친우는지요?"

"아, 아니요. 저랑 티티라 씨는 배에서 처음 만난 셈이죠. 디아세 씨는 이즈버르에서 만난 거고요."

"훤칠하신 분이네요. 두 분이 참 잘 어울립니다. 이 나이가 되면

D&C BOOKS
「사마귀가 친구에게」 2권 초판 한정 부록 | 비매품
윤진아 지음 | NOMA 그림

사마귀가 친구에게

아름다운 연인을 보기만 해도 흡족해지지요."

노인의 칭찬은 자연스러웠다. 라요나가 얼굴을 붉혔다. 디아세는 점점 더 조용해졌다.

"제게도 자식이 하나 있는데, 영 몹쓸 놈입니다. 어째 재미나게 연애하는 모습을 한 번도 못 보았어요. '어머니가 바라시는 분과 언약을 맺겠습니다.' 했지요. 저는 열여덟 먹은 애가 진담인가 해서 좋은 친구의 여식을 추천했는데 덜컥 결혼하지 뭡니까?"

"와, 열여덟 살에요?"

"그렇지요. 그게 제가 본 어린 연애의 끝입니다. 그 뒤 착실히 공부해서 그레슈카의 상비 자리를 얻더군요. 하하, 어쩌다 보니 볼품없는 늙은이의 자식 자랑이 되었습니다."

티티라는 그 말의 끝에서 이미 그레슈카를 노려보고 있었다. 라요나가 쓸데없는 말로 감탄하기 전에 비수처럼 찌르고 들어갔다.

"저보고 상비를 믿지 못하는 욕심 많은 녀석이라 하시더니, 그레슈카의 상비는 아드님이셨군요? 어떻게 그렇게 확신을 담아 말씀하실 수 있었는지 이제 잘 알겠습니다."

그레슈카는 마침내 꽉 닫혀 있던 조개를 뜯어냈다는 듯이 희미하게 미소 지었다.

"돔니니 상주, 어머니에게 아들은 그다지 믿을 만한 동지가 아니올시다."

"……."

"글쎄, 차라리 남이 편할지도."

티티라가 욱해서 화를 내려는 순간, 문이 열렸다. 값비싼 은수레가 덜그럭거리며 미끄러져 들어왔다.

그들은 잠시 고래 고기가 식탁에 얹힐 때까지 침묵했다.

그레슈카는 조용히 화살을 다른 방향으로 겨누었다.

"디아세 씨는 이즈버르의 날씨가 마음에 드시나요?"

"……그렇습니다."

티티라는 디아세를 다시 보았다. 그녀는 교국군이 시노드 신넬인에게 공대하는 모습을 한 번도 본 적이 없었다. 어떤 상황에서도, 어떤 관계에서도 공손하지 않았다. 디아세는 제 편견과 달리 정말 이상한 인간이었다…….

"이 멋진 날씨는 전부 마주두 제일섬과 이즈버르 사이를 지나가는 해류 덕분이지요. 덕분에 사계절의 물과 바람을 느낄 수 있습니다. 교국에도 유명한 해류가 있나요?"

"……서쪽으로 흐르는 해류가 세 개 있습니다. 그중 가장 따뜻한 하나가 소조폴까지 미끄러져 내려옵니다. 다만 교국의 날씨는 해류보단 땅에 영향을 받습니다."

"오, 땅이요?"

"아시겠지만 교국 북쪽과 동쪽엔 큰 산맥이 있습니다. 모든 기후는 그곳에서부터 시작됩니다."

"신기하군요. 저는 언덕 같은 산을 아주 많이 압니다만, '산맥'이란 대체 무엇일지, 너무나 먼 이야기 같습니다. 환경이 험악하여 더더욱 신께 공경을 드리게 되신 듯하군요."

"신은 항상 계셨습니다. 저희가 몰랐을 뿐입니다. 따라서 저희 사정에 따라 신을 더 공경한다는 말씀은 틀립니다."

"양해를 부탁드립니다. 저희는 종교에 미개하여 아무리 노력해도 부족한 부분이 있습니다. 진심으로 교국의 신을 배울 수 있는 날이 오길 바랍니다. 그래야만 제 육십 무지를 털어 낼 수 있을 것입니다."

"아, 그러십니까? 아마 가까운 시일 내에 성경을 선물드릴 수 있을 것 같습니다. 그때 저를 청하시면 신의 말씀과 정의에 대해 새로운 시각으로 토의할 수 있으실 겁니다."

티티라는 최면에 걸린 듯 대화를 경청하다가, 디아세가 문득 흘린 정보에 귀가 번쩍 뜨였다. 지금까진 법황 명으로 포교를 못 했는데, 이제는 성경을 뿌린단 말이야?

그와 거의 동시에 그레슈카도 깨달은 것 같았다.

"지금까지 시노드 신넬인이 한 번도 보지 못한 교국의 성경이라니…… 영광입니다. 상단을 완성하고 가족을 꾸려도 항상 마음에 빈 공간이 있었는데, 신을 공경하며 이 허망한 암흑에 대해 고찰하고 싶습니다. 생각할수록 제 삶의 마지막 조각이 신학이라는 믿음이 커집니다."

자신이 보기에 그레슈카는 성경을 주면 한 장씩 찢어 똥을 닦을 사람이었다.

"야다트 그레슈카, 말씀에 감탄했습니다. 교국인으로서 오래된 지식이 진리를 만나는 모습을 목격하는 것은 언제나 기쁜 일입니다."

티티라는 자신과 지능이 비슷한 줄 알았던 디아세가 신을 이야기하자마자 홀랑 넘어가는 꼴에 기가 막혔다. 샌님아, 이 미친 여자는 신에는 벌침만큼도 관심이 없어!

"그렇다면 디아세 씨, 따로 자리를 청해 신앙에 대해 여쭈어도 될는지요?"

디아세는 매우 미안하다는 표정을 지었다.

"총독께서 이즈버르인과 단둘이 만나는 것을 금하고 계십니다. 금제는 사역관이 견고해진 이후에야 풀릴 것으로 생각됩니다. 다만…… 일이 있어 금제가 근 시일 내 풀리지는 않을 것 같습니다."

"아, 저도 풍문으로 들었습니다. 새로운 교국분들이 오신다면서요?"

티티라는 디아세에게 경계하라는 신호를 보내려다가, 자신이 누구를 돕는 것인가 싶어 맥이 빠졌다. 제 속에 멍청한 저울이 있어 아군과 적군을 재지 못하는 것 같았다.

"예. 이미 아시겠군요. 저희 총독님의 든든한 지지자께서 다시 시노드 신넬에 오십니다."

티티라는 식탁을 노려보았다. '든든한'? '지지자'?

본인은 오모스 탈란타우에의 특출난 잔인성에 대해 걱정하는데, 주변에선 '든든한 지지자'라 평해?

주먹을 꽉 쥐었다. 그레슈카가 자신을 흘끗 쳐다보는 것이 느껴졌다. 실수했다. 하지만 속이 쉽사리 가라앉지 않았다.

"총독님의 '든든한 지지자'시라니, 정말 기대가 되는군요. 가슴에 손을 얹고 정직히 말씀드리자면, 사제왕 탈란타우에 각하께서 소조폴과 도이도흐에 하신 일들에 대해 무조건 옹호할 수만은 없는 입장입니다. 하지만 그 뒤 도시가 완벽히 관리되었다는 사실을 부정할 사람은 없을 겁니다. 저를 포함해서요. 또, 바를라암 총독님의 든든한 지지자라 말씀 주시니 이 가벼운 마음이 흔들리는군요."

"예. 두 분은 아주 오랫동안 친밀하셨습니다. 탈란타우에께서 교국에 돌아오신 이후 우정이 각별하셨지요. 무엇보다 갓 사제왕 위를 승계하신 총독께 사제왕으로서 많은 조언을 해 주신 것으로 압니다."

속이 뒤집어질 것 같았다. '친밀'?

티티라는 이제 누구라도 눈치챌 수 있을 정도로 고개를 푹 숙이고 있었다.

그레슈카는 부드럽게 그녀를 지옥 같은 대화로 인도했다.

"놀라워요, 놀라워. 총독님의 연치年齒를 생각하면 사제왕으로서도, 개인으로서도 사제왕 탈란타우에게 많은 영향을 받으셨겠군요. 요사이 바를라암 총독님의 현명한 판단에는 연달아 감탄하곤 했는데, 이제 사제왕 탈란타우에게도 새로운 품성을 발견할 수 있을 것 같습니다. 존경스럽습니다."

"저희 총독님께서는 공정하고, 신속하고, 꼼꼼하며 무엇보다 강하시지요. 모두가 동의할 겁니다. 저 또한 직접 사제왕 탈란타우에를 모신 적은 없습니다만, 총독님과 친밀하셨다는 이유만으로도 존경할 이유는 충분하다고 생각합니다."

그레슈카는 의미심장하게 웃었다.

"역시. 이즈버르에 도착하시면 꼭 인사를 올려야겠습니다."

"예. 사제왕께선 적법한 절차 후 당신을 예로 맞이하실 겁니다. 저희 총독님께서 그러시듯이 말입니다."

"총독님 이야기가 계속 언급되어 말인데, 이런 말씀은 외람되지만 이 늙은이의 어린 자식과 비슷한 나이인지라, 그분이 존경스러우면서도 참 마음이 쓰일 때가 있습니다. 노인의 용렬한 망언을 양해해 주시면 좋겠습니다. 어찌, 특히 그렇게 젊으신 분이 고국에서의 평온한 삶을 두고 이 험지로 오셨는지, 저로선 놀랍고도 딱합니다. 혹시 가솔은 있으신지요?"

잠깐 정적이 흘렀다. 물 흐르듯 이야기하다가, 문득 너무 사적인 대화까지 하고 있단 사실을 디아세도 깨달은 모양이었다. 물론 티티라는 여전히 고개를 숙이고 있어 보지 못했다.

그 침묵을 견디지 못한 라요나가 나섰다.

"아, 아뇨! 총독님께선 결혼하지 않으셨어요. 당연히 아이도 없으세요."

"그분은 올해?"

"서른이십니다."

"라요나, 총독께선 올해 스물아홉이시다."

"네?"

"우린 나이 계산을 다르게 하잖나."

"아아, 그렇죠. 시노드 신넬 기준으론 서른, 교국 기준으론 스물아홉이세요."

"어느 쪽으로도 젊으신 연치입니다. 하지만 교국에서도 지금 혼인하신들 빠른 것은 아닐 텐데요."

"물론 아닙니다……. 하지만 이전 총독분들을 뵈었을 때 이 대륙에 그리 길게 계시진 않을 겁니다. 순전히 제 추측이지만, 다른 분들도 두세 해 정도면 돌아가셨으니 말입니다. 훌륭히 순례를 마친 후 돌아가시면 좋은 배우자를 만나실 수 있을 겁니다."

디아세의 모든 말에 구역질이 났다.

티티라는 벌떡 일어섰다. 모두의 시선이 집중되었다.

"저는 갑자기 머리가 아파 들어가 보겠습니다. 급하게 귀한 음식을 준비해 주셨는데 죄송합니다."

"아, 그러면 제가 배웅해 드리지요."

그레슈카가 일어났다. 그녀의 의지가 송곳처럼 빛날 때, 그녀는 예순은커녕 여섯 살처럼 재빨랐다.

"불편하신데—"

"제가 아무리 나이가 들었다 하나 손님을 배웅하지 못할 정도로 못되어 먹게 늙은 것은 아닙니다. 어서 가시지요. 문 앞까지 함께 가 저희의 마차로 모셔 드리겠습니다."

티티라는 이를 갈았다. 하지만 더 이상 거절하다간 오히려 대화가 길어질 것 같았다. 한순간도 이 여자와 말을 섞고 싶지 않았기에, 차라리 빠르게 도망치려 했다.

그녀는 조그맣게 아무 말이나 중얼거린 뒤 몸을 홱 돌렸다. 문으로 향했다. 뒤에서 자신을 놀리듯 규칙적인 지팡이 소리가 났다. 문을 열었다. 자리를 망쳐 버렸으니, 몸을 돌려 라요나에게 인사라도 잘했다. 두 사람은 어안이 벙벙한 얼굴이었다.

티티라는 뒷사람에게 문도 잡아 주지 않은 채 혼자 빠져나왔다.

그러나 아무도 부딪치지 않았다. 강하게 문을 짚는 소리가 나더니, 다시 진저리 나는 지팡이 소리가 났다.

티티라는 우뚝 섰다.

"그 지팡이 좀 부러뜨리면 안 돼?"

그레슈카는 멈추지 않고 또각거리며 그녀 앞에 섰다. 제 말을 완벽하게 무시하는 모습이 참을 수 없이 미웠다.

그레슈카는 미소 짓는 듯한 주름을 지니고 있었다. 눈가와 입가 사이는 부드럽게 이어지는 도랑 같았다. 신의 갈퀴가 그녀의 웃는 자리를 따랐다. 웃을 때면 그녀의 왼쪽 눈은 더 작아지고, 오른쪽 입술은 더 말려들어 가곤 했다. 그 깊은 불균형이 그녀를 본질적으로 정다워 보이게 만들었다. 그 모습이 많은 사람들의 적의를 부수었다. 함께 미소 짓게 했다.

그러나 그 입에서 튀어나오는 말이란.

"네년이 왜 궁싯거리며 총독을 떠나지 않으려는지 알겠구나."

티티라가 불같이 화를 내기 직전, 그녀가 한 번 더 말했다.

"아차, '년'이라 하지 말라 하였지. 좋아, 돕니니. 아무튼 네가 총독을 좋아해서 이즈버르까지 따라왔다는 사실을 잘 알았다."

"무슨 헛소리지? 난 억지로 끌려온 거야."

"이제 네가 소조폴 상단을 버리게 만드는 것보다 훨씬 쉬운 방법이 생겼구나. 다만 네 명예는 조금 손상될 게다. 소조폴 상주가 총독을 좋아해 이즈버르까지 따라왔다는 고약한 소문을 퍼뜨릴 작정이니까."

얼굴에서 핏기가 가셨다.

"난, 절대 아니야. 나는 총독을 죽이려 했던 죄로 사역관 지하에 갇힌 적도 있다."

"사람들은 다양한 방법으로 사랑에 빠진다."

"웃기지 마. 교국은 내 유일한 후견인을 죽였어."

"비극의 연인이란 그런 것이지."

"대체 그딴 오해는 왜 하는 거야?"

"탈란타우에 개잡종이 총독의 친우라는데 네가 왜 고통스러워해? 두 사람은 근본적으로 같은 개잡종이다. 친하다고 해도 전혀 이상할 게 없다."

"내가 고통스러워한다고? 익사할 소리 하지 마!"

"됐다. 소문이 돌 때 숨을 곳이나 마련하도록. 사실 이건 교국 옆에 붙은 네 발언의 신빙성을 낮출 방법으로 가장 먼저 검토되었다.

하지만 난 절대 거짓말을 하지 않는 사람이다. 절대. 상인의 근간을 무너뜨리는 짓이니까. 하지만 네가 정말 총독을 좋아한다면 이야기가 다르지."

"아니라니까!"

티티라는 화를 내다가, 마음 한구석에서 들리는 냉정한 목소리에 스스로를 다잡았다. 머리끝까지 분이 들어차도 그 때문에 일을 그르칠 수는 없는 법이다.

"당신, 내가 뭐라 해도 총독을 좋아한다고 생각할 거지?"

"암."

"당신의 그 알량한 의심으로, 난, 내 평판은……. 내가 영원히 소조폴에 복귀할 수 없단 걸 알고도 그딴 소릴 해?"

그레슈카는 의아하다는 표정으로 그녀를 바라보았다.

"소조폴 상주, 피아 식별을 잘해라. 나는 유명 상주를 교국에서 떨어뜨리기 위해 무슨 짓이든 할 거다. 그러니 네 영광스러운 미래는 고려 대상이 아니야. 오히려 우린 적이다."

그녀는 지팡이를 바닥에 딱딱 두드렸다.

티티라는 당연히 자신이 쓰라린 이유를 알았다. 안스가, 탈란타우에와, 친하다고 하잖아. 내가 아프지 않고 배겨? 그러나 그레슈카에게 안스카리우스의 과거를 털어놓을 수는 없었다.

안스는 제 인생의 친구였다. 그녀의 애정은 모조리 안스를 위한 것이었다. 총독은 그 위에 얹힌 티끌조차 가져갈 수 없었다. 그렇기에 총독을 위해 침묵하는 것은 아니었다.

티티라는 안스의 명예를 생각했다. 안스카리우스의 비밀이 온갖 도시에 소문이 나면, 안스가 어떻게 '죽었을지'에 대해 그를 아는 사람일수록 잔인해질 것이다. 애도하기보단 음험하게, 질시로 행복해하며, 호기심에 모욕하며.

총독이 어떤 입방아에 시달리든 상관없었으나, 안스는, 안스는…….

티티라는 안스의 장례식을 치른다면 적어도 조롱이 없는 곳에서 고요하게 보내고 싶었다. 홀로 견디는 짐이어도 좋으니, 누구도 그의 삶을 얕잡지 않았으면 했다. 그런 예의를 갖춰 안스를 대할 사람은 이제 이 세상엔 자신뿐이었다. 그러니 안스가디우스에 대한 사실은…… 그녀만 알아야 했다.

티티라는 무릎을 꿇었다. 엎드려서, 그레슈카의 지팡이 끝을 가까스로 잡았다.

"무슨 짓이든 하겠습니다. 작은 의심만으로 제게 회복하기 힘든 상처를 주지 않으셨으면 좋겠습니다."

그레슈카의 지팡이가 귀찮다는 듯 그녀의 머리를 쳐 냈다. 티티라는 다시 악착같이 잡았다.

"상주께서도 이미 처음에 애정사로 소문내는 방안을 생각하셨다고 하셨죠. '소조폴 상주가 젊고 잘생긴 총독에게 푹 빠져 정신을 못 차린다. 자기 후견인의 원한도 모른 체하며 교국과 뜻을 같이한다.' 이 소문은 퍼뜨리기 정말 쉬울 겁니다. 왜냐면 다들 그걸 믿고 싶어 안달일 테니까요. 저 여자가 언제 실수하나, 언제 공과 사를 흩트리나 촘촘하게 살피던 시선들이 만세를 부를 것이 분명합니다."

지팡이는 가만히 있었다.

"야다트 그레슈카, 아펭글로를 기억하십시오."

갑자기 지팡이 끄트머리에 힘이 들어갔다.

"제가 만일 총독을 좋아하더라도, 진실과 무관하게 그런 소문을 내시면 안 됩니다. 반세기 전 당신이 아펭글로에게 투자했던 것이 그를 사랑했기 때문이라고, 아직도 낭만적인 척 비웃는 치들을 증오한다면 그러시면 안 됩니다."

그레슈카는 침묵했다. 티티라는 잠시 고민하다가 고개를 들어 상대를 바라보았다. 나이 든 상주의 듬성듬성 난 눈썹 아래로 음영이 졌다. 음영이 눈썹을 만들었다.

"저도 제 상황이 싫습니다……. 그러니 적어도 이 건에 있어 숨기는 것 없이 말씀드리고, 함께 해결책을 찾았으면 좋겠습니다. 너무 제 본위일 수 있지만 사실 계약이란 본디 각자의 이득을 따르는 법 아닙니까. 저는 분명 상인입니다. 스무 해를 그렇게 자랐습니다."

그레슈카는 여전히 아무 말도 하지 않았다. 끝끝내 번거롭다는 듯 지팡이로 티티라를 쳐 낼 뿐이었다. 티티라는 이마를 단단한 대리석 바닥에 댔다. 가만히 있었다.

한참 뒤, 그레슈카가 말했다.

"왜 내가 아펭글로 이야기를 듣기 싫어한다고 생각했지?"

티티라는 바닥의 먼지를 바라보았다.

"저는 당신이 그를 절대 사랑하지 않았단 걸 아니까요."

발을 질질 끌며 일어섰다.

"연락 주세요."

침묵하는 노인 앞에서 몸을 돌렸다. 그녀는 자신을 붙잡지 않았다.

티티라는 축 처진 채로 그레슈카 상관을 나섰다. 그레슈카를 낮잡기 위해 그런 말을 한 것은 아니었다. 그냥, 자신에게 닥친 가장 절박한 문제에 매달려 떠든 것이다.

티티라는 스스로가 단순히 옛 친구 때문에 교국에 끌려왔다고 말하면 그러려니 인정할 요량이었다. 그것은 우정이지만 동시에 어린 시절의 추억이고 또 가족의 애정까지 배고 있었으니까. 그러나 그를 이성으로 사랑하여 마음이 흔들렸다는 말에는 분노가 치밀었다.

나는 절대 사랑으로 흔들리지 않아. 그건 모자란 짓이야. 육십 먹은 늙은이도 모욕을 잊지 못할 만큼.

티티라는 선언을 곱씹으며 부두로 향했다. 석양에 깊은 그림자가 졌다. 꼭 엉망진창인 제 속 같았다. 너무 많은 문제가 쌓여 마음이 기우뚱 뒤집어질 듯했다.

뚜벅뚜벅 길을 가로지르는 와중 아무도 그녀와 부딪치지 않았다. 이제 와 시노드 신넬 옷을 뒤집어쓴들 사람들이 그녀의 얼굴을 잊는 것은 아니었고, 무엇보다 그렇게 험악한 기색의 사람을 상대하고 싶지도 않았을 것이다.

남부의 얼굴. 등대와 먼 바다 같은 검은색. 성의 없이 두 동강 난 머리털 끄트머리. 힘이 꽉 들어간 턱. 행군하는 듯한 걸음. 모두를 피하게 만들기 충분했다.

그녀는 이프루이우호에 다다랐다. 미끄러지듯 선실 복도 안으로 들어갔다. 부선장실의 문을 열었다.

그 순간, 뒤에서 삐걱거리는 소리가 났다. 그녀는 돌아보지 않았다.

"소조폴 상주."

그는 착실히도 제 이름을 부르지 않았다. 사제왕의 맹세라 이거지. '사제왕'. 사제왕 탈란타우에. 젠장. 단어가 맥락 없이 흩어졌다.

"상단은 무사하다. 네가 왜 오해했는지 궁금하군."

그러고 보니 그의 문틈으로 쪽지를 남겼던 것 같다. 자신은 소조폴 상주의 자격을 잃었으니 그만 일하게 해 달라고. 티티라는 안스카리우스가 무엇을 숨기고 있든 지금 당장 진실 공방을 벌이기가 너무도 피곤했다.

그녀는 그를 무시하곤 부선장실에 돌아왔다.

문을 닫으려는 순간, 팔뚝이 쑥 들어왔다.

티티라는 흠칫 놀라 뒤로 물러섰다. 그녀가 떨어져 나가자 문이 맥없이 덜컥였다.

안스카리우스는 복도가 보이도록 문을 활짝 연 뒤 말했다.

"소조폴 상단은 멀쩡하다. 너는 약속을 이행해야 한다. 확답을 듣고 싶군."

그녀는 정말 피곤했다. 저놈의 얼굴을 보기가 익사하기보다도 싫었다. 그녀는 그대로 침대로 걸어가 얼굴부터 쓰러졌다. 이불이 푹 꺼지며 먼지가 일었다.

"원한다면 네 상비를 이즈버르로 불러오겠다."

그녀는 곧장 벼락 맞은 나무처럼 튀어 올랐다. 뒤돌았다.

"안 돼!"

안스카리우스는 그녀가 아닌, 바깥을 내다보았다. 누군가 엿듣는 이가 없는지 살피는 듯했다. 티티라는 그 모습마저도 꼴 보기가 싫었다.

"하지 마세요. 아무것도 하지 마세요."

"네 걱정을 덜어 주려는 거야."

"총독께선 제 걱정을 절대 덜어 주실 수 없습니다. 나가세요. 부탁드립니다."

"그러면 정확히 대답을 해. 지금까지처럼 네 의무를 이행하겠다고."

"제, 제, 의무요?"

티티라는 믿기지 않아서 말을 더듬었다. 처음에는 무슨 감정인지 몰랐다. 귀를 기울이자, 분노였다.

"그래. 이프루이우호와 함께 소조폴로 돌아가는 것."

숨이 콱 막혔다. 자신이 자주 겪었던 호흡 곤란과는 결이 달랐다. 누군가 목을 조르듯 머리에 피가 쏠렸다. 티티라는 터덜거리며 침상을 짚었다. 눈코입이 터져 사라진 자리에서 분노가 쏟아져 나올 것만 같았다.

그러나 이 순간에 이르러서도 안스카리우스를 진심으로 증오한다는 말을 꺼낼 수 없었다. 진심이, 아니니까.

티티라는 그냥 이 상황이 미칠 것만 같았다. 누구 탓을 할 수도 없이 세계에 짓눌려 사라지고 싶었다. 땅과 삶 사이에 끼어 차라리 곤죽이 되어 흘러내리고 싶었다. 흔적 하나 남기지 않고 흙바닥에 스며들면 이 숨 막히는 고통을 덜 수 있을 것이다.

티티라는 양손으로 눈가를 짚었다.

"알겠어요. 나가요. 피곤해요. 난 요새 가끔 진짜 죽고 싶어."

마지막 문장은 내뱉는지도 모르고 중얼거렸다. 제 귀로 듣고 나서야 현실 감각이 돌아왔다. 그녀는 손으로 얼굴을 감싸 안은 채 그 작은 동굴 속에 굳어 있었다.

남자의 낮은 한숨 소리가 들렸다.

"내가 도울 수 있는 방법을 말해다오."

"총독님도…… 말씀하시면서 아무 의미 없단 걸 알잖아요. 저는 총독님이 눈앞에서 사라지길 바란다고요. 그게 유일하게 저를 도울 방법이에요."

"……."

"제가 무슨 말을 하든 절대 돕지 않으실 거면서, 끊임없이 말을 거실 거면서. 지겨워요. 차라리 무시하든가. 골방에 가둬 두든가. 총독님, 대체 저랑 뭐가 하고 싶으신 거예요?"

그녀는 얼굴을 들지 않았다. 그래서 그가 무슨 표정을 하고 있는지 몰랐다.

침묵을 견디자 갑자기 여러 생각이 복받쳐 올랐다.

"……사기꾼. 탈란타우에를 조심하라던 충고에 내가 또 속았지……."

침대가 움푹 내려앉았다. 티티라는 그의 기척을 느끼지 못했기에 화들짝 놀랐다.

"나는 진실 된 충고를 했다."

더 가까워져서, 더 조용한 목소리였다.

"진실은 무슨 진실. 당신이 그와 친하다고 소문이 짜하던데. 어떻게 우스페히 씨를 죽인 인간과 친할 수 있냐고 이젠 안 물어요. 당신은 안스가 아니니까요!"

"……."

"하지만 최소한 저한테 그런 식으로, 사적으로 경고하진 말았어야죠. 위선자. 총독님은 부끄러운 줄도 모르죠?"

"티—"

그는 그녀의 이름을 부르려다 멈추었다. 그녀는 그가 제 이름에서 헤맬 때마다 조금씩 희열을 느꼈다. 왜 그런지 설명하기 어려웠지만, 그 감정을 부정할 수 없었다.

"물론 나는 탈란타우에를 잘 안다. 하지만 그는 친해질 수 없는 사람이다. 네게 거짓말한 적은 없다."

"헛소리. 내게 헛바람이 들까 봐, 후견인의 원수를 갚겠다고 미쳐 날뛸까 봐 혹시 모를 복수를 대비했겠죠. 그래서 그렇게 은밀하게 경고했겠지. 너무 빤히 들여다보여서……."

침묵이 흘렀다.

저녁의 방 안은 붉은 과일 같아, 과육 속에 파묻혀 있었다. 노을 진 공기는 애매하게 달았다.

티티라는 주섬주섬 이불을 쥐곤 침구에 파묻혔다. 무언가 이상했다. 머리끝까지 화가 나 있었는데 소리 지를 방향을 찾기 힘들었다. 제 눈앞에 안스카리우스를 두고도 어떻게 화를 내야 할지 몰랐다.

그의 입이 열리는 소리가 들렸다.

그녀는 정말 '들었다'. 마른 입천장 소리, 침이 부스스하게 떨어지는 소리, 초조하여 혀로 잇새를 매만지는 소리. 아주 짧은 순간에 지나간 모든 긴장을 느꼈다.

"티."

숨을 들이켰다. 고개를 돌렸다. 그제야 안스카리우스와 눈이 마주쳤다. 그는 결백한 시선을 하고 있었다. 스스로의 선택을 조금쯤 후회하지만, 그럼에도 돌이킬 생각은 없는, 몹시도 갈팡질팡하는 결단이 보였다.

도저히 그것이 무슨 별명인지 알고 부른 사람 같지 않았다.

그는 주저하며 말했다.

"네 이름을 부를 수 없으니."

말도 안 되는 상황에 눈가가 뜨끈해졌다.

"나는 정말로 탈란타우에와 거리가 멀다. 같은 사제왕이고 공통의 목적을 공유하니만큼 적대하진 않지만, 단지 그뿐이다."

"……."

"어떤 풍문을 들었는지는 모르겠으나 내 말을 믿어."

"……."

"내가 탈란타우에와 막역한 사이였다면 과연 처음부터 네게 경고했을까. 나는 탈란타우에의 성에서 반시체 꼴을 보고 연회에 참석하긴커녕 한 시간 동안 구토했다. 그가 놀림거리로 삼았을 만큼 견딜 수가 없었어. 나는, 내 신은 어떤 이유로든 인간을 그렇게 대하는 것을 용납하지 않는다."

"……."

"티."

티티라는 부르르 떨었다.

"그 이름 쓰지 마세요."

"이건 맹세와 달라. 내게 너를 부를 단어를 하나라도 주면 좋겠군."

그는 고집을 부렸다. 그녀는 다시 한번 거절하려 했으나, 입이 떨어지지 않았다. 안스카리우스가 안스의 목소리로 말하는 '티'를 뿌리째 포기할 수가 없었다.

"……그러면, 한 번만 더 불러 봐요."

"……티?"

영문을 몰라 멍청하고 어리석은 음성이었다.

티티라는 이불을 꽉 쥐었다. 하도 눈을 깜빡이지 않아서 눈가가 축축했다.

안스카리우스도 자신을 똑바로 마주 보고 있었다. 짙은 눈썹, 깊은 해저 동굴 색 눈, 조각상 같은 윤곽은 안스 그대로였다.

그러나 이제는 유연하다기보단 딱딱하고 곧은 인상이 배어났다. 안스의 얼굴에서 점선 같던 미정未定의 부분을 세월로 그려 넣었기 때문이리라. 유연하도록 선을 그을 수도 있었으나 저 사람은 굵은 촉을 사용한 모양이었다. 모든 주름이, 뼈대가, 근육이, 그의 선택이었다. 그래서 마침내 단호해졌다.

안스카리우스가 손을 뻗었다. 제 얼굴에 열기가 느껴질 정도로 가까이 왔다가, 문득 깨달은 사람처럼 확 움츠러들었다.

"격식이 없어 불쾌하리란 사실을 안다. 하지만 너를 '소조폴 상단 상주'만으로 부르기엔 힘이 드는군. 그러니 허락해다오."

티티라는 흐느끼듯 말했다.

"제 이름도 아닌데 그따위 음절로 부르도록 두라고요? 차라리 '소조폴 상단 상주'가 저를 더 정확히 지칭하는 단어일 텐데요."

혹시 네 마음속 깊은 곳에 '티'라는 이름이 남아 있을까.

"나는……."

그는 말을 감추었다.

티티라는 그가 도망가도록 두지 않았다. 쫓아가서 손을 움켜쥐었다. 그러니까 정말로. 그녀는 그의 손등을 감쌌다.

"대답해요."

그는 고개 숙여 서로 맞닿은 자리를 내려다보았다. 그녀도 그랬다. 그들의 시선이 같은 한 점을 꿰뚫을 듯했다. 자신은 언제나 안스의 손이 예쁘다고 생각했다. 크고, 곧고, 울퉁불퉁한 손.

"불렀을 때……."

그녀는 흠칫 놀라 고개를 들었다. 그는 여전히 그녀의 손을 바라보고 있었다. 그대로 말을 이었다.

"네가 돌아볼 이름이길 바란다."

티티라는 인상을 찌푸렸다. 안스카리우스는 그런 말을 하고도 갑자기 그녀의 손을 떨쳐 냈다. 그러니까, 그렇게 뻔뻔해 놓고도 시선을 피했다. 웃기는 인간.

"……."

"총독님도 '총독님'이란 단어로 돌아보시는 것처럼, 저도 '소조폴 상주'에 돌아봅니다. 걱정하지 마세요."

"……."

"그리고 사람 이름이 '티'가 뭐예요……."

말을 내뱉자 코끝이 시큰거렸다. 아니, 순식간에 눈물이 났다.

한순간 그의 놀란 시선을 목격했던 것 같다. 티티라는 그대로 침대 위에 허물어졌다. 그가 제대로 보지 못했기만을 바랐다. 훌쩍일 정도로 격렬하진 않았다. 단지 처음 녹은 얼음 같았다.

그녀는 침구에 얼굴을 박은 채 생각했다. 나는 꼼짝없이 속고 말 처지구나. 그가 툭툭 건드릴 때마다 잔에 가득 찬 물이 흔들렸다. 그 물은 감정도, 기억도 아니었다. 제 모든 것이었다. 즉, 제 모든 것이 그가 참견할 때마다 출렁였다. 교국이든, 시노드 신넬이든, 사역관이든, 우스페히 씨든 전혀 상관없이 동요했다. 그 사실에 화가 나면서도 동시에 전부 포기해 버리고 싶기도 했다.

티티라는 더 이상 견딜 수 없었다. 스스로에게 선언해야만 했다. 웅얼거렸다.

"저놈은…… 고아도 아니고…… 탈란타우에의 벗인 데다…… 나를 이즈버르에 밀어 넣은…… 총독이자…… 사제왕이고……."

하나하나 곱씹었다. 그것들은 욕설도 아니었다. 낱낱이 그의 정체성이었다.

"티."

그녀는 이름 한 번에 애써 올라갔던 절벽에서 굴러떨어졌다. 엎드린 어깨가 부르르 떨렸다.

"나는 너를 명패로 부를 생각이 없다."

티티라는 이불을 움켜쥐었다. 여전히 부드럽고 어둑어둑한 피륙 안에 갇혀 있었다. 상대가 보이지 않기에 더욱 단호해졌다.

"내 '명패'? 스스로 이뤄 낸 사람에게 명패가 있긴 한가요?"

"……."

"내가 물려받은 게 뭐가 있나요? 이름 정도가 있겠습니다만, 총독님은 그마저 못 부르니까 아무 상관 없네요."

"하나만 질문하겠다."

"안 된다 하면 안 하실 건가요?"

"……."

"아, 하세요. 하시라니까."

"내가 널 찾았다는 사실은 네게 아무 의미가 없나."

그녀는 상대의 표정을 확인하고 싶은 욕망을 이기지 못했다. 눈만 들어 그를 보았다. 그의 고개는 살짝 기울어져 있었다. 화가 났다기보단 불만스러운 듯한, 아니, 그보다 더, 답답하고 지친 듯한 얼굴이었다.

"사제왕이 추잡스럽게 권력을 동원하여 사람을 찾았지."

눈을 깜박일 때마다 속눈썹이 이불에 걸렸다. 그렇게 거치적거리는 소리가 천둥 같았다. 어쩌면 너무 귀를 기울여서일지도 모르겠다. 그녀 역시 곤두서 있었다.

"내 과거를 알아내면 그뿐이라 생각했다. 몇 시간의 대화로 끝내려 했다. 그러나 삶을 요약받는 것만으로는 갈증이 채워지지 않더군."

속눈썹 사이로 그가 보였다. 방금 전 떨어져 나갔던 그의 손이 헤매다가 다시 천천히 가까워졌다. 제 앞발을 어디에 둘 줄 모르는 짐승 같았다.

그는 이내 짧은 머리카락 끝에 닿았다.

"왜 어린 나와 친해졌을지 궁금했다. 어떤 관계를 쌓았을지, 내가 어떤 사람이었기에 나를 반겼을지……."

"내 친구는 당신이 아니라니까."

"넌 독특한 인간이야. 옛날의 내가 너를 사랑했다는 말이 허황된 소리 같지는 않다."

티티라는 굳었다. 아, 그런 말을 했었지.

"옛날의 나에 대해선 전혀 모른다. 유일하게 알던 네가 이야기하지 않으니 가늠이 안 돼. 하지만 그가 왜 자해했는지는 이제 깨달았다."

그의 손이 제가 덤벙대며 자른 머리칼을 만졌다. 정확히는 칼이 닿았던 까끌까끌한 부분만을. 부드러운 흙을 횡으로 잘라 굳은 단면을. 아주아주 옛날, 안스가 잘라 주었던 자리를.

"……그는 그래야 했겠지."

그녀는 눈만 깜박였다.

"무슨 뜻이에요?"

"나는 지금 당장 기억을 잃더라도 구태여 이런 신호를 남길 상대가 없다. 그러나 그에겐 필요했던 것 같군. 널 보면 이해할 수 있어."

무슨 대답을 해야 할지 모르겠다. 사실 그가 어떤 이야기를 하는지도 혼란스럽기만 했다. 결국 가장 이상하게 생긴 문장 하나만 주워 왔다.

"'신호를 남길 사람이 아무도 없다'고?"

"너는 있나?"

티티라는 양팔을 침상에 디딘 채 벌떡 몸을 일으켰다. 그의 손가락이 머리칼에서 떨어졌다. 그녀는 그를 똑바로 바라보며 말했다.

"있었죠, 안스. 아주 옛날에."

그제야 발견했다. 안스카리우스는 한쪽 다리를 침대에 올린 채 아주 제멋대로 앉아 있었다. 사제왕의 격식 차린 태도라곤 온데간데없었다. 그 모습이 너무도 안스를 닮아, 그의 새로운 질문에 대처하질 못했다.

"내가 '안스'와 그렇게 다른가?"

티티라는 헛웃음을 터뜨렸다.

"당연하죠."

"어떻게?"

"안스는 총독님보다 훨씬……."

단칼에 다르다고 한 것치고는 꽤 오래 고민해야 했다. 안스카리우스는 알아갈수록 안스와 닮은 구석이 많았기 때문이다.

그의 지위를 감안하면 살갑기까지 한 태도, 틈이 보이는 옷차림, 웃을 때 입가에 부드럽게 잡히는 곡선, 무엇보다 이상하게도 사정하는 듯한 말투…….

그녀는 꼬리에 꼬리를 무는 표현을 제치고 단호하게 말했다.

"총독님은 총독이잖아요. 안스는 제 친구고요."

"차이가 그뿐이라면, 사석에서 내 이름을 부르거나 공대를 버려도 괜찮다."

"네? 뭐요?"

티티라는 너무 놀랐다.

그러나 상대는 태연한 얼굴이었다.

"친한 이들은 나를 '안스카르'라고 부르지."

"전 총독님이랑 친하지 않은데요."

"네 뜻대로."

"그리고 안스랑 닮으려 하시는 것도 싫어요."

"나는 그 사람과 닮고 싶은 게 아니라, 네 경계를 낮추고 싶은 거야."

"더 싫어요!"

티티라는 기가 막히게 정직한 안스카리우스의 모습에서 다시 안스를 발견했다. 그는 잠깐 생각하는 표정으로 허공을 바라보았다.

"그렇겠군."

그러고 제 멍청한 짓을 수긍하는 것이다. 너무도 안스다운 행동이었다.

티티라는 반사적으로 그에게 주먹질을 했다. 퍽, 소리가 날 정도로 강하게 그의 허벅지를 때렸다. 다음 순간 그녀는 제 행동에 너무 놀라 몸을 홱 젖혔다.

"아, 일부러 그러려던 건……."

조심스레 안스카리우스를 바라보았다. 그는 살짝 인상을 찌푸렸을 뿐이다. 그마저도 자연스러운 반응 같았다.

티티라는 자신이 총독을 때렸다는 사실에 잔뜩 움츠러들어 사과하려던 참이었다. 그러다가 그의 태도를 보곤 우뚝 멈췄다. 그녀는 시험할 것이 생겼다. 몸을 일으켜 세우곤 대뜸 외쳤다.

"이 개 같은 위선자 새끼!"

그의 표정은 변하지 않았다. 아니, 오히려 기가 막힌다는 듯 웃었다.

티티라는 맥이 빠진 사람처럼 침대 위로 떨어졌다. 마침내 그가 머리칼을 쓰다듬는 것이 느껴졌다. 그녀는 반항하지 않았다. 안스카리우스가 제 빳빳한 머리를, 잘린 자리가 아닌 매끄러운 뒤통수를 살살 매만져도 가만히 있었다. 그는 자꾸만 생니를 빼놓고 다가오려는 사냥개 같았다. 절대 믿어서는 안 되는데.

그는 조용히 이야기했다.

"교국은 빈곤한 곳이야. 아름다움과 열정은 신에게 귀속되지."

"……."

"나는 교국이 시노드 신넬에서 경계하는 게 그뿐이라고 생각한다. '그뿐'이지만, 의외로 전부일 수도 있고."

그는 마치 교국인이 아닌 듯 굴었다.

"반세기 전, 아펭글로는 너무 많은 씨앗을 뿌려 놓았다. 그 결과 가장 열정적인 사람은 가장 교국을 떠나고 싶어 하는 사람이 되었어. 탈란타우에는 개중 유독 도드라졌다. 그는 나가기 위해 수없이 애썼다. 마지막엔 거의 일을 '저질렀'지."

"……."

"탈란타우에는 일생 동안 잔혹하게 이교도의 반역을 진압해 위명을 얻었다. 그야말로 신이 보낸 사자, 법황의 성스러운 하인이었어. 그가 하는 일은 언제나 신민을 열광시켰다. 마침내 바다 너머로 나아가 불신자들을 교화하겠다는 선언을 법황조차 이길 수 없었다. 그는 수만의 환송을 받으며 아펭글로의 해도를 들고 에예우를 떠났다."

"……."

"나는 그가 돌아왔을 때부터 친밀하게 굴었다. 악명과 달리 친절했지. 물론 아펭글로는 나와 함께 탈란타우에를 만나고도 그를 증오했다. 시노드 신넬에서 벌어졌던 일에 대한 소문을 들었기 때문일까? 하지만 탈란타우에의 수법은 교국의 전통적인 방법이었다. 이교도 도시에 진입하면 곧장 지배층을 죽이고 아둔한 민중을 교화하는 것."

그는 물 흐르듯 이야기하다 문득 멈추었다. 말이 우뚝 서면서, 그녀의 머리칼을 만지는 손도 서서히 느려졌다.

"이런 이야기를 꺼내서 미안하다."

티티라는 안스를 닮은 척하는 안스카리우스에 진저리가 났다. 그러나 이번에는 화가 나지도, 소리를 지르지도 않았다. 마음이 평온했다…….

"나는 물론 아펭글로와 달랐다. 교국인답게 적절한 전후 처리라 생각했지. 덕분에 탈란타우에와 자주 어울렸어. 왜냐하면……."

"……."

"나는 소조폴이 궁금했거든."

그녀는 눈을 꽉 감았다. 몸이 떨렸을까? 모르겠다.

"내 팔에 새겨진 소조폴은 어떤 도시인지, 날씨는 따듯한지, 어떤 사람들이 살며 어떤 가치관을 공유하는지 궁금했다. 나 또한 그들의 일부였을지 알고 싶었다."

그녀는 우물거리며 불평했다.

"탈란타우에가 교국에 돌아갔을 때라면 거의 일고여덟 해 전이겠네. 소조폴에 대해 알고 싶어서 아주 오랫동안 비비적거려 놓고, 우리가 처음 만났을 때 그렇게 관심 없는 척을 해? 냉정한 척 사역관에서 내보냈지만, 사실 내가 돌아오길 바라고 금족령을 내린 거지?"

"그랬을지도."

"소조폴이 궁금해서 탈란타우에와 친해졌다? 총독으로 부임하려 힘을 썼고, 끝끝내 들어와선 사람들을 쥐 잡듯 뒤졌지? 결국 발견한 게 나 하나네. 허탈하기야 하겠어."

"처음에는 그랬지."

그의 말투는 조금 이상했다. 무언가 여름 같은 냄새가 났다. 차라리 여름이라면 더운 곳에 사는 자신이어야 할 텐데, 오히려 그가 해를 가져가 놓아주질 않았다. 희망과 생기를 담아 후텁지근한 태양.

"넌 고작해야 상주 하나였으니까. 사역관에 앉아 네 불안정한 목소리를 듣자 맥이 빠졌지. 말 그대로 십 년을 열 줄로 짜깁기한 이야기일 뿐 아닌가. 하지만 너를 알아 가며 알아차렸다. 네 감정에 내 과거를 비쳐 볼 수밖에 없더군. 너는 내게 있어 바다의 수원水源 같은 거야."

"……."

"나는 네게서 흘러나온 것을 감사하며 주워 먹는 처지지."

두터운 손이 귀 아래를 만졌다. 간지러웠다.

"그러니 네 곁에 있고 싶은 마음이 속임수라고 생각하지 않았으면 좋겠다."

목덜미가 떨렸다.

어떻게 된 일이지. 배에 돌아올 때까지만 해도 그녀는 그가 탈란타우에와 친하단 이야기에 화를 이기지 못하고 있었다. 그런데 지금은, 그가 살인자와 친해야 했던 이유를 친절하게도 이해해 주고 있었다. 모든 것은 하나로 연결되었다.

안스카리우스는 빈 과거에 너무너무 갈급해했다. 모르긴 몰라도 그로서 산 인생의 대부분은 과거를 들여다보며 보낸 것 같았다. 그의 입에서 '교국'이나 '신'이 과거만큼의 무게를 지닌 꼴을 보지 못했다.

이제 와 보니 이즈버르 침공도 그의 의지처럼 느껴지지 않았다. 그가 '침공', '통치'에 대해 이야기하며 지금만큼 열렬한 적이 없었으니까. 무료함에 고통받으며 그저 해야 하는 일인 듯 보였으니까.

그녀는 마지막 진실을 캐내기 위해 말을 짜냈다.

"날 이즈버르로 데려온 걸 후회해?"

그가 몸을 숙였다. 이불과 옷자락이 맞부딪치는 소리가 바다 소리보다 더 컸다. 숨과 열기가 느껴졌다.

"아니."

입김이었다. 목이 빳빳해졌다. 누군가 제 척추에 무턱대고 쇠지레를 박아 세운 것 같았다. 소름이 돋았다.

"처음엔 어쩔 수 없었지."

목소리는 다시 멀어져 있었다. 열기도 사라졌다. 티티라는 자신이 잠깐 꿈을 꾸었던 것인지 몰라 혼란스러웠다.

"하지만 지금은 다행이라 느낀다. 이즈버르에 오지 않았다면 네가 절대 보여 주지 않았을 모습들이 있어. 나는 그 기억을 포기할 수가 없다."

"……."

"티."

그녀는 가만히 있었다.

"네 첫 글자에 불과하지만, 허락해다오."

"……."

"대답을 듣고 싶다."

티티라는 스스로를 포기했다.

"알겠어."

"……좋아."

대답은 옛 친구와 비슷했다. 그녀는 보이지 않게 킬킬거렸다. 진짜 웃음일지 궁금했지만, 솔직히 이젠 어떤 게 진실 된 것인지도 잘 몰랐다.

곧이어 침대에서 무게가 사라지는 느낌이 들었다. 그녀는 끝까지 그를 바라보지 않았다.

그날 이후, 티티라는 안스카리우스를 조금은 믿게 되었다. 그가 끝없이 약점을 말한 끝에 소심하게 이해해 보았다. 그를 무조건 신뢰하기는커녕 사사건건 의심하지 않으면 다행이었지만, 적어도 대화를 피하진 않았다. 화를 내거나 경계하지 않았다.

그가 사석에서 '티'라고 부르도록 두었고, 자신 역시 그에게 반말을 썼다. 안스카리우스가 그 대화를 너무도 자연스럽게 받아들여, 가끔은 상대가 총독이라는 사실마저 까먹을 뻔했다.

대화는 일주일에 한 번. 그가 용건이 있는 척 자신을 부를 때 이뤄졌다. 티티라는 그에게 갈 때마다 그레슈카의 경고를 떠올리며 마음 한구석이 찜찜해졌다. 누가 배 안에서 일어나는 일을 고자질하지는 않겠지만 그럼에도 양심이 쓰렸다.

당연히 티티라는 안스카리우스를 좋아하지 않았다. 싫어하지 않도록 애쓰는 데 정력을 소모해야 할 지경이었다. 그레슈카처럼 마음 편히 그를 '개잡종'이라 부를 수도 있었다. 절대로 추문이 날 만한 감정은 품지 않았다.

그러나 누군가는, 총독과 격 없이 대화를 나누는 모습을 보며 그렇게 생각할 수 있을 것이다. 솔직히 과거의 자신이 지금을 본다면 머리를 걷어찼을 수도 있다. 어떻게 총독 놈과 인간적으로 말을 나누냐고.

덕분에 오갈 데 없는 죄책감이 스며들었다. 그를 만나지 않을 수 없었지만, 만나서 인간적으로 대화하는 것도 꺼림칙했다. 그와 아무리 영양가 없는 대화들, 예를 들어 교국의 날씨, 그가 지배자로 머물렀던 교국 요르타시주州의 풍습, 소조폴의 도서관을 주제로 삼은들, 결국 거슬렸다. 희한하게도 그와 친해지고 있는 것 같았다. 일주일에 삼십 분 정도 고작해야 네 번 만났는데. 아니, 그걸 세고 있는 것마저도 친밀함의 신호 같았다.

티티라는 변명이 길다고 생각했다. 그녀는 정말 그와 친해지고 있는 것인지도 몰랐다. 그레슈카. 그레슈카가 마음에 걸렸다. 자신이 총독을 좋아해서 이즈버르로 따라왔다는 흉악한 소문이 퍼지지 않았기 때문에 더욱 신경이 쓰였다. 그레슈카는 함구하는데 정작 나는 총독과 사적인 자리를 가지고 있다니.

그러니, 이런 작은 말 한마디에도 속이 확 긁히는 것이다.

"티티라 씨, 요새 총독님과 뭘 하시는 거예요?"

티티라는 책을 읽다가 라요나를 홱 돌아보았다.

라요나는 종이쪽지를 무릎에 대고 무언가를 쓰던 중이었다. 물어보지 않아도 연애편지겠지. 그녀가 그런 편지를 쓰던 중 자신에게 물어보았다는 것이 더 불길하게 느껴졌다. 바짝 긴장했다.

침묵이 흐르자 라요나가 어깨를 으쓱였다.
"아니, 그냥 궁금해서요. 총독님을 따로 도우실 일이 있으면, 그러니까 공무면 전혀 안 궁금하고요."
"공무야."
티티라는 딱 잘라 거짓말을 하곤 책을 눈 위로 덮었다. 속이 쿵쿵 뛰었다.
라요나는 이상한 기색에 전혀 신경 쓰지 않는 사람처럼 자기 할 말을 이어 갔다.
"그러고 보니 그레슈카 씨가 제게 선물을 해 주셨어요. 귀여운 연인들을 위한 선물이라고, 저희 모습이 새겨진 석고 브로치예요. 정말 감동했어요."
"아, 그렇군."
"무려 쌍이라고요! 두 개! 그런데 디아세 씨는 생각보다 별로 안 좋아하시는 것 같아서 그건 좀 상처가 돼요. 엄청 비싼 물건은 아니지만 그래도 인물을 조각하는 게 얼마나 어려운데."
"조각가가 너희 생김새를 어떻게 안 거야?"
"그날 식사 자리에서 나올 때 봤대요. 멋지지 않아요?"
"……."
"아무튼, 제가 요새 너무 바깥을 돌아다녀서 티티라 씨랑 대화를 많이 못 나눈 것 같더라고요. 그래서 물어봤죠. 혹시 무슨 일이라도 있나 해서요."
"그 전이라고 우리가 별 얘길 했었나."
"너무하시네요! 연애 말리는 참견쟁이처럼 굴었으면서."
"……."

"참, 그레슈카 씨가 브로치를 주시면서 나중에 티티라 씨에게 드릴 물건이 하나 있다고 하셨는데, 제가 받아 올까요? 어차피 자주 외출하니 괜찮아요."

티티라는 정신이 번쩍 들었다.

"아니, 내가 받아 올게. 언제쯤 가면 돼?"

"그…… 다음 주라 하셨으니까…… 이번 주 중에 아무 때나요! 그레슈카 상관으로 가시면 될 것 같아요."

"알겠어."

그녀는 당장 내일 가 볼 생각이었다.

총독에 대한 고민을 제하고도, 그레슈카의 첫 제안에 대해 할 말이 있었다. 티티라는 아직도 오블레드에게 소식을 듣지 못했지만 붉은 돛과는 여러 번 연락이 닿았다. 그로써 깨달은 내용들을 그레슈카와 공유해야 할 것 같았다.

티티라는 상인의 약속을 떠올리자 다시 마음이 좋지 않았다.

그녀는 책을 덮고 일어섰다.

"산책 좀 하고 올게."

"통금 시간이 지났는데요?"

"배 위에서."

"그럼 가신 김에 주방에서 마른 과일 좀 가져다주시겠어요?"

"이젠 누가 누구 심부름꾼인지도 모르겠군."

라요나는 헤헤거리며 웃었다. 티티라는 엄격한 표정으로 선실을 나갔다. 그러나 곧 열쇠 구멍에 대고 말했다.

"알겠어."

라요나가 아스라이 고맙다고 외치는 소리가 들렸다. 그녀는 고개를 저으며 몸을 돌렸다.

그 순간, 위 선실 문이 열리는 소리가 들렸다. 티티라는 눈을 크게 뜬 채 안스카리우스가 한 발자국 걸어 나오는 모습을 보았다.

그가 입을 열려 하자 그녀가 거칠게 고개를 저었다. 아마 아무도 없다고 생각해 '티'라고 부를 요량이었을 텐데, 라요나가 열쇠 구멍 안쪽에서 들을 것이다. 용납할 수 없었다.

대신 자신이 먼저 그의 선실로 들어섰다.

티티라는 봄기운이 완연한 응접실 안에 멍하니 서 있었다. 방금 전 스스로 '비밀을 지키는' 행동을 했단 사실이 믿기지 않아 얼떨떨했다. 심지어 자신은 산책을 하겠다고 나왔던 건데, 순식간에.

뒤에서 문이 닫혔다.

"차?"

티티라는 대답하지 않았다. 그는 마치 대답을 듣기라도 한 양 그녀를 스쳐 지나갔다. 찻잔에 차를 따른다. 빛이 가득한 한밤의 선실에서 따뜻한 차향이 풍겼다. 그는 여전히 서 있는 그녀에게 잔을 가지고 왔다.

티티라는 찻잔을 받아 들었다.

"왜 나왔지?"

그녀는 차를 마시는 척 무시했다.

찻잔을 다시 돌려주자 그는 한 걸음 떨어진 식탁 위에 놓았다. 티티라는 그 자연스러움이 마음에 들지 않았다. 마치 자기들이 그렇게 익숙한 사이라도 된 것 같았다.

"방에 라요나가 함께 있었나?"

"응."

"디아세와 상당히 오래 지내더군."

"벌써 두 달째니까. 봄이 다 됐네."

"앉아."

그는 의자를 빼 주었다. 어쩌면 저렇게 물 흐르듯 솔직한지 몰랐다.

티티라는 앉지 않았다. 대신 말했다.

"날 너무 자주 부르는 것 같아."

내뱉어 놓고 후회했다. 이 자리가 대체 뭐라고, 신경 쓰는 것처럼 보일 것이다.

"어렵다면 오지 않아도 좋다."

저자도 우리가 정말 무슨 관계라도 되는 것처럼—

"물론 이 자리는 나한테 '아무것도' 아니야. 하지만 내가 당신과 친한 것처럼 보이면 주변에 난처해진다고. 아직도 내 상비에게선 연락이 안 와."

"누누이 말하지만 소조폴은 안정적으로 운영되고 있다."

"그렇게 표현하면 당신이 총독으로서 소조폴을 잘 통치하고 있단 것인지, 내 상단이 잘 돌아가고 있단 것인지 모르겠는걸."

"네 상단이 잘 운영되고 있다는 뜻이다. 그러니 소조폴로 돌아가면 다 해결될 거다."

"지겨워. 이제 한 달 남았나?"

"탈란타우에와 법황의 대리인이 도착할 때까지는 그렇지. 그 뒤 판결에 얼마나 소요될지 모르겠다. 하지만 아무리 길어도 달포는 안 넘도록 탈란타우에와 조율하겠다. 반년 동안 소조폴에 가지 않는 건 상당한 정도의 관리 공백을 의미하니까. 그러니 늦어도 5월에는 돌아갈 수 있을 거야."

그는 모든 툴툴거림에 너무도 친절하게 대답해 주었다. 티티라는 마침내 비아냥댈 말이 없어져 우두커니 서 있었다.

"그리고 나와 만나는 게 어려운 이유가 소조폴에서의 평판 때문이라면, 총독으로서 널 더 험악하게 대할 수 있다."

그녀는 기가 막혀 코웃음을 쳤다.

"뭐? 어쩌시려고?"

"네게 죄를 물어 거취를 제한할 수 있지. 선장실 아래가 아니라 지하 감옥으로. 이 경우 네 안전은 디아세가 감찰한다."

"아, 그래서 상주가 칠렐레팔렐레 총독을 따라갔는데, 실수를 저질러 겨우 얻은 약간의 총애마저 잃었다고? 사악한 데다 바보까지 되는 거 아냐?"

그가 재미있는 말이라는 듯 웃었다.

"내가 네게 백해무익하다면 이런 도움이나 줄 수 있겠지. 다만 어리석은 방안이었군."

티티라는 웃지 말라고 하려다가, 그 말이 어찌나 바보같이 들릴지 생각하곤 입을 꾹 다물었다.

"당신은 두세 해 이곳에서 살다 가면 끝이지만 난 평생 여기 있어야 한다고. 이 도시에서도 벌써 몇 사람이나 날 의심하는지 몰라."

"뭘 의심해?"

"아, 이 멍청한……."

티티라는 고민하는 듯 인상을 찌푸린 상대의 모습에 어이가 없었다. 그녀는 짜증스럽게 냅다 말했다.

"우리 사이에 관계가 있을까 의심한다고."

그는 이상하다는 듯이 물었다.

"추문이 생긴다는 건가?"
"그게—"
"미혼자가 관계를 맺어서?"
디아세를 보며 느꼈던 충격은 애들 장난이었다. 티티라는 날생선을 먹은 사람처럼 숨이 턱 막혔다. 그러나 무슨 말을 꺼내기도 전에 그가 가로챘다.
"그것도 들켜야 추문이지."
그의 목소리는 매끄러웠다. 틈이 보이지 않았다. 하마터면 '아, 그렇군요.' 이해하고 넘어갈 뻔했다. 하마터면…….
그녀는 부르르 떨며 외쳤다.
"기가 막혀! 내가 당신이랑 뭐라도 되는 줄 알아?"
"네가 걱정하기에."
"내가 걱정하는 건, 내가 당신을 '좋아해서' 상인의 양심을 팔았다는 평판이야!"
안스카리우스는 희한한 동물을 보듯이 그녀를 바라보았다.
"나는 네가 난폭하다는 소문을 덮느라 힘들었다. 그런데 그런 걸 걱정해?"
그녀는 화르르 불타올랐다.
"내가 난폭해? 당신이 날 억지로 끌고 왔으면서 난폭하다고?"
"아니……. 그래, 미안하다."
"게다가 당신이 소문을 덮는 데 성공했다면 아무도 모른단 뜻이잖아."
티티라는 분에 못 이겨 서성였다. 안스카리우스가 저를 존중하는 날은 절대로 오지 않을 텐데, 자신이 왜 이 자리에 있는지 모르겠다고 생각했다. 만일 그가—

문득 제 어깨에 와 닿는 손에 화들짝 놀랐다. 그녀는 소리가 날 정도로 거칠게 상대를 쳐 낸 뒤 손가락을 치켜들었다.

"마음대로 손대지 마."

어느새 일어선 총독은 대답하지 않았다.

단지 두 손가락으로 허공에 뜬 그녀의 손바닥을 잡았다. 마치 종이를 끼운 것처럼, 엄지와 중지만으로, 가볍게.

그것만으로도 그가 닿은 자리에선 열기가 느껴졌다. 순식간에 땀이 나는 것 같았다.

잠시 경계를 늦춘 사이, 그의 두 손가락에 끌려 의자에 앉았다. 힘이 강한 것도 아니었는데.

그 역시 그녀의 앞 의자에 앉았다.

시선은 긴 외나무다리처럼 티티라에게 와 닿았다. 정확하고도 명료했다. 그는 그녀를 쳐다보기로 작정한 사람 같았다. 그녀는 순간을 견디지 못하고 일어서려 했다. 그러나 아직도 손이 그의 손가락 사이에 끼어 있다는 사실을 깨달았다. 그 자리를 바라보려는 찰나.

"티."

힘이 쭉 빠졌다.

"왜 신경 쓰는지 모르겠다. 우린 바깥에서 만나지 않았잖아."

"……."

"걱정이 크다면 그건 네 문제다."

티티라는 순식간에 혼자가 된 제 맨손을 응시했다. 그가 한순간 제 사적인 선을 밟았다가 다시 나갔는데, 너무 빠르게 떠나 화를 내지 못했다.

그녀는 툭 내뱉었다.

"말도 참 입맛 떨어지게 해."

안스카리우스는 조용히 웃었다. 미소는 안개처럼 낮게 깔려, 그를 안스와 분리해 주는 유일한 가림막이 되었다. 그녀는 저 미소를 결단코 오해할 수 없었다. 그는 안스카리우스였다.

"아무도 그렇게 생각할 리 없다는 뜻이었다. 네가 입을 잘못 놀리지만 않으면."

"말본새하고는."

"내가 부드럽게 말하여 널 불안하게 하는 것보다는 낫지."

티티라는 인상을 찌푸렸다. 분명히 말로 찔렸는데, 간지러웠다. 비유하자면 겨울 이불에 둘둘 말린 자신을 손가락으로 쿡 찌른 정도로 별것 아니었다. 그러나 몸에 파문이 일었다. 짜증스러우면서도 발끝이 바짝 섰다.

그녀는 잠깐 동안 멍하니 있었다. 그다지 각진 생각을 한 것은 아니었다. 방 안에서는 노곤한 봄 냄새가 나고, 차는 따뜻하게 배 속을 데우고, 그는 뭉근하게 말을 문지르고.

티티라는 한순간 화들짝 놀라 몸을 곧추세웠다.

그는 그녀를 바라보고 있었다. 아마 시선을 떼지 않았던 것 같다.

"정신이 없어 보여. 따뜻한 술을 권하고 싶군."

티티라는 달아오른 얼굴을 숨기기 위해 고개를 끄덕였다. 넋 빼고 있던 낯짝을 들키다니.

그런데, 뭐라고? 술? 거절하기에는 이미 그가 일어서 있었다. 물론 한 잔 정도는 괜찮을 것이다. 이즈버르에서 술이라곤 한 모금도 입에 대지 못했는데, 조금쯤 몸을 데워 두어도 좋겠지.

그의 뒷모습을 보았다. 편안한 셔츠 차림이었다. 그가 몸을 숙이자 허리가 조여들었다. 그는 팔을 뻗어 반대편 가장자리에 있던 도자기와 술잔을 들고 왔다. 한 손으로 온도를 재더니, 바르게 놓인 잔 위에 따랐다. 티티라는 당신 것도 따르라 하려다가, 마주 보고 마시기가 싫어 입을 다물었다.

안스카리우스는 조심스레 술을 그녀의 앞에 놓았다. 티티라는 인사도 하지 않은 채 한 잔을 단숨에 들이켰다.

아.

그녀는 떨어뜨리듯 술잔을 내팽개쳤다. 충격은 조금 늦게 찾아왔다. 술이 타고 내려간 목구멍이 확 불탔다.

"고향에서 몸을 덥힐 때 마시는 술이다."

티티라는 이마를 짚었다.

"골방에서 천 년은 묵은 술 같아……."

"글쎄. 만들어진 지는 두 해도 안 되었을 텐데."

"당신, 이렇게…… 강할 줄 알았으면서……."

"괜찮나?"

그는 처음으로 당황한 목소리였다. 그녀는 아찔한 느낌에 일어서려다 발을 헛디뎠다. 우스꽝스럽게 돌아— 그의 발을 밟고 식탁에 고꾸라졌다.

티티라는 차가운 식탁에 이마를 댄 채 가만히 있었다. 곧 물동이에 머리를 넣었던 말처럼 푸르르 올라왔다. 센 술을 마신 충격이 가시지 않았다.

어느새 일어선 안스카리우스를 노려보았다.

"이일부러……."

생각만큼 말이 날카롭지 못했다. 거의 웅얼거리다시피 했다. 티티라는 제 덜떨어진 말투에 기가 막혔다.

그가 양팔을 들다가, 시선으로 허락을 구했다. 티티라는 턱도 없다는 듯 고개를 젓곤 한 발자국 걸어갔다. 앞이 다시 어지러웠다.

안스카리우스는 휘청이는 그녀를 붙잡았다. 티티라는 그의 팔에 대롱대롱 매달렸다. 정신은 멀쩡했다. 단지 강한 술을 마시고 휙휙 움직여서 몸짓이 따라가지 못하는 것뿐이었다.

그러나 바로 그 때문에 악순환이었다. 자꾸만 몸으로 실수를 저지르니 화가 나고, 또 움직이고, 또 고꾸라지기 전에 붙잡혔다. 티티라는 세 번쯤 다시 붙잡힌 뒤에야 온몸의 힘을 쭉 뺐다.

"괜찮아?"

얼굴을 보지 않은 채 듣는 그의 음성은 안스로 오해하기 딱 좋았다. 그러나 티티라는 안스카리우스를 알았다. 이제 어떻게 대처해야 할지도 알았다. 몹쓸 총독이 안스의 목소리를 담은 소라고둥 하나를 들고 다니는 것이다. 그래서 가끔 그 음성을 되돌려 열 번이고 스무 번이고 들려주는 것뿐이다. 이젠 신경 쓰이지 않았다.

"아……."

갑자기 발이 땅에서 떨어졌다. 두둥실. 그녀는 어리둥절해하다가 상황을 깨닫곤 확 몸을 뗐다. 코앞에 그의 얼굴이 있었다. 안긴 채 버둥거렸으나 꽉 붙잡은 손아귀가 떨어지지 않았다.

"안스, 카리우스, 놔."

"일어서면 또 쓰러질 텐데."

"아니야."

그러나 확신이 없었다. 자신이 마셔 온 술은 깔끔한 남부 포도주

뿐이었지, 이렇게 물을 태운 듯한 액체가 아니었다. 목이 타들어 가듯 고통스러웠고, 이젠 배 속에 불을 지른 것 같았다.

그녀가 고민하는 사이 그는 성큼성큼 침실로 넘어갔다. 창문에는 덧창이 내려져 있어 깜깜했다. 환한 응접실에서 새어 들어오는 빛만이 침대를 비추었다.

그는 그녀를 이불 위로 내려 두었다. 한 팔을 침상에 짚은 채 얼굴을 찌푸렸다.

"술에 약하군."

"웃기지 마."

티티라는 그를 밀쳐 냈다. 뒹굴 굴러서 바닥에 제대로 섰다.

걸었다.

비틀.

"고집 피우지 말고 누워."

"뭘 먹인 거지?"

티티라는 꿋꿋하게 서 있었다. 그렇지만 더 움직이진 않았다. 조각상이 걸어 다니는 듯 우스꽝스러울까 걱정되었다.

"말했잖나. 교국의 증류주라고."

"얼마나 강한 거야?"

"보통 어떤 술을 즐겼기에?"

"남부 포도주."

"시노드 신넬 화주火酒는?"

"그건 엄청 독한 싸구려 술이잖아. 소독할 때나 쓰는 거야."

"……."

그는 더 캐묻지 않곤 뒤돌아 식탁으로 향했다. 몸을 숙여 차를 따르는 모양이었다. 그에 그치지 않고 책장 쪽으로 걸어가더니 무언가를 뒤지는 소리가 났다.

이내 그가 누런 액체가 든 큰 병과 함께 돌아왔다. 숟가락으로 크게 떠 차에 담그는 모습이 꼭 꿀을 섞는 것 같았다.

티티라는 간병받는 노인이 된 기분에 입술을 깨물었다. 그가 잔을 들고 다가와 내밀었을 때 수치심은 최고조가 되었다.

"마셔라."

티티라는 잔을 홱 낚아채 마셨다.

최대한 똑바르게 걸어 침대 옆 탁자에 잔을 올려 두었다.

"누가 보면 난간 위를 걷는 줄 알겠군."

"쓰레기 같은 술을 준 주제에 말이 많아."

"고향에서는 최상급인데 아쉽게 되었다."

"저게 어떻게 최상급이야? 물에다 신발 넣고 태운 것 같은 맛인데."

"북부에선 증류주 없이 버틸 수 없어. 요르타시에선 바깥 훈련 전에 꼭 한 잔씩 마셨지."

요르타시주는 그가 사제왕으로서 부임했던 교국의 북부 주 이름이라고 했다. 그가 추운 지방의 풍습에 대해 이야기해 주기는 했지만 술은 금시초문이었다.

그녀는 듣는 둥 마는 둥 딱딱거렸다.

"시노드 신넬에선 그딴 거 안 마셔."

티티라는 멀쩡한 정신과 흔들리는 몸으로 삿대질을 했다.

"당신도 어렸을 땐 포도주 두 병에 나가떨어졌었다는 것만 기억해 둬. 약해 빠졌지. 다음 날 기억이 안 난다고 질질 짰어. 어디서다 모르는 척 내가 술에 약하다고, 저질 증류주를 가지고."

그는 어이가 없다는 듯 웃었다.

"'다 모르는 척'? 네가 착각할 때마다 기적처럼 기억이 돌아왔으면 좋겠군."

"……착각 안 했어. 당신은 총독이야."

"그래. 너와 어린 시절을 함께한 총독이지."

티티라는 눈을 깜박였다. 제가 먼저 지껄여서 주워 담을 수도 없었다. 그가 꼭 누울 자리를 보고 발을 뻗는 인간 같아서 얄미웠다.

"아무튼 손에 몸 대지 마."

"……."

"아니, 몸에 손……."

"티, 다음에는 내가 마셨던 걸로 가져와. 아직도 두 병을 마시면 쓰러지게 될지 궁금하군."

티티라가 주먹을 꽉 쥐었다. 그는 여전히 웃음을 주워 담지 못한 채 부드러웠다.

"난…… 당신이랑 술 안 마셔. 기억 못 하나 본데, 난 선실에 들어오자마자 이렇게 만나는 것도 그만하고 싶다고 이야기했어."

"네가 싫다면 어쩔 수 없지."

"……."

"싫어?"

티티라는 대답하지 않고 쌩하니 걸어 나가다가— 또 한 번 비틀거렸다. 화가 날 지경이었다. 증류주인지, 개주인지 첫맛이 잠잠해서 잔을 모두 비운 것이 패인인 것 같았다.

안스카리우스는 그녀에게 손대지 않았다. 웃는 기색을 못 지운 채로 응접실로 돌아 나갔다. 그는 아무 말도 하지 않았지만 똑똑히

알 수 있었다. '너 알아서 잘 나와 봐.'

티티라는 조심조심 일자로 걸었다. 정신은 정말 멀쩡했다. 하나, 둘, 쾅, 하나, 둘, 우당탕. 그녀는 욕설을 내뱉으며 이마를 문질렀다. 다시 하나, 둘. 그녀는 양탄자 위로 미끄러졌다. 엉덩방아를 찧고 굴렀다.

제 앞을 비추던 응접실 빛이 그림자에 먹혔다.

"그러게 내가 누워 있으라고……."

"괜찮아."

티티라는 다시 책장을 잡고 주섬주섬 일어섰다.

"이렇게 약한데 잔을 한 번에 비워?"

"멀쩡해."

티티라는 그가 다가올 때 이미 각오하고 싸울 자세를 취했다. 하지만 대충 족제비 정도의 자세였던 것 같다. 그는 단숨에 그녀를 안아 들곤 다시 침상 위로 내팽개쳤다.

"가만히 있어."

티티라는 벌떡 상체를 일으켰다.

바로 힘에 밀려 누웠다.

다시 일어났다.

버티다가 털썩 떨어졌다.

또 한 번— 이번에는 팔뚝이 눌려 아예 움직일 수가 없었다. 그녀는 매섭게 노려보았으나, 솔직히 마음 한구석에선 급속도로 피곤해지는 몸을 느끼고 있었다. 고개만 팩 돌려 그를 외면했다.

"라요나가 기다리고 있다고 했지. 그 아이가 소문내는 것이 싫으면 조금 쉬다가 돌아가라."

"이런 해초 쓰레기 같은 술을……."

"알겠어. 그만 말해."

티티라는 눈을 감았다. 정신이 얼마나 멀쩡한지 점검해 보아야겠다. 실상 누가 보기에도 취했는데 혼자만 제정신이라고 믿는 걸 수도 있으니까.

나는 286년에 태어났어. 292년에 우스페히 상에 들어갔지. 299년에 오트카저트를 죽였고, 302년에 소조폴을 떠났어. 그리고 305년에 약속을 지키기 위해 돌아와 마침내 311년에 너를…….

아직도 제 어깨에 따끈한 손이 닿아 있었다. 티티라는 고개를 돌렸다. 그의 손끝은 머리칼이 잘린 끝을 건드렸다. 느껴지지 않을 만큼 가볍게.

그녀는 퉁명스럽게 말했다.

"그게 그렇게 신기해?"

그의 눈동자만 미세하게 돌아왔다. 뻔뻔하게 이젠 손을 떼지도 않는다. 이상하다. 총독이라면 어쨌든 제게 무슨 짓을 저지를지 모른다며 경계해야 하는데 너무 평온했다. 사제왕은 동정을 지켜서? 티티라는 혼자 낄낄거렸다.

"아니, 교국 여자들은 다들 머리를 고이 기르시나. 뭐가 그렇게 불만이라 맨날 만지작대는 거야? 아니면 당신이 여잘 한 번도 못 만나 봐서?"

그는 눈썹을 치켜세웠다. 티티라는 설마설마하던 생각이 진짜로 드러나는 듯하자 숨을 들이켰다.

"정말? 여자랑 손도 안 잡아 봤어?"

"나는 사제왕의 윤리를 지킨다."

티티라는 그게 '나는 동정'이라고 이야기하는 가장 세련된 방법이라고 생각했다. 물론 그래 봤자 동정이라는 뜻이지만. 그녀는 얼떨떨한 채로 답했다.

"진짜 미친 나라네. 와, 너 그럼 나랑 한 게—"

—처음이자 마지막 입맞춤일 수도 있는 거야?

그녀는 말을 뚝 끊었다. 열이 오른 김에 정말 아무 말이나 내뱉는구나. 조심스레 시선을 들자 아니나 다를까, 그의 손이 우뚝 멈춘 것이 느껴졌다. 티티라는 그가 반드시 물어볼 질문을 알아 등줄기를 따라 오스스 소름이 돋았다. 아, 제발.

"혹시 내가 너와 잠자리를 가졌나?"

아, 제발, 티티라 돔니니. 시끄러워. 네가 판 무덤이야.

"……아니."

"그러면 무슨 말을 하려 했지?"

티티라는 술이 다 깨는 것을 느꼈다. 누가 얼굴에 찬물을 뿌린 것 같았다.

"어, 음."

주저하지 마. 평범한 일인 척하자.

"나랑 했던 키스가 마지막이냐고. 하지만 이건 전혀 이상한 게 아니란 걸 미리 말해 둔다. 친구 사이에서 어쩌다 있을 수 있는 일이거든."

그의 손끝이 머리칼을 넘어 턱 선까지 따라왔다. 더듬는다기보다는 미끄러졌다.

"참고로 나는 절대 당신이 마지막이 아냐. 엄청 많이 해 봤지."

사실 마지막이었다. 십 년 전 그 불덩이 같던 입맞춤이 끝이라니. 필요를 느끼지 못해서 그랬어. 솔직히 더럽게 무슨 짓이야? 안스 빼고는 다 더러웠어.

그의 손이 턱을 감쌌다. 아니, 입술로 올라왔다.

티티라는 그를 쳐 냈다.

“하지 마. 안스는 나랑 그런 사이 아니었으니까. 친구였어.”

“친구였는데.”

그의 목소리는 바다 밑바닥에 엎드린 아귀처럼 낮았다.

“너를 사랑하고, 네게 입을 맞춰?”

“시노드 신넬에선 원래 그래. 교국인은 모르겠지만.”

“아니.”

티티라는 태연하게 거짓말을 하다가 움찔했다.

“내가 아무리 무지해도 그 헛소리를 믿지는 않는다. 혹시 네 친구가 몸을 함부로 다뤘나?”

“아니……. 걘 아무랑도 안 사귀었어.”

티티라는 말을 할수록 궁지에 몰리는 기분이 들었다.

“그런데 널 사랑해?”

“아, 그놈의 사랑한단 얘기 좀 그만해. 고장 난 시계 같네.”

“내가 너와 친구였던 것은 맞아?”

우물쭈물 대답을 못 했다. 잡다한 고민을 하면 안 되는데, 그가 물어보는 순간, 안스가 자신을 친구로 생각하긴 했을지 전혀 모르겠다는 생각이 엄습했다. 사실 그들이 헤어진 이유도 그와 진배없었다. 나는 그를 친구라 생각했는데, 그는 나를 사랑해서.

갑자기 눈이 부서진 것처럼 눈물이 찼다.

정말 전조도 없었다. 작은 비명이 날 정도로 지나치게 놀랐는데,

그렇게 당황하자 순식간에 감정이 흘러넘쳤다. 스스로를 이해하지도 못한 채 속수무책으로 당했다.

"너는 죽어도 날 좋아하지 않겠지."

세상에. 안스, 이젠 모르겠어. 난 네가 온전히 돌아온다면 널 좋아할 수도 있을 것 같아.

"티, 만약에 내가 기억을 지워도, 어떤 미친 짓을 해도 널 사랑한다고 하면 어떡하지. 그래도 네가 보고 싶으면."

아니었어. 안스, 아니었어. 너는 날 기억하지 못했어.

눈물이 이불 위로 주르륵 떨어졌다. 가슴이 너무 아팠다. 누군가 갈비뼈를 벌려 심장을 노리고 있는 것 같았다. 자신은 그 우악스러운 손이 숨을 뜯지 못하도록 애써 막고 있었다. 고통스러웠다. 그렇게 싸운 상처의 진물이 눈가로 흘러내렸다.

안스카리우스가 제 뺨을 더듬어 감쌌다.

티티라는 세상에서 홀로 우느라 그를 잘 몰랐다.

그는 결국 그녀의 눈가를 닦아 주었다. 연하고 섬세하고, 무엇보다 수상한 손길이었다. 위로였을까. 얄궂은 호기심일까. 살이 아니라 열기가 닿은 듯, 그들 사이의 공기가 톡톡했다.

티티라는 그것이 무슨 감각인지, 무엇을 암시하는지 뒤늦게 깨달았다. 물론 깨닫고 나서도 신경 쓰지 않았다. 지금 그녀에게 안스카리우스는 잠시 제게 붙어 있는 큰 껍질에 불과했다. 애벌레가 나비가 되어 날아간, 번데기의 초라한 껍질.

나비는 어디로 날아갔을까?

티티라는 끙끙거리며 울었다. 그가 떨어져 나간 뒤에도 말을 붙이지 않았다. 아예 촉각을 느끼지 못한 사람처럼 굴었다. 총독이 그러했다는 사실에 놀랄 필요는 없었다. 그냥 여자가, 혹은 내가 신기했나 보지. 그 빌어먹을 호기심 말이야. 나는 한편에서 인생을 걸고 있는데.

그녀는 한참 뒤 울음을 그치고 일어섰다. 그는 침대맡에 우두커니 있었다. 티티라는 이번엔 제대로 걸었다. 조용히 인사한 뒤 선실을 나갔다.

그녀는 마지막으로 흘끗 안스카리우스를 바라보았다. 여전히 침실에 있는 듯 보이지 않았다. 마침내 선장실의 문을 닫았다. 라요나가 부탁한 마른 과일을 가져가야겠다…….

다음 날 깨어나서야 자신이 홧김에 저지른 일들이 선명해졌다. 정신이 나갔지. 얼굴이 붉으락푸르락했다.

그 미친 새끼는 왜 내 눈물을 닦아 주었대? 그것도 그렇게 오랫동안, 이상야릇한 태도로? 가만히 두든가, 정 달래고 싶으면 벅벅 눈을 파 주든가! 징그러워! 무슨 꿍꿍인데! 위험한 거 아니야?

머릿속에 폭풍이 칠 즈음 라요나의 드르렁대는 소리가 고민을 깨주었다. 라요나는 그물 침대에서 잘 때마다 요란하곤 했다…….

그녀는 상념에서 벗어나 옷가지를 주워 입었다. 차라리 오늘 할 일에 집중하는 게 낫겠다. 탁자를 지나치며 어제 라요나가 남긴 마른 과일을 한 움큼 쥐었다. 주섬주섬 문을 나섰다. 과일을 입에 넣곤 위쪽 선실을 바라보았다.

선장실은 자물쇠로 단단히 잠겨 있었다. 그 방의 주인은 대개 이른 아침에 단련을 나가곤 했다. 그녀는 전혀 훔쳐보지 않았던 것처럼 고개를 돌렸다. 갑판으로 나왔다.

티티라는 부두를 내려다보며 욕설을 내뱉었다. 안스카리우스가 입구에서 군인 둘에게 명령을 내리고 있었다. 잠깐 서 있다가 저 사람이 떠나면 갈까? 그러나 도망가는 것은 자존심이 허락하지 않았다. 생각하기도 전에 걸음을 옮겼다. 물론 그가 서 있는 왼쪽을 슬슬 피해져 최대한 멀리 떨어졌다. 눈가리개를 한 말처럼 고개를 정면에 고정했다. 뚜벅. 뚜벅. 뚜벅.

그녀는 안전하게 부두로 내려왔다. 안스카리우스의 목소리가 들렸다.

"—밤에는 악시오 1대대로 교체해."

티티라는 걸음을 빨리했다. 그의 목소리는 그녀가 걷는 속도에 맞춰 규칙적으로 작아졌다. 한 번도 흔들리지 않았다. 어쩌면 그녀가 지나가는 것을 몰랐을 수도 있다.

안스카리우스는 티티라를 완벽히 무시했다. 어젯밤에 그녀가 그를 무시했던 것과 똑같았다. 그녀는 차라리 홀가분했다. 서로 늘어뜨린 해초처럼 흐느적거리다 결코 맞닿지 않으면 정말 좋을 것 같았다.

그녀는 감시에서 벗어난 기분으로 걸어갔다. 꽤 즐거웠기 때문에, 누군가 제 이름을 부르자 평소보다 더 기분이 나빠졌다.

"티티라 돔니니!"

티티라는 우뚝 섰다. 군인이 따라와 무언가를 내밀었다.

"방문증에 서명을 받아 와라. 호위를 없애는 대신 동의한 사항일 텐데, 총독 각하께 방문증을 받아 가지 않았군."

……그의 말이 옳았다. 심지어 지난 한 달간 그런 방식으로 여러 번 나갔다 왔다. 당연히 미리 준비했었어야 하는 일이다. 어제 일로, 또 안스카리우스의 얼굴을 보자마자 긴장하는 바람에 잊은 것이다. 티티라는 입술 안쪽을 깨물었다.

'다 보고 있었어.'

군인에게서 거칠게 방문증을 빼앗았다. 패잔병처럼 고개를 들었다. 안스카리우스가 서 있던 방향을 바라보았다.

그의 긴 시선과 부딪쳤다.

그녀는 곧장 이프루이우호를 뒤로하고 빠르게 걸어갔다. 거의 뛰다시피 했다. 헉헉대며 큰길로 꺾었다. 모두가 제 얼굴을 아는 이즈버르였으나 눈치 볼 겨를이 없었다. 그녀는 있는 힘껏, 숨이 턱에 닿을 듯 달렸다.

"거기, 넘어지겠소."

친절한 듯 불친절한 목소리였다. 티티라는 겨우겨우 멈추었다. 목을 유리로 쑤시는 듯 아팠다. 쌕쌕거리는 괴로운 소리가 났다. 무릎을 짚고 숨을 가다듬었다.

그녀는 그자를 알았다. 고개를 돌리자 그레슈카 노친네가 건물 안으로 들어가려 하고 있었다. 그녀의 그림자 같은 지팡이 소리가 기분을 거슬렀다.

노인은 문으로 들어가기 전 슬쩍 돌아보았다.

"누굴 만나러 오셨습니까?"

남들 눈만 없으면 바로 '이년', '저년' 할 인간이…….

하지만 그레슈카는 여전히 이상한 소문을 내지 않았다. 라요나를 통해 제 방문을 청하기까지 했다. 티티라도 그 사실을 마음에 품고 다가온 것이다.

"……물론 그레슈카 대상을 뵙기 위해서입니다. 방금 돌아오신 듯한데 기다리겠습니다."

"아니, 어서 들어와요. 마침 잘되었습니다."

그녀는 성큼 올라갔다. 그레슈카의 얼굴에서 희미한 미소를 엿본 것 같았다.

"다과를 내오너라. 따뜻한 것이어야 해."

"예."

그레슈카의 충실한 하인마저 사라지자, 티티라는 홀로 달팽이 뒤를 따르는 꼴이 되었다.

그레슈카는 일부러 그러는지 의심스러울 정도로 느리게 응접실로 향했다. 티티라 본인은 발자국마다 노래 한 소절을 불러도 될 지경이었다.

"상주께선 어딜 다녀오셨기에 이리 급하신가. 뜀박질도 하시고."

"……전일 라요나에게 소식을 전해 듣고 마음이 급했습니다. 욕심이 앞서 오늘 바로 뵙고자 했습니다."

"그렇다고 이토록 촉박하게? 늙은이는 이렇게 느리게 걷는데 말입니다. 온 응접실에 젊음의 땀 냄새가 풍길 지경이에요."

"……제게서 악취가 난다면……."

"아니, 실없는 소릴."

티티라는 고문과도 같은 대화 끝에 응접실에 도달했다. 문을 닫을까 고민하는 사이, 놀랍게도 하인이 따뜻한 다과와 함께 돌아왔다. 그러니까, 그레슈카가 걸어가는 속도는 그 정도로 느렸다.

티티라는 속으로만 투덜대며 하인이 나가기를 기다렸다. 그는 소리도 없이 물러났다. 마침내, 달칵.

"저는—"

"마음을 정했노라 말하고 싶어 불렀다."

"……."

"네 다리를 부러뜨려라."

"뭐요?"

티티라는 날카롭게 쏘아붙였다.

그레슈카의 주름진 얼굴엔 미동도 없었다.

"너는 너무 멀쩡히 교국의 부귀영화를 누리고 있다. 그래서 내가 상주의 평판을 망치고자 아니 땐 굴뚝을 좀 때려 한 것이고. 소문을 퍼뜨리는 데 정 분개한다면 어쩔 수 없다. 몸을 해쳐. 교국에 협조하지 않는 것처럼."

그녀의 말투가 바뀌는 속도는 가히 공포스럽기까지 했다. 단순히 '말'이 바뀌는 것뿐만 아니라 몸짓과 어조, 숨이 모두 적대적으로 변했다.

티티라는 몸을 곧추세웠다.

"야다트 그레슈카."

"……."

"당신은 내가 교국에 억지로 끌려와 있다는 걸 알면서도 아군으로 만들 생각이 전혀 없죠."

"무능하니까."

그녀는 화를 내지 않았다.

"내가 왜 무능한지 설명해 줘요."

"애초에 그 구렁텅이로 들어간 게 문제란다. 너, 소조폴에서 총독을 죽이려 들었지? 그 죄로 감옥에 갇혀 있다가 갑자기 이즈버르에 나타났더군. 그리고 이제 와 교국의 권세를 누린다면 무능한 꼭두각시로 딱 알맞지 않느냐."

"당신도 교국 앞에 머리를 처박고 있는 신세면서."

"나야 생존 전략이지. 너는 애초에 책잡힐 일을 왜 했어? 왜 총독을 죽이려 들었느냔 말이야."

"바를리암 총독은 얼토당토않은 이유로 날 소조폴에 가두었습니다."

"네 눈에 지금 이 늙은이는 자유로워 보이나? 그런데 내가 투덜거리며 반항했던가?"

"올리브 수확을 감독하기 위해 꼭 떠나야 했는데 금족령을—"

"그 이유라면 너는 무능한 데다 멍청이지."

"……."

"그런데 이상하단 말이야. 그 상황에 아펭글로 이야기를 꺼낼 줄 아는 애가 왜 교국에 덤볐을까."

"……."

"넌 총독을 좋아하거나, 아니면 멍청하거나 둘 중 하나인데, 왜 차라리 멍청하길 선택했을까. 아니, 대답하지 않아도 된다. 그를 좋아하지?"

"아펭글로와 어떤 관계였어요?"

그레슈카는 탁자 앞으로 다가가 찻잔을 들었다. 눈이 마주쳤다. 그녀의 얼굴이 찻잔 너머로 사라졌다. 정적을 견뎌야 했다. 견뎠다.

그레슈카는 잔을 내려 두었다.

"벗이었느니라, 이것아."

아펭글로가 떠난 해는 274년이었다. 올해는 312년이다. 계절이 무려 서른여덟 번이나 지났다. 티티라는 그만큼의 삶을 살아 본 적도 없었다.

"지금보다 더욱 친구로 남기 녹록지 않던 시절이었지. 고작해야 사 년 알았나. 이제는 가물가물하군. 보내던 날 어찌나 속이 시원하던지."

티티라는 확신했다.

"내가 총독을 좋아한다고 고발하지 않을 거죠?"

"그럴 요량이었으면 이미 소문이 네 귀에 들어갔을 게다."

"그러면 나도 하나 말씀드릴 게 있어요."

"말해 봐."

"내 상단이 나를 배신했습니다."

말하면서 날카로운 칼에 베이는 듯했다. 정말로 가슴이 아팠다. 예상하고도, 또 깨닫고도, 이렇게 입 밖으로 내뱉어 보는 것은 처음이었다.

그레슈카는 한숨과 함께 축 처졌다.

"그래, 그것. 네가 무능한 마지막 이유. 나도 들었다. 그래서 더 이상 네게 상단을 승계하라는 둥 제안하지 않았지."

"어떻게 아셨어요? 나는…… 붉은 돛을 통해 들었어요. 제가 새로운 계약을 맺자고 제안하니 의심하더군요. 소조폴 상단은 이번 봄부터 올리브유 사업을 축소하기로 했다면서. 나는 모르는 일인데."

"왜 그간 사정을 살피지 않았어? 일이 그렇게 될 때까지 말이다."

"저는……."

나는 소조폴이 살해당했던 기억으로 제정신이 아니었고, 또한 오블레드를 믿었다. 그래서 그녀가 제 고통을 이해하리라 착각했다……. 이런 약한 소리는 안 할 것이다. 특히나 제 앞에 선 그레슈카는 진실을 알면 더 소름 끼치게 조롱해 댈 사람이었다.

그녀가 침묵하자, 애초에 대답을 기대하지 않았던 듯한 그레슈카가 말을 이었다.

"네 상비가 남부 출신이냐?"

"예."

"본인 뒷배경에 소조폴 상단의 무역로를 가세시켜 새로운 상단을 꾸릴 속셈이로군. 어째 돈 벌어먹는 놈들은 반세기가 지나도 하는 짓이 똑같아?"

"저도 그렇게 생각합니다. 그런데 당신은 어떻게 알았어요?"

"이즈버르 우편국을 추궁하여 그간 소조폴 상단에서 온 서간이 단 한 건도 없다는 사실을 알아냈지."

"……."

"그러게 믿을 만한 상비와 함께했어야지."

"오블레드가 밉지만 또 이해도 됩니다. 그렇게 교국을 증오하는 남부 출신이라면 들려오는 소식을 믿을 수 없었을 테니까요."

"맞아. 특히 상주가 총독에게 홀려 고생을 사서 하고 있다는 사실을 안다면 당장에 도망칠 게다."

"안 좋아해요."

"그럼 넌 머저리인가?"

"정말 그 두 개밖에 없는 거예요? 좋아하거나, 머저리거나?"

"물론. 그래서 머저리의 해결책을 소개해 주었잖느냐. 자해 말이야."

"그레슈카, 하지만 제 상비가 상단을 훔쳐 달아났으면 당신 문제는 해결된 거 아닌가요? 저는 이제 아무것도 아니니까요. 교국은 보통 사람 하나를 데리고 있게 되는 거고요. 이즈버르 대상주께서 경계하실 필욘 없잖아요."

"아니, 네 상비는 너를 아주 천천히 배신할 거다. 그렇기에 단칼에 공식적으로 상단을 승계시킬 수 없다. 왕으로 따진다면 너는 사냥에 나갔다 말에서 떨어진 반송장이다. 후계자에게 왕관을 넘겨주는 안은 아예 쓸 수 없는 방법이 되어 버린 것이지."

"……."

"차?"

티티라는 작은 노인을 물끄러미 바라보았다. 어제 안스카리우스가 차를 권하던 모습과 얼마나 다른가 곰곰이 생각했다. 제 권력 아래에 들이기 위해 음식을 먹이는 권력자들. 그러나 적어도 그레슈카는 솔직했다.

티티라는 차를 마시고 그녀의 영역으로 들어왔다.

"그레슈카 씨."

"음."

"머저리와 계약을 하실 거예요?"

"중간에 좀 똑똑해지길 바라는 마음은 있지만 대체론 그렇지."

"내게 어떤 걸 바라요?"

"네 몸에 남은 상흔으로 군인들에게 홀대당한다는 평판을 얻으면 좋지. 나는 바깥에서 소조폴 상단이 상주를 버렸다는 진실을 퍼뜨릴 테고. 결과적으로 네 사회적인 위신은 바닥을 치고, 그런 너를 데려온 교국도 무안을 당하게 되는 게다."

"그 대가로 내가 얻을 수 있는 건?"

"총독과의 관계를 모른 척하겠다."

티티라는 맥이 빠졌다. 제 주변으로 점차 벽이 좁아지다가, 마침내 발 디딜 틈만 남기고 옴짝달싹할 수 없게 된 것 같았다.

"난 십 년 동안 내 상단을 일궜는데."

그레슈카는 단호했다.

"그러니 다시 할 수 있을 테지."

"……."

"노력하고도 어려우면 그레슈카에 들어와라."

티티라는 고개를 홱 들었다.

"왜?"

"나를 그렇게 모욕하고 그레슈카에 들어오라고 해요? 제가 감사하다고 기어갈 줄 알고?"

"그러면 어쩔 수 없지. 그게 네 한계인 것이고."

"어디서 '한계'라고—"

"꼭 어딜 부러뜨리지 않아도 좋다. 눈에 보이는 외상을 남겨. 봄이니 날씨도 따뜻하고 잘되었군."

티티라는 찻잔을 소리 나게 내려놓았다.

"좋을 대로 말해 봐요. 아무튼 이 일이 끝나면 전 다시 소조폴로 돌아갈 거예요. 늦어도 여름에는 고향에 있겠죠."

"그러려무나."

"소조폴의 반골들은 다 죽었는데, 거래인들이 총독과 친한 상주를 무시할 수 있을까요? 오히려 내 신발 밑창이나 핥겠지."

"네가 그 평판에 만족한다면 문제 되지 않겠지."

"남의 아래에 들어갔단 평판보단 나아요. 당신은 평생 완벽한 금을 쥔 상주였으면서 참 함부로 말씀하십니다."

"글쎄. 망한 상단의 상주도 우두머리라고 좋을까."

"어이가 없네. 그레슈카가 언제 망했어요?"

"아펭글로의 배가 침몰했다는 게 명확해졌을 때."

티티라는 갑자기 입을 다물었다.

"평범한 시노드 신넬 화물선을 건조하는 데에도 큰 비용이 들어갈진대, 듣도 보도 못한 배를 만들기 위해선 얼마나 많은 돈이 투자되어야 할지 너도 짐작하겠지. 심지어 그 배는 두 번 만들어야 했어. 몹쓸 녀석이 뼈대를 올리고 있는데 용골이 틀렸다며 다시 시작해야 한다고 애원하지 뭔가."

"'몹쓸 녀석'이요?"

"아펭글로."

"대체 그때 연차가 어떻게 되셨던 거예요?"

"첫 만남에 나는 스물둘, 아펭글로는 스물."

"들어도 들어도 이해가 안 가네. 스무 살짜리 말을 듣고 배를 만들어 준 이유가 뭔가요?"

"글쎄, 난놈이었거든."

"아무리—"

"그놈은 나한테 올 때 이미 더르잔과 세다텔 상단을 설득해 왔었어. 지금이야 망했지만 그때는 이즈버르에서 손꼽히던 상단이었다. 결국 내가, 그레슈카가 마지막으로 참여했지."

"뭐라고 꼬드겼는데요?"

그레슈카가 빙그레 웃었다. 마치 회심의 일격을 준비하는 태세기에, 티티라도 지레 긴장했다.

"그는 교국에선 법황이 설탕과 기름을 전매[10]한다고 했다."

티티라는 즉각 이해했다. 너무도 매력적인 제안이었다.

물론 설탕과 기름은 시노드 신넬에서도 사치품이었다. 그럼에도 모두가 좋은 날에 누릴 수 있을 정도의 공급량을 유지하고 있었는데, 이는 순전히 상단 간의 경쟁 때문이었다.

그들은 각양각색의 방법으로 농지를 쥐어짜고 팔아 치웠다. 점차 생산 능력이 발전했기에 언제나 가격이 떨어질까 걱정했다. 누군가 가격을 내리면 고사시키려 들고, 그마저 두려워 생산지를 움켜쥐려 했다. 티티라가 올리브유에 했던 짓이자, 이즈버르 상단들이 설탕에 했던 짓이다.

그런데 '교국'이라는 저 후진국에선 지배자가 설탕과 기름을 '독점'한다고?

"다들 눈이 뒤집어졌겠네요."

"그래. 밀매하면 떼돈을 벌 거라 생각했다. 항해는 길어야 반년. 게다가 교국에도 특이한 보석과 사치품들이 많다 하더군. 그걸 수입해 오면 지루해하던 시노드 신넬 부자들이 돈다발을 들고 줄 설 거라 생각했지."

반세기 전 사람들의 순진한 생각에 눈물이 다 났다. 웃음이 팔 할이었지만, 슬픔도 없지는 않았다.

"밀매하면 대포 들고 쳐들어올 미친놈들인 걸 알았어야지……. 아펭글로가 개자식이네. 그걸 숨겼네."

"난들 알았나. 아직도 '전매제'가 있다니, 미개한 놈들일 거라 생

10) 국가가 국고 수입을 위하여 어떤 재화의 판매를 독점하는 일.

각했지."

그들은 거의 동시에 웃음을 터뜨렸다.

"그놈들은 진짜 이상한 놈들이에요. 새대가리 같은 머릴 가졌으면서 어떻게 또 무기와 항해 기술만 발달을 시켰을까."

"한 가지 더 있지. 통치술도 우리 귀족 나리들보단 낫다."

"아, 그것도 그렇죠."

"그 외 모든 것이 열등하다."

"잘 알아요."

"돔니니, 언젠가 내가 '교국이 시노드 신넬을 떠날 것'이라 말한 적이 있지."

티티라는 불쑥 들어온 말에 기억을 더듬었다. 첫 만남이었다. 그레슈카는 제게 '이년', '저년' 소리를 하며 교국이 시노드 신넬을 떠날 것이라고 호언장담했다.

"네, 기억나요. 그들이 소조폴과 도이도흐를 오랫동안 벗어나지 않았던 건 법황의 명령 때문이라고요."

디아세의 말을 떠올린다면, 그레슈카의 예측은 진짜였다. 티티라의 얼굴을 살핀 그레슈카가 코웃음을 쳤다.

"이제야 너도 추론을 따라온 모양이군."

"……."

"법황은 시노드 신넬을 더 착취하고 싶지도 않을 거다. 착취하려면 필연적으로 더 많은 교국인들을 보내고, 더 많은 항로가 뚫려야 하는데, 법황은 그걸 용납할 수 없다. 사유는 그들의 후진적인 제도다. 돈에 눈이 벌건 시노드 신넬 천방지축들이 한몫 잡겠다고 뛰어드는 것도 골치 아프겠지만, 무엇보다 자기 발아래가 걱정될 거다."

"……."

"법황은 기득권을 방어하고 싶어도 어떻게 해야 할지를 모르겠지. 돈의 흐름과 계약에 대해 아예 무지할 거다. 할 줄 아는 것은 군사로, 신권으로 찍어 누르는 것뿐이다. 불신자인 시노드 신넬 잡놈에겐 그렇게 할 수 있지. 하지만 제 권력의 토대인 교국인들에겐 그렇게 못 한다."

"……."

"법황은 단호하다. 본인이 방어책을 마련할 때까지 시노드 신넬에서 교국인들을 철수시키고 싶겠지. 그래서 여태껏 침공 허가를 내주지 않은 거다. 그런데 저 사제왕이 제멋대로 쳐들어왔다. 그래서 그 밤중에 종을 울려 가며 법황의 경고장을 받은 것이고. 그놈들, 곧 한판 붙게 될 거다."

"……."

"우리가 왜 교국이 이즈버르로 오지 않으리라 생각했는지 이제는 알겠느냐?"

"……."

그레슈카의 예측은 아름답기까지 했다. 자신이 안스카리우스에게 느낀 것들, 디아세를 통해 들은 내용, 그리고 한밤중 법황의 편지까지…… 모두 그녀의 추론과 일치했다.

"……하지만 당신도 근거는 없잖아요."

"글쎄, 나는 근거를 이야기했는데 네 귀에 들리지 않은 것이지."

"……."

"돔니니, 탈란타우에는 바를라암을 지원하러 오는 거다. 그와 함께 오는 법황의 대리인이 어떻게든 죄를 물으려 하겠지만 쉽지 않아 보인다. 나는 몇 가지 사유로 교국군이 떠나리라는 희망을 품고 있었지만 탈란타우에가 온다는 소식을 듣고 한참 미뤄 두었다. 어쩌면 영원히 미뤄 두어야 할 수도 있겠다."

"……."

"사제왕들은 운명 공동체다. 탈란타우에와 다른 사제왕들이 이즈버르 침공을 요청했을 것이다. 그 안을 여기 있는 바르키안 총독이 실행했겠지. 너는 그 인간이 전쟁에 열정적인 사람처럼 보이나?"

아니.

"아니지? 갑자기 혼자 미쳐서 대포를 쏠 놈은 아니라 이거지. 다 긴 협의와 혜안이 있으셨던 거다. 이 힘겨루기에서 사제왕들이 이기면 드디어 교국군이 내륙으로 들어온다. 아주 작은 확률로 법황이 승리한다면 다시 소조폴에 칩거할 것이고."

"……."

"내 이야기를 잘 생각하고 대처해라. 네가 아무리 총독을 좋아해도 저놈들이 철저히 정치적인 목적으로 움직인단 사실을 명심해. 총독을 믿지 마라. 어떤 것도 이야기하지 마."

티티라는 바닥을 내려다보았다. 그런 그녀의 어깨 위로, 작고 마른 손이 얹혔다.

"내가 너를 적대했다면 이런 귀중한 이야기를 해 주지도 않았을 것이다."

"……."

"내 용건은 끝이다. 더 할 말 있나?"

그녀는 고민했다. 그레슈카의 친절한 설명에는 덧붙일 말이 없었다. 그러나 저토록 여유로운 노인에게, 단 한 가지.

"그레슈카."

"……."

"아펭글로는 안 죽었어요."

그레슈카의 손이 갑작스레 떨어져 나갔다.

왜 말했을까? 저 똑똑한 사람의 평정심을 흔들어 보고 싶었던 건가? 그녀가 새파랗게 젊었던 시절을 엿보고 싶었는지도 모르겠다. 섣불리 아펭글로에게 투자하기로 결정했던 그때 그 사람.

"총독에게 들었습니다. 아펭글로는 280년에 에예우에 도착했대요. 출항한 지 육 년 만에요."

"……."

"서른세 명이 도착했다고 했어요."

"……."

"대체 책은 왜 준 거예요? 물에 젖은 책이 수십 권 들어왔대요. 그놈들이 시노드 신넬에 대해 처음 탐구할 수 있던 책."

"책이 있었다고?"

티티라는 흠칫 놀랐다.

"나는 화물을 적은 서류를 아직도 가지고 있다. 항해 필수품 외의 화물은 설탕뿐이야. 올리브유마저 산패될까 두려워 싣지 않았다."

"……."

"책은 필수품이 아닌데."

그레슈카는 '아펭글로'에 반응하지 않았다. 노인에게는 분명 죽었던 사람이 돌아온 느낌일 텐데, 조금도 동요하지 않았다. 대신, 스스로 건네지 않았던 책에 반응했다.

티티라는 엉겁결에 덧붙였다.

"시노드 신넬의 주요 정보는 하나도 없었대요."

내가 왜 얼굴도 못 본 아펭글로의 행동을 해명하고 있지?

"몇 권이라고?"

"사십 권……."

티티라는 천천히 깨달았다. 자신은 그레슈카가 부드러운 얼굴로 친구를 이야기하는 데 어떤 희망을 걸고 있었던 모양이다. 그들이 친구이길 바랐던 것이 아니라, 자신과 안스의 오래된 우정을 떠올렸던 것이다.

죽었다고 생각했던 친구가 돌아왔을 때 얼마나 기뻐할지 제 눈으로 보고 싶었다. 아주아주 오랜 시간이 지나고도 남아 있는 우정은 무슨 색일지…… 제 미래를 보고 싶었다. 그렇다면 나도 언젠가 돌아온 안스를 보며 진심으로 웃을 수 있겠지.

그레슈카는 말했다.

"그 개잡종 비렁뱅이가 무슨 책을 가져갔는지 찾아봐야겠군."

그녀는 냉혹하지도 않았다. 이제 친구에서 교국인으로 바뀌었으니, 교국인은 개잡종이라는 당연한 말을 하듯 했다.

티티라는 제 일이 아니란 사실을 알면서도 가슴이 조금 아팠다. 안스가 돌아온다 해도 안스카리우스의 기억은 없어지지 않을 것이다. 그땐 나도 그레슈카처럼 말할 수 있을까? 꼭…… 저렇게 말해야 할까?

"……죽은 줄 알았던 친구 아니에요?"

"그것과, 허가하지 않은 물품을 가지고 나간 잘못은 별개다. 특히 교국에 책을 사십 권이나 넘긴 건 자해 행위지. 어쩌면 그 배가—"

그레슈카는 갑자기 침묵했다.

티티라는 그녀가 무슨 생각을 하는지 정확히 알고 있었다. '그 책이, 그 배가, 교국인들을 시노드 신넬로 부른 것은 아닐까?'

소름이 오스스 돋았다.

만일 내가 그날, 불타는 소조폴에서 안스를 보내 그가 사제왕이 된 것이라면? 덕분에 사제왕이 이즈버르를 침공하고 내륙으로 파고들려는 새로운 계획을 세울 수 있었던 것이라면 어떡하나?

티티라는 스스로를 변명하듯 허겁지겁 말했다.

"아펭글로는 법황에게 잡혀갔다고 해요. 법황의 허가 없이 시노드 신넬의 정보를 대중에 알린 죄였겠죠. 겨우 풀려난 뒤에도 애들 선생님이나 하고 살았대요. 그가 책을 가져가서 뭘 꿈꿨든 실패한 거예요."

"네가 왜 아펭글로를 대신해 변명하지?"

"……."

"신경 쓰지 마라. 난 그자가 가져간 책이 뭔지 찾아야겠군."

"……."

"이만 용건이 없으면 나가. 약속은 잊지 말고."

그녀는 상대에게서 조금의 우정이라도 찾을 수 있길 바랐다. 그러나 그레슈카의 회색빛 눈은 무감동하기만 했다.

티티라는 몸을 돌려 그레슈카 상관을 나갔다.

티티라는 그레슈카와 아펭글로에 대해 애써 생각하지 않았다. 그토록 부드럽게 친구에 대해 이야기하고도 곧장 적대하다니. 그레슈카의 냉혹함을 곱씹다간 자신이 더 상처 입을 것 같았다. 그녀는 기억을 꾸역꾸역 밀어 넣었다.

나는 계약만 지키면 돼.

티티라는 갑판에서 훔쳐 온 망치를 바라보았다. 그녀는 이 배에서 유일하게 사생활을 지킬 수 있는 화장실에 있었다. 잠긴 걸쇠를 흘끗 본 뒤, 망치를 들어 팔뚝을 때렸다.

"아……!"

정말 무지막지하게 아팠다. 고개를 숙였다. 아래로 굽이굽이 뚫린 구멍에서 끔찍한 냄새가 났다. 머리가 식었다.

그녀는 다시 망치를 휘둘렀다. 잇새가 부서져라 힘을 주었다. 잘 보이는 자리만 골라 두드리는데도 영원히 끝날 것 같지가 않았다.

끙끙거리며 이번에는 발목을 건드렸다. 그녀는 몸을 이리저리 흔들다가 하마터면 구멍에 엉덩이를 빠트릴 뻔했다. 욕설을 지껄이며 마구잡이로 몇 대 더 때렸다. 고통스럽게 신음했다.

그녀는 지치지 않았다. 욕설을 반복하며 한 시간 정도 스스로를 학대했다. 티티라는 정말 무식한 방법이라고 생각했지만 다른 방법이 없었다. 그렇다고 정말 몸에 영구적인 상처를 내긴 싫으니까. 피멍은 차라리 감사한 수준이었다.

그녀는 몸에 거의 감각이 없어질 때가 되어서야 멈추었다. 걸쇠를 풀고 절뚝이며 나왔다. 다행히 대낮이라 주변에는 아무도 없었다.

흠씬 두들겨 맞은 몸을 이끌고 선실 복도로 들어갔다. 아직 현실감이 없었고, 멍도 거의 들지 않았다. 일단 쉬면서 경과를 볼 요량이었다. 어깨, 목, 팔, 종아리와 발목, 발등. 봄에 드러내는 모든 곳을 모욕했으니 기대가 되었다.

티티라는 방에 들어가 침대에 누웠다. 피곤한 탓인지 바로 잠이 들었다.

그녀가 깨어난 것은 순전히 라요나의 비명 소리 때문이었다.

"티티라 씨!"

티티라는 짜증스럽게 눈을 떴다. 이불을 휘저으려고 했지만 아무것도 손에 잡히지 않았다. 안 덮고 잤나?

"누가, 누가 때렸어요?"

그녀는 어리둥절하게 몸을 일으키려다가, 끔찍한 통증에 다시 쓰러졌다. 그제야 깨달았다. 아, 망치로 내 몸을 때렸지.

"이, 이게 무슨, 피멍이……!"

"말하지 마."

"뭘 말하지 마요? 누가 때렸는데요? 총독님께 고발해요!"

"야단법석은. 내가 알아서 할게."

티티라는 다시 조심조심 일어섰다. 방 반대편에 있는 거울을 보았다. 누가 봐도 흉할 정도로 피멍이 져 있었다. 목, 어깨, 팔뚝, 발목까지. 그녀는 한 번에 끝내서 만족스러운 기분이 되었다.

티티라는 주섬주섬 외투를 찾았다. 아무 일 없이 바깥을 돌아보고 와야겠다. 사람들이 알아봐 줄 것이다.

"티티라 씨!"

라요나가 빽 소리를 질렀다.

"아, 왜?"

"누가 이렇게 나쁜 짓을 했냐고요! 제가, 제가, 너무 놀러만 다녀서…… 죄송해요……. 혹시 배에서 무슨 일이 있었던 건가요?"

"아니야. 나 일이 있어서 나갔다 올게."

"혼자 나가셔서 또 이런 일이 있으면—"

"바깥이 더 안전해."

티티라는 의미심장하게 말했다. 라요나는 화가 난 귀신 같은 표정을 하곤 침대에 털썩 주저앉았다.

"나갔다 오시려면 총독님께 방문증을 받으셔야 할 텐데, 그분껜 뭐라고 말씀드리려고요?"

아, 망할.

"알아서 할게."

티티라는 외투를 단단히 조였다. 목을 가렸다.

"보여?"

"……아뇨. 아, 발목이 빨간 건 보여요. 엄청 부었어요……."

"갔다 올게."

그녀는 최대한 곧게 걸으려 노력하며 방을 나갔다. 허리를 쭉 펼 때마다 소름 돋는 고통이 지나갔다. 계단을 올라가는데 너무 아파서 벽을 짚고 잠시 쉬었다. 마침내 선장실 앞에 서서, 그녀는 엉거주춤하게 걷더라도 절뚝이지 않으려 노력했다.

티티라는 심호흡을 한 뒤 문을 두드렸다.

"들어와."

그녀는 반쯤 문을 열었다. 안스카리우스는 여느 오후처럼 서류에 파묻혀 있었다.

"안녕하세요, 총독님. 방문증을 받으러 왔습니다."

"목적지는?"

"우편국이요."

"가져가."

얼굴도 보지 않고 신속했다. 티티라는 살짝 수그린 채로 느릿느릿 걸어갔다. 그가 책상 반대편으로 밀어 둔 방문증을 손에 들었다.

"감사합니다."

안스카리우스가 고개를 들었다.

"걸음이 왜……."

티티라는 내내 눈도 들지 않았던 주제에 내 걸음을 어떻게 아느냔 말을 하려 했다. 그러나 한순간 그의 손이 닥쳐 외투를 쥐자, 모두 잊었다. 반사적으로 반항하곤 고통을 이기지 못해 이를 꽉 깨물었다.

"누구 짓이지?"

"네?"

티티라는 모른 체하면서 빠르게 머리를 굴렸다. 어떻게 해야 여길 빠져나갈 수 있을까.

"방문증 주셨으니 가도 되죠?"

그가 자리에서 일어섰다. 키가 원체 커서 기가 질릴 정도였다.

"누군지 말해."

"무슨 말씀이세요?"

티티라는 시치미를 뚝 떼곤 뒤돌았다.

그러다 외투 목깃이 쥐였다. 상상 이상으로 불쾌해서 스스로도 놀랄 정도였다. 무슨 개를 다루듯 하네? 그렇게 생각하는 순간, 목덜미에 찬 손이 얹혔다. 그는 목을 고정한 뒤 외투를 뜯어냈다. 그녀는 당황스럽다기보단 모욕감에 그를 돌아보았다.

"지금 뭐 해요?"

그의 인중이 살짝 떨렸다.

"총독의 손님에게 폭력을 쓴다?"

"손님은 무슨 손님. 이건 나 혼자 다친 거니까 신경 쓰지 마세요."

티티라는 아직까지도 그의 손에 들려 있는 외투를 빼앗았다. 아니, 빼앗으려 했지만, 그가 옷자락 끄트머리를 꽉 잡는 바람에 하마터면 중심을 잃고 고꾸라질 뻔했다.

"놔요."

"먼저 소명해."

"혼자 굴렀어요. 저기 장교 식당 가는 길에 가파른 계단에서요."

그녀는 다시 한번 온 힘을 다해 외투를 당겼다. 세공들 발이 대롱대롱 매달렸다. 안스카리우스가 얼굴을 찌푸렸다.

"돌려줄 테니 힘 빼."

노려보았다. 그러나 그가 한발 물러선 이유를 알았다. 이 팽팽한 대치 속에서 힘을 놓았다간 내가 넘어질까 봐. 빤히 보이는 배려가 짜증스러웠다.

그녀는 힘을 뺐다. 외투를 받을 준비를 했다. 그러나 그는 돌려주기는커녕 외려 등 뒤 의자에 걸었다. 티티라는 기가 막혀 양손을 들었다.

"뭐 하세요?"

"정직하게 이야기해라."

"높은 계단에서 굴렀다니까요?"

"넌 열 살 먹은 사내애처럼 건강하다."

"그러니까 구를 수도 있는 거고요. 외투가 그것밖에 없는 줄 아세요? 방문증 주셨으니 전 갑니다."

티티라는 잽싸게 뒤돌아 걸어갔다. 아파서 뛰진 못했다. 물론 뒤에서 기척이 느껴지자마자, 순식간에, 어쩔 수 없이 뛰었다. 내가 먼저—

티티라가 문을 열어젖히는 순간, 뒤에서 문이 밀려 쾅 닫혔다. 그녀는 패배를 받아들였다. 어이가 없어서 웃음이 났다.

"하하……. 총독이 헐레벌떡 뛰는 꼴하고는."

물론 그는 뛰지 않았다. 성큼성큼 걸어오는 속도가 자신이 뛰는 것보다 빨랐을 뿐이다. 티티라는 몸을 돌려 코앞에 선 안스카리우스를 바라보았다.

"총독님, 우편국에 가야 한다니까요."

티티라는 왠지 계속 웃음이 났다. 못 나가게 한답시고 거짓말로 외투를 빼앗더니, 이젠 겅중겅중 걸어와 문을 닫네. 체통이라곤 손톱만큼도 없었다. 너무너무 안스 같았다.

그녀는 결국 숨죽여 웃었다. 속으면 안 되는데도 그의 마음이 훤히 보였다. 어디서 다쳐 왔는지 알고 싶어 죽을 것 같은 속 말이지. 저 인간은 지난번 눈물을 닦아 준 순간부터 확실히 미친 모양이었다.

"혹시 제가 당신 앞에서 몇 번 울었다고 우리가 친해졌다고 생각하시는 건 아니죠? 뭘 그렇게 알고 싶어 해요?"

"나는 총독으로서 말하고 있다. 네가 이프루이우호의 일원임을 알면서 해친 자에게 죄를 물어야 한다."

"아, 무슨. 솔직히 당신도 이즈버르인이 저를 때렸다고 생각하진 않으시잖아요. 무려 총독과 나란히 섰던 사람을 누가 때린다고요?"

"사정에 따라 다르지."

티티라는 긴 셔츠에 긴 바지를 입고 있었다. 덕택에 보이는 곳이라곤 어깨와 목 부근밖에 없었다. 그녀는 흘끔 그 자리를 내려다보았다. 시퍼런 것을 넘어 거무죽죽한 멍이 들어 있었다. 너무 과장됐네.

"그 꼴을 하고……."

그 또한 같은 곳을 바라보았던 모양이다. 티티라는 그가 정신이 팔린 사이 잽싸게 주저앉아 그에게서 빠져나오려 했다. 그러다 나동그라졌다. 앉다가 어딜 스쳤는지 소름 끼치게 아팠다.

"아……."

그녀는 바닥에서 몸을 웅크렸다.

"미치겠네……."

아파 죽겠다. 그러나 툴툴대기 전에 팔을 뻗어 방어했다.

"안지 마. 손대지 마."

아니나 다를까, 어느새 그가 내밀었던 손과 부딪쳤다. 티티라는 팔뚝에 스며든 아픔에 끙끙거렸다. '뼈가 저리다.'는 진부한 표현에 뼈저리게 공감했다. 어떻게 내 손으로 때렸는데도 이렇게 아플 수 있지?

시선을 들자, 반쯤 앉은 안스카리우스가 보였다.

그는 미간을 좁히며 말했다.

"티."

마치 그게 무슨 주문이라도 되는 듯이.

나도 이젠 안 속아.

"솔직히 제 말에 공감하고 계시죠? 어느 누가 절 때릴 수 있겠어요? 혼자 엎어졌다면 좀 믿지."

"……."

티티라는 신음을 꾹 누르며 바른 자세로 앉았다.

"일어나게 도와줘요."

그는 주저 없이 팔을 뻗었다. 그녀는 그의 팔을 붙잡고 일어서려 했다……. 아픔에 눈을 질끈 감았다. 힘이 빠졌다. 결국 그가 제 겨드랑이 사이로 손을 넣어 일으켜 세웠다. 불쾌했지만 자신이 부탁했기에 어쩔 수가 없었다.

조금 뒤, 나직한 목소리가 들렸다.

"티, 치료라도 받아."

티티라는 소름이 돋아 그를 뿌리쳤다. 아프지만 않았어도 이유 없이 상대를 때릴 뻔했다. 아니, 이유가 없긴 왜 없어? 저런 말을 하는 사람 잘못이지.

"그건 다녀와서 생각해 볼게요."

"이번엔 호위를 붙였으면 한다."

"내가 어디 가서 맞고 다닐까 봐?"

그들의 대화는 오락가락했다. 티티라는 한순간 안스카리우스에게 말하다가도, 또 안스에게 말하곤 했다. 그 역시 한순간 총독이었다가, 한순간…… 이상하게도 미지근한 불처럼 와 닿았다.

"디아세를 데려가라. 그러면 더 이상 묻지 않겠다."

그녀는 고민했다. 마구잡이로 끌어당기고 약을 먹이던 얼마 전을 생각하면 아주 천지가 개벽할 일이었다. 이제 저놈도 협상하는 예의를 배운 모양이다.

안스카리우스가 한 발자국 양보했으니, 조금은 들어줄 수 있을 것 같았다.

"알겠어."

그는 대답 없이 문을 열어 주었다. 티티라는 고개를 젓곤 응접실 책상을 가리켰다. 총독은 그녀의 손짓을 따라가 외투를 가져왔다. 티티라는 안스를 부리는 것 같아서 신이 났다.

그러나 그가 제게 외투를 입혀 주자, 곧장 언짢아졌다. 안스는 옷 안 입혀 줘. 그런 짓을 했다간 내가 화를 냈을 테니까.

……다만 이상하게도, 지금 티티라는 화가 나지 않았다.

그녀는 떨떠름한 기분으로 선장실을 나섰다.

티티라는 낮잠을 자다 불려 나온 디아세의 부은 얼굴과 함께해야 했다. 물론 나쁠 건 없었다. 덩치 큰 교국군을 뒤에 달고 다니면 제 상처가 더욱 돋보일 테니까.

아니나 다를까, 사람들은 그녀를 흘끗 본 뒤 의미심장하게 고개를 돌렸다. 티티라는 부끄러운 척 외투를 여몄다. 그러면서 은근슬쩍 발목을 보여 주었다. 하품이 나올 만큼 쉬운 일이었다. 한 가지 어려운 것은…….

"아, 내 발목. 아파 죽겠네. 걷질 못하겠어."

디아세가 돌아보았다.

"마차를 부탁했어야 했군. 지금이라도 늦지 않았으니 돌아가자."

"됐어. 조금만 쉬면 된다."

"길 한복판에서?"

"문제 있나?"

디아세는 자신들을 흘끔거리며 지나다니는 시선이 거북한 모양이었다. 그러게 누가 그렇게 교국군이라는 표식을 달고 다니래?

"정말 넘어진 게 맞나?"

"당신이 나한테 물어볼 권한이 있던가?"

"……."

"라요나나 잘 대해 줘."

"네가 신경 쓰지 않아도 된다."

티티라는 씩 웃다가, 자신이 어느새 그들의 관계를 인정하게 되었다는 사실을 깨닫고 우뚝 멈췄다. 한숨을 푹 쉬었다.

"라요나는…… 똑같은 교국군이라면 사역관에도 수없이 많았을 텐데 왜 하필 늙은 너랑 연애를 할까."

디아세가 작게 웃었다.

"난 너보다 어린데."

그답지 않은 말투였다. 또한 진실이기에, 갑자기 할 말이 궁해졌다. 그는 그 순간을 놓치지 않고 끼어들었다.

"돔니니, 너와 라요나는 아주 다르다. 서로 지나치게 달라서, 네가 라요나에 대해 잘 모르는 것도 무리는 아니다."

"뭐가 다른데?"

"우리는 너에 비하면 아주 소박하다."

"'소박하다'고? 아니, '우리'?"

"그래. 너는 이해하지 못하겠지만."

티티라는 잠시 편견을 거두었다. 그는 확실히 자신보다 어렸다. 그럼에도 항상 진지했다. 허투루 말하는 법이 없었다. 그의 '신'이 중심을 잡아 준 덕분일까?

"넌 라요나가 불신자인 게 괜찮아?"

"그녀도 언젠가는 신을 이해하게 될 거다."

"라요나가 그런 태도를 좋아할까?"

"나는 그녀가 미리 단정 짓는 행동을 싫어한단 사실을 안다. 다만 네가 그걸 아는지 모르겠다."

"……."

그래. 그의 말마따나 티티라는 라요나를 만나던 순간부터 지금까지 소녀를 이해하지 못했다. 어떻게 밑바닥을 굴러 보고도 매사에 화를 내지 않는지, 병들지 않았는지 알 수 없었다. 라요나는 결코 순진한 사람이 아니었는데 말이다. 그녀를 순진한 사람으로 보는 것은 제 빈정대는 성품뿐이니, 모두에게 충분히 냉정한 라요나가 어쩌면 저렇게 구김살이 없을 수 있을까?

우물쭈물 덧붙였다.

“나도 남을 처음부터 판단하진 않아.”

“난 선입견을 가지는 사람을 비난하지 않는다. 그편이 나을 때도 있다.”

그녀는 제 발 저려 변명을 덧붙여 놓고 답을 외면했다.

“하지만 라요나에게 설명하긴 어려울 거다. 그녀는 절대 미리 판단하지도, 넘겨짚지도 않는다.”

“어쨌든 그녀는 소조폴인이니 내가 더 잘 알겠지. 그만 말해.”

“네가 우리 관계에 그만 참견하면.”

“…….”

“물론 네가 참견해도 차이는 없을 거다. 하지만 나는 네가 라요나에게 모든 걸 안다는 투로 대하는 게 마음에 들지 않는다. 세상천지에 너만 잘 아는 게 아니야.”

“그 애는 열여덟이야. 조언해도—”

“조언이라면 이미 충분히 했다. 차라리 생각할 시간을 주는 여유가 필요할 거다.”

“다 너 때문에—”

“몸은 괜찮나? 돌아가자.”

티티라는 잠시 침묵했다.

투덜대며 먼저 몸을 돌렸다. 어차피 꼬박꼬박 디아세에게 대답하던 것은 제 아집 때문이었다.

그날 저녁, 티티라는 우연찮게 부두에 서 있는 연인을 발견했다. 라요나가 무언가를 말하며 디아세의 어깨를 치고 있었다. 노을 지는 부두는 시끌시끌했다. 교국군이나 노역꾼들은 전혀 이상할 것이 없다는 듯 그들을 지나쳤다.

디아세는 그녀가 지켜보는 긴 시간 동안 단 한 번도 라요나에게 손을 올리지 않았다. 단지 평소보다 많이 몸을 수그려, 크고 둥근 그림자 같아 보였다.

어스름 속에서 그는 고요했다. 항상 그렇듯 무시무시하게 진지했다. 무표정하다기엔, 지나치게 집중하고 있었다. 누군가 그를 스치면 화들짝 놀랄 것처럼 라요나에게만 쏠려 있었다.

티티라는 여전히 그들이 이상한 연인이라고 생각했다. 그러나 지난번 식사가 끝난 뒤 찜찜했던 감정과는 달랐다. 그때에는 단지 디아세가 어린 라요나에게 불순한 의도를 가지고 접근하지 않았으리란 최소한의 안도감만 가지고 떠났다.

그러나 지금은…….

그들은 점령군과 여급 같지 않았다. 나이 먹은 사기꾼과 순진한 소녀 같지도 않았다. 그냥…… 그들이었다.

결국 티티라는 받아들이기로 했다. 그러니까, 자신이 받아들이거나 받아들이지 않을 문제가 아니란 사실을 이해했다. 그들에게 각자 관계를 맺고, 잇고, 매듭지을 권리가 있다는 사실을 알아차렸다.

자신이나 그레슈카는 죽어도 그들처럼 굴 수 없을 것이다. 그러나 한 사람이 사십 년의 친구를 편견 한 줄에 버린다면, 누군가는 백지에서 시작할 수 있을 만큼 담대해야 했다. 적어도 그녀는 그렇게 생각했다. 조금 더 넓은 관용으로.

소문은 디아세와 우편국을 다녀온 순간부터 퍼지기 시작했다.

라요나가 사색이 된 얼굴로 돌아와 과자점에서 들은 이야기를 빠르게 쏘아 댔다. 이프루이우호에서 소조폴 상주를 학대하고 있다던데요? 다들 쓸모가 없어져서 그랬겠거니 고소해하고 있어요. 진실을 떠나서 너무들 하지. 이런 수치스러운 소문은 전부 티티라 씨가 그 꼴로 대로에 나가서예요! 어떻게든 수습해야 하는데 어떡하죠? 사역관에서 나서기엔 너무 사소해서, 아무도 항변하지 않을 텐데.

티티라는 듣는 둥 마는 둥 했다. 절뚝거리며 걸어가 선미에 버린 망치가 제 역할을 다했다고 생각할 뿐이었다.

라요나는 혼자 열 받아선 소리를 지르다가, 상대가 들은 체도 하지 않자 화가 나 베개를 던졌다.

"오늘 제가 무슨 이야기까지 들었는 줄 아세요? 지금까지 티티라 씨가 총독님 방에 '들락거린' 게 무색해졌다네요! 총독님이 질린 게 틀림없대요!"

"아, 뭐."

애초에 그런 소문이 돌 걸 예상하고 있었다. 그녀에게 문제가 되는 건 '자신이 총독을 좋아한다는' 이야기지, 몸을 파느니 하는 소리는 별 관심 없었다.

"화 안 나세요? 아니, 아무리 그래도 소조폴에서 손꼽히는 상주를 작부 취급을 하더라니까요?"

"인간들 하는 얘기야 뻔하지, 뭘. 신경 안 써. 사실도 아니잖아."

"그래도—"

"게다가 그런 욕을 하는 인간들은 날 욕하고 싶은 게 아니라 총독을 깔보고 싶은 걸걸."

티티라는 픽 웃었다.

"'그렇게 고상한 척을 하더니만, 뒤로는 밤 시중들 여자를 징발하고 있었던 거네. 차라리 대놓고 들였으면 인정할 테지만, 공적인 일로 필요한 척 붙들고 다니더니 꼴좋다.' 이렇게 총독 욕을 하고 싶은 거니 난 상관없어."

"그 이야기에서 당신은 '밤 시중들 여자'인데요?"

"내가 상단을 위해 몸을 팔아 치운 거라면 그건 나한테는 나름의 위명이지. 괜찮다."

"그게 어떻게 위명이에요!"

라요나가 빽 소리를 질렀다.

티티라는 얼빠진 얼굴로 소녀를 돌아보았다.

"사람, 사람들이, 그딴 소릴 못 하게 해야지. 자기들이 뭘 안다고……."

"괜찮다니까? 내가 몸을 판대도 상대는 총독이잖아. 총독과 자서 얻을 이득은 그깟 소문을 부풀리는 녀석들이 감히 논하기도 어려운 것일 테지. 그럼 보통 술집 작부 소문과는 다르지 않아?"

"……."

"게다가 화내 봤자 뭐가 바뀌어? 사실 아무 증거도 없는 뜬소문이잖아. 내가 개인적으로 소명하면 낯짝은 더 우스워질 거야."

라요나는 탁자를 주먹으로 짓이겼다. 그녀가 왜 저렇게 화가 났는지 처음에는 몰랐지만, 이제는 점차, 어렴풋이 짐작이 갔다. '몸을 판다.'는 건 아무것도 없는 어리고 가난한 여자애에게 가장 치명적인 모욕일 테니까, 자기 일처럼 화내 주는 것이다.

티티라는 몸을 일으켜 라요나에게로 다가갔다. 그녀는 티티라의 그림자가 보일 때까지도 눈치를 못 채고 있다가, 화들짝 놀라 고개를 들었다.

"라요나, 네 일처럼 화내 주어 고맙다."

"……."

"하지만 난 괜찮으니 신경 쓰지 마."

애초에 소문이 자신을 모욕해야만 그레슈카의 목적을 달성할 수 있었다. 정말 불쾌했더라도 토를 달 수 없는 처지인 것이다.

티티라가 무슨 말을 더하려는 순간, 누군가 문을 두드렸다. 그녀는 라요나를 한번 쳐다보고 들어오라 허락했다.

문이 열렸다.

"소조폴 상주 티티라 돔니니."

"……."

"그레슈카 대상이 만남을 청했다. 상세 내용은 서신을 확인해라."

티티라는 저벅저벅 걸어가 군인의 손에 들린 편지를 받아 들었다. 이미 검열을 끝낸 모양인지 귀한 재질의 종이가 볼품없이 찢어져 있었다.

[소조폴 상주, 티티라 돔니니에게.

사흘 뒤, 약속의 거리에 있는 그레슈카 부상관에서 뵐 수 있겠습니까? 약속의 거리는 옛 맹세의 분수에서 바른 방향으로 곧게 난

길입니다. 지난번 못다 한 이야기를 나누고 싶습니다.]

그녀는 군인을 향해 고개를 끄덕였다. 그는 인사 없이 문을 쾅 닫고 떠났다.

티티라는 다시 편지를 내려다보았다. 내용을 보건대 그레슈카를 만나러 갈 필요도 없었다. 아마 사흘 뒤 그 자리에 나가면, 죄송하지만 오늘은 그레슈카 상주님이 바빠 뵐 수 없게 되었단 말이나 들을 것이다.

그레슈카는 모든 일이 처리되는 상관이 아닌 다른 곳으로 티티라를 부른 역사가 없었다. 그런데 이 상황에서 '옛 맹세의 분수'에서 '바른길'로 나 있는 '약속의 거리'로 오라고? 그 편지 자체가 노인의 대답이었다. 너는 약속을 지켰으니 앞으로는 관객들과 함께 지켜보도록.

"티티라 씨?"

티티라는 흠칫 놀라 고개를 들었다.

"괜찮으세요?"

"……왜?"

"몸을 떠셨어요."

"안 떨었는데. 이 봄에 무슨."

"거짓말—"

"그럼 계단에 구른 몸이 아팠나 보지."

"……."

"그래. 말한 김에, 약속은 몸이 아파서 못 나간다고 답장해야겠다."

"……요."

"뭐라고?"

"그물 침대에선 제가 잘게요. 나으실 때까지 계속. 자리 바꿀 생각 마세요. 신경 써 준다고, 그런 거 전 필요 없으니까요."

"……."

라요나는 그물 침대 위로 주섬주섬 올라갔다. 등 돌려 눕는다. 티티라는 그녀의 등을 보며 빙그레 웃었다.

"넌 괜찮은 애야."

"알아요."

"디아세를 고른 네 안목도 믿어 볼게."

"정말요?"

"대신 쫑알대지 말고 자."

"디아세 씨는 개를 좋아해요. 사냥개 말고 귀엽고 멍청한 떠돌이 개들이요. 그래서 만나면 주려고, 품에 항상 주전부리를 조금씩 들고 다니세요."

"쫑알대지 말라고 했지."

"아이참."

티티라는 베개로 귀를 막았다. 신나서 이야기하는 라요나를 짜증스레 몇 번 구박했다. 그러나 연애담은 건들수록 불어나는 해조류 같았고, 결국 떠밀렸다. 티티라는 베개 너머로 열여덟 살의 연인 이야기를 들으며 괴롭게 잠들었다.

티티라는 그레슈카와의 약속을 취소했다. 그레슈카 역시 답장하지 않았다. 그렇게 있는 듯 없는 듯, 모든 것이 잠잠해졌다.

티티라의 몸에 난 상처는 빠르게 회복되어 갔다. 안스카리우스는 몇 주 동안 여러 번 그녀를 선장실로 불렀다. 소문 이야기는 꺼내지 않았다. 그가 입을 벙긋이라도 했으면 도망가 다시는 돌아보지 않았을 텐데, 그는 놀랍게도 선을 잘 지켰다.

물론 그녀 또한 이쯤 되어선 안스카리우스가 모든 것을 안다고 생각하는 편이었다. 처음에야 상처 때문에 당황했지, 소문이 돌기 시작한 뒤부턴 꿰뚫었으리라.

'저 여자가 누군가와 작당을 해서 교국을 등지려 하는군.'

티티라는 가끔 조마조마하기까지 했다. 저놈이 갑자기 마음을 돌려 내게 죄를 묻는 거 아냐?

하지만 그는 상처가 아물 때까지 침묵했다. 가끔 상처가 아무는 자리를 뚫어져라 바라보곤 했으나 말을 덧붙이진 않았다.

그렇게 고요하게 그날이 다가왔다.

언제부터 이즈버르 시민들에게 소문이 퍼지기 시작했는지 모르겠다. 그러나 어느 순간 모두가 4월 20일에 교국의 새로운 배가 도착한다는 사실을 알고 있었다.

잠시간 늦춰졌던 통금이 다시 엄격해지고, 평소보다 훨씬 더 많은 물품이 부두 창고로 들어왔다. 두하 언덕에 있는 사역관이 출입인을 제한했으며, 몇몇 상주들은 허가를 받고 외지로 나갔다. 불안한 안개가 희미하게 스며들었다.

티티라도 예외는 아니었다. 그날이 다가올수록 신경이 곤두섰다. 티티라는 탈란타우에를 한 번도 본 적이 없었다. 아니, 애초에 그와 같은 도시에 머무른 적이 없었다. 탈란타우에는 누구보다 효율적으로 소조폴의 주요 인물들을 학살했으므로, 대상단에 빌붙었던 그녀가 그를 피해야 했던 것은 또 당연한 일이다. 물론 그를 증오하기도 했다. 두려움과 증오 사이에서 오락가락하는 가엽고 옹졸한 성질머리였다.

'그날'이 바로 다음 날로 다가왔을 때, 티티라는 안스카리우스에게 불려 갔다. 오늘만큼은 실없는 소리를 하려는 것이 아니었다. 말하지 않아도 알 수 있었다.

그렇기에 그녀는 그가 입을 열기도 전에 의자를 당겨 앉았다.

"말씀하세요."

안스카리우스는 펜을 두드렸다.

"내일, 나올 수 있나?"

티티라는 어두운색의 식탁을 노려보았다.

"못 나가겠다면?"

"나는 네가 낸 소문을 묵과해 주었다."

당연하게도 그는 알고 있었다. 잠잠했다. 왜 속였느냐 묻지 않는 것은, 자신이 다쳤단 사실에 반응했던 감정을 들추고 싶지 않아서일까? 티티라는 그를 흘끔 바라보았다.

"감옥에 가둬 주겠다 했던 내 제안과 무엇이 다른가? 의도는 단순하겠지. 소조폴 상단에서 연락이 오지 않자 초조하여 저지른 짓일 거다. 어차피 이번 일만 끝나면 교국과 척진들 네 손해에 불과하고……. 그래서 따로 죄를 묻지 않았다."

"……."

"그 오해를 그대로 두겠다. 그러니 내일 환영식에 오도록."

"'환영식'?"

"이름이 그렇다고 대단한 것은 아니야. 배를 맞이하고 인사를 나눌 뿐이다."

"제가 왜 거기 있어야 하죠?"

티티라는 대뜸 그를 모르는 사람으로 돌아갔다. 안스카리우스가 인상을 찌푸리는 모습이 보였다.

"네가 교국에 도움을 요청했으니까."

"누가 들으면 진짜 줄 알겠네요."

"우리는 네 요청을 검토하여 이즈버르가 부당하다고 판단했다. 그게 전쟁의 불씨가 되었으니 네가 반드시 나와야지."

"누가 들으면 진짜 줄 알겠다니까?"

"그 자리에선 아무 말 하지 않아도 된다."

"말씀 하나 빼먹으셨네요. 자발적으로 안 나오면 약을 먹이겠다고."

그는 침묵했다.

티티라는 그와 몇 개월 동안 적지 않은 대화를 나누고도 그를 수평선 너머에 둔 기분이었다. 자주 안스와 헷갈려도 그뿐이었다. 그는 분명히 안스카리우스였고, 가끔 자신에게 이상할 정도로 열렬히 관심을 가졌고, 또한 종종 약을 먹였다.

"왜 당신들 내분에 내가 껴야 하는지 모르겠어요."

"……."

"당신이 나 혼자 소문을 냈다고 추리한 것처럼, 나도 머리가 있으니 추리할 수 있죠. 시노드 신넬을 '개척'해서 영웅이 된 탈란타우에와, 시노드 신넬로 나간 놈들을 죄인 취급하는 법황. 둘이 싸우면 볼만하겠네. 그러니 나는 그 자리에 나가서 어쨌든 교국이 이렇게 정당하게 개전했다고 띄워 줘야 하고요."

"……."

"대체 나한테 무슨 득이 있습니까? 이미 충분히 해 준 거 아니에요?"

"네 상단이 너를 다시 받아들이도록 해 주겠다."

"어떻게? 또 누굴 죽이게?"

"소조폴 내 올리브유 전매권을 주지."

티티라는 곧장 대답하지 못했다. 그가 말 한마디로 부리는 권력이 구역질 나게 대단해서, 한순간 거절할 수 없던 스스로에게 화가 나서…….

티티라는 주먹을 꽉 쥐었다. 어차피 거절해도 약을 먹여 반송장으로 세워 둘 놈이다. 그 상황이 두렵지는 않았다. 그러나 몇 주간 대화를 나누고도 서슴없이 널 이용하겠다고 말하는 안스카리우스의 얼굴이, 두 번째로 당하고도 그에게 약해질 자신이 두려웠다.

그녀는 대답했다.

"좋아. 하지만 내가 원할 때, 원하는 방식으로 내놔."

"그 경우 문서로 약속을 남길 수 없다. 당장 공문으로 보내야 조금이라도 안심될 텐데?"

"바로 공문을 보냈다간 남부에서 소조폴 상주가 몸을 팔아 전매권을 사 왔다는 식으로 떠들 테니까 시간이 좀 지나야 해. 눈에 띄지 않게—"

"'몸을 팔아'?"

티티라는 짜증이 나서 쏘아붙였다.

"약을 먹이겠다는 당신보단 소조폴 상주가 몸을 팔았다고 떠드는 치들이 차라리 양심적이네요."

"……."

"아무튼 그렇게 아세요. 내일은 부르면 나와서 얌전히 서 있을 테니까."

"약을 먹이겠다는 사람의 약속을 믿다니, 놀랍군."

고개를 들자 시선이 부딪쳤다.

티티라는 무언가에 찔린 듯 벌떡 일어섰다.

"—티."

"안 돼, 안 돼. 지금은 그렇게 부르면 안 되지……."

티티라는 그와 제 사이에 어떤 공감대가 있다는 사실을 인정하기 싫었다. 그러니까, 그가 총독으로서 자신을 이용해도 그들 간의 마지막 신뢰를 부술 짓은 하지 않으리라는 공감대. 혹은 자신이 총독을 혐오하더라도 안스카리우스를 떨칠 수는 없다는 공감대 말이다.

"내일이 지나면 탈란타우에와 마주할 일은 없다."

티티라는 뒷걸음질을 쳤다.

"그러니 잠시만 서 있으면—"

그녀는 도망쳤다.

그가 소리를 높이지 않았기에 뒷말은 들리지 않았다.

눈 깜짝할 사이 밤이 지나갔다. 티티라는 초조하게 선실 안을 맴돌았다. 라요나가 졸린 얼굴로 누가 문 앞에 걸어 두었다는 새 옷을 건넸다.

"이거 입고 나오라는 거겠죠?"

티티라는 빳빳하게 정돈된 조끼와 바지를 바라보았다. 웬만한 시민은 평생 한 번 보기도 힘든 글라브니야 견직물로 만들어진 듯했다.

"상주 대접을 해 주려나 보군."

티티라는 안스카리우스가 남성 정복을 건넸다는 사실에 기분이 언짢아졌다. 물론 그레슈카가 항상 입고 다니는 간편하고 귀한 드레스였다면 더 화가 났겠지. 하지만 제 마음을 꿰뚫은 듯 바지 차림을 보낸 것도 짜증스러웠다. 그냥 그가 자신을 아는 체 구는 모든 짓이 싫었다.

티티라는 구겨진 얼굴로 옷에 몸을 밀어 넣었다.

라요나는 턱을 괸 채 그 모습을 바라보다가 벌떡 일어섰다.

“소매는 접으시는 게 나을 것 같아요.”

“나 입으라고 새로 맞춰 준 옷 아니야?”

“조금씩 커요. 그리고 티티라 씨 치수를 딱히 잰 적도 없는데 딱 맞게 줬으면 그게 더 무서운 거죠.”

티티라는 그녀의 현명함에 감탄했다. 주섬주섬 소매를 접다가, 답답한 듯한 라요나에게 붙잡혀 꼼짝없이 다듬질을 당했다.

“아이, 좀 밝은 곳으로 오세요. 여기 서 봐요.”

그녀는 해가 잘 드는 거울 앞에 섰다.

라요나는 진지하게, 잔뜩 헝클어진 티티라의 머리칼을 다듬어 주었다. 조끼의 통 넓은 부분은 단단히 조였다가, 다시 풀어 주었다가, 고개를 갸우뚱한 채 다시 살짝 조였다. 소맷단도 접어 주었다.

티티라는 그녀가 무슨 짓을 하든 거울 속 제 모습이 전부 똑같아 보여서 혼란스럽기만 했다. 그러나 라요나는 한동안 지분거린 후에야 이제 되었다는 듯 뒤로 물러섰다.

“어울려요.”

“가서 목석처럼 서 있기만 하겠지.”

“그러니까 더 떳떳한 목석으로 보이셔야죠.”

“난 정말 가끔은 네가 신기해. 교국을 그렇게 잘 알면서도 좋아하다니…….”

"아, 너무 많이 들어서 질려요. 엄격한 표정을 좀 지어 보세요—"

티티라는 엄격한 표정을 지으려다가, 누군가 문을 쾅쾅 두드리는 소리에 흠칫 놀랐다.

라요나가 그녀의 등을 떠밀었다.

"가세요."

티티라는 빙그레 웃으며 라요나를 툭툭 쳤다.

"만일 축하연을 하면 맛있는 디저트만 골라 올게."

"무슨 쓸데없는 말씀을……."

"아니, 네가 직접 올 수도 있겠다. 어차피 오늘은 이즈버르의 모든 가게가 닫을 텐데 느지막이 놀러 와 봐."

"눈치 보고요. 디아세 씨랑 갈 수도 있고요."

티티라는 장난스럽게 토하는 시늉을 하며 문을 열었다.

교국군이 건조한 시선으로 그녀를 내려다보았다. 그녀는 양손을 번쩍 들어 순순히 따라 나가겠다는 표시를 했다.

그녀가 마지막으로 본 라요나는 자신이 허물처럼 벗어 둔 평상복을 줍고 있었다. 하지 말라 해도 이곳에 온 이유라며 꼭 마지막 하나씩 챙기곤 했다. 티티라는 저 모습에 익숙해지면 안 된다고 생각했다. 다녀오면, 지겨운 말이라도 또 해야지. 그만해도 된다고.

티티라는 교국군을 따라 익숙한 복도를 지났다. 이제는 두렵기는커녕 이빨이 다 뽑혀 지루한 짐승의 아가리 같았다.

그녀는 정말로 하품을 해 대며 갑판으로 나섰다. 빠르게 주변을 둘러보곤 교국군을 따라 반갑판으로 올라갔다.

군인은 반갑판의 난간에 그녀를 세워 두고 떠났다. 티티라는 교국의 배 열 척을 통틀어 지위가 높은 군인들만 긁어모은 갑판을 바라보았다. 법황의 서신을 받던 밤과 또 느낌이 달랐다. 사람 수가 그때보다 훨씬 적었고…… 안스카리우스 또한 여유롭게 주갑판의 뱃전에 기대어 있었다.

더 둘러볼 필요는 없었다. 이미 선실 안에서 교국의 새로운 배를 구경했기 때문이다. 이즈버르를 침공한 배들도 과연 대단했지만, 갓 대해를 넘어온 배는 정말 색달랐다. 모양은 비슷해도 좀 더 압도적인 무언가가 있었다.

어쩌면 흰 돛에 새겨진 붉은 기호 때문인지도 몰랐다. 해를 정면으로 받을 때에만 빛나는 교국의 인장. 긴 십자가, 말 위에 탄 두 사람의 군인.

부두가 시끄러웠다. 티티라는 반사적으로 앞으로 한 걸음 나섰다가 군인에게 제지당했다.

안스카리우스가 뱃전에서 몸을 일으켰다. 그의 손아귀가 칼자루를 한번 매만지는 것이 보였다. 그녀가 호기심을 품을 사이도 없이, 누군가 크게 외쳤다.

"사제왕 안디프 오모스 탈란타우에, 대리인 소존데께서 법황 성하의 성스러운 임무로 이프루이우호에 입호入號하십니다!"

티티라는 배로 올라오는 한 무리를 바라보았다. 아니, '무리'랄 것도 없었다. 깃발을 든 군인, 검은 옷과 흰옷. 단 세 사람이었다.

깃발을 든 군인은 배에 오르자마자 훌쩍 옆으로 물러났다. 배경으로 사라지고 싶다는 의지가 너무도 강해 보였다.

두 손님은 모두 모자를 쓰고 있었으나, 그 종류는 서로 판이했다. 검은 옷을 입은 이는 안스카리우스처럼 무난한 교국식 모자를 쓰고 있었다. 해, 보슬비, 바람 정도를 막을 수 있는 실용적인 검은 모자.

그러나 흰옷을 입은 사람은 달랐다. 그는 잘못 부푼 식빵 같은 모자를 착용했다. 챙조차 없이, 관처럼, 후광처럼, 족쇄처럼 부드럽게 머리를 감싸고 있었다.

티티라는 빠르게 구분해 냈다. 복장을 보자면 검은 챙으로 얼굴을 가린 인간이 사제왕 탈란타우에, 흰옷의 중년 남성이 법황의 대리인 소존데일 것이다. 몸을 살짝 앞으로 기울였다. 탈란타우에는 콧등밖에 보이지 않았다. 그녀가 바야흐로 난간을 잡으려는 찰나…….

탈란타우에가 소존데에게 고개를 까닥였다. 소존데는 못마땅한 듯 못 본 체 시선을 돌렸다.

그것을 신호로 탈란타우에가 모자를 벗었다.

티티라의 숨이 멈췄다.

탈란타우에는 놀랍게도 부드러운 인상의 노익장이었다. 얼굴에 밭고랑 같은 주름이 져 있었지만, 대부분이 웃음에서 비롯된 곡선이었다. 헐렁한 상의 사이로 드러난 몸은 단단했으며 잘 다듬어진 수염과 머리칼 또한 풍채를 더했다. 육십 노인임에도 아주 건강한 인상이었다.

티티라는 바짝 굳었다. 상대가 자신을 쳐다보기는커녕, 반갑판에 관심조차 없었는데 말이다.

탈란타우에는 성큼 걸어가 안스카리우스를 포옹했다.

입술을 깨물었다. 탈란타우에를 보면 본능적으로 살의가 들끓을 줄 알았으나 예상외로 어찌할 바를 몰랐다. 복수할 상대를 만나는 느낌이 너무도 생경했다.

죽여야, 죽여야 하나? 저 인간이 우스페히 상단 사람들을 매달았잖아. 하지만 그녀가 두 눈으로 본 살인은 하나도 없었으며 상대 역시 잔인하다고는 상상하기 어려운 외모였다.

티티라는 죽은 우스페히 씨를 보지 못했던 죄가 이토록 악랄한 보답으로 돌아올 줄 미처 몰랐다. 자신은 지금까지 교국만을 모호하게 증오했을 뿐이지, 당장에 살인 명령을 내린 자가 눈앞에 있는데도 죽일 듯한 의지를 불태우기가 어려웠다. 쉽사리 아귀가 맞지 않았다. 어색한 자리에서 어색한 사람에게 소개받는 것 같았다. 아, 이 사람이 당신의 후견인을 죽인 분입니다. 안녕하세요?

그녀가 멍하니 서 있는 사이, 두 사람이 포옹을 마쳤다.

"바를라암, 잘 지냈습니까?"

"덕분에 그렇습니다."

"아무래도 시노드 신넬은 느긋해지기 쉬운 곳이니까요. 그간 통치하며 많이 즐길 수 있었을 겁니다."

"글쎄. 도와줄 사람이 없어서 여유롭진 못했습니다."

"아파이테이아 전 총독의 마무리가 영 시원찮았나 봅니다."

"그분도 나와 같았을 겁니다. 아무것도 없는 곳을 다스리는 건 고역입니다."

"그렇지요. 백 년 숙원으로 이 미개한 땅에도 법황 성하의 의지가 미치길 바라고 있습니다. 지리적인 거리도 거리지만, 마음의 거리가 더 클 테지요. 하지만 곧 극복할 수 있는 문제—"

"큼, 큼."

흰옷의 사제가 헛기침을 했다.

탈란타우에가 고개를 돌렸다.

티티라는 그 순간 저 인간이 살인자임을 깨달았다. 증오에 철갑을 씌운 듯한 눈이었다.

"아, 대리인 소존데."

탈란타우에는 사과하지도, 양해를 구하지도 않았다. 그저 딱딱하게 이름을 부르고 말았다. 오히려 그 빈 자리를 안스카리우스가 채웠다.

"실없이 회포를 풀어 미안합니다. 먼 길을 오느라 피로가 쌓였을 텐데 용건은 빠르게 해결합시다."

셋 중 누구도 제대로 공대하지 않는 모습이 불안정했다. 아직 위계가 세워지지 않은 원시 국가를 보는 듯했다.

"소존데, 어젯밤 법황 성하께서 내리신 말씀을 우리에게 공유하면 좋겠습니다."

"이렇게 어수선한 가운데 어찌 귀한 전언을 담는다는 말이오?"

"법황 성하의 말씀은 고루 공개되어 은총을 나눠야 합니다."

"주의하시오. 사제왕 탈란타우에, 당신은 먼저 요청할 수 없소."

"대리인 소존데, 병교兵校들이 이 자리에 도열해 있습니다. 그들의 직무를 생각하면 한순간도 낭비하기 어렵겠지요."

왜 자신을 여기 세워 놓았는지 알 수 없을 정도로 '환영식'은 엉망진창이었다. 아니, 이걸 환영식이라고 부를 수 있을지도 잘 모르겠다. 사제왕과 대리인의 난동을 못 들은 척, 못 본 척하는 교국군들은 우스꽝스러운 보릿자루들 같았다.

"큰 절차가 필요하지는—"

"사제왕 탈란타우에! 복종하시오!"

탈란타우에가 우뚝 멈추었다.

그는 증오를 숨기지도 않은 채 소존데를 노려본 뒤, 곧장 무릎을 꿇었다.

티티라는 바닥에 머리를 대는 소조폴의 학살자를 바라보았다. 현실감이 없었다. 이전에 안스카리우스가 바닥에 웅크리는 모습을 보았으니 분명 저 광경 역시 그녀에게 대단히 새로운 것은 아니어야 했다. 하지만 깜깜한 밤에 친구가 엎드리는 모습과, 대낮에 악명 드높은 자가 엎드리는 모습은 차원이 달랐다. 두 사람이 같은 사제왕이라 해도……. 난 이 미개한 것들이 도무지……

보잘것없이 웅크린 탈란타우에를 보며, 소존데가 빙그레 웃었다.

"사제왕 바를라암, 복종하시오."

안스카리우스는 예상했다는 듯 느릿느릿 바닥으로 구겨졌다.

티티라는 돌아 버릴 것 같았다. 이놈들, 납득이 가지 않았다. 설사 법황이 무소불위의 힘을 가졌다 한들 그는 망망대해 너머에 있었다. 너희들이 여기서 나라 하나를 차려도 제압할 방법이 없는데, 싸우다가도 외마디 명령에 대뜸 웅크린단 말이야?

교국에 대한 혐오감보다도 논리적이지 않은 복종에 대한 두드러기가 먼저 났다. 티티라는 태생부터 자신이 이해하지 못하는 맹목을 증오하는 사람이었기 때문이다.

"성하께서는 사제왕 바를라암에게 실망이 크셨소. 북부에서 참으로 훌륭하셨소만, 아무래도 새로운 땅이 여러 사제왕을 망치는 듯하오."

두 사제왕 중 누구도 고개를 들지 않았다.

"신민들의 피땀 어린 세금을 이토록 옹졸한 전쟁에 낭비했소. 야만인들과 드잡이하여 남는 것은 불명예와 오욕뿐이오. 성하께서는 사제왕 바를라암의 진심 어린 반성을 바라셨소."

"명을 내리십시오."

"첫째, 호리오 도시스, 이오테티 카키아, 발라 아그라푼은 금일 처형되고, 그들의 부대는 노역형에 처하오."

"……."

"둘째, 이십이 사제왕의 연대 책임을 물어 각기 도맡은 법황령에 새로운 교회를 세우도록 명하오. 마지막으로 나, 법황의 대리인 소존데가 향후 명시되지 않은 기간까지 총독의 통치를 감독하겠소. 나의 입은 법황 성하의 도구요. 개인 의견을 내비칠 시 열한 번째 지옥에서 사지가 찢길 것을 맹세하오."

미친놈들…….

"예, 명심하겠습니다. 당장 사역관에 대리인의 자리를 만들겠습니다."

"좋소. 죄인의 태도답소. 사제왕 탈란타우에는 사제왕 바를라암의 겸손함을 보고 배우는 것이 좋겠소. 지난날 그대가 사저에 가둔 이단자들을 보시고 성하께서 불같이 노여워하셨는데, 돌아가 더 나쁜 꼴을 볼 수는 없잖소? 내 고개 숙여도 이해하리다."

"태도를 바로잡겠습니다."

"그야 두고 봐야지. 사제왕 바를라암, 판결이 끝났으니 이제 변호하시오."

티티라는 귀를 의심했다. 뭔지는 몰라도 무지막지한 벌을 세 개나 던져 두고 이제야 변호하라고? 대체 무슨 의미가 있는 거지?

"정당하게 변호한다면 성하의 판결은 여기서 멈추오."

아. 기본 벌칙은 그냥 두들겨 맞아야 하는 것이고, 제대로 말을 못 하면 또 추가로 얻어터져야 하나 보군. 티티라는 정신 나간 교

국인들을 뜨악하게 바라보았다. 너희들은 이게 '재판'이구나.

"성하께서 말씀을 마치셨으니 이제 일어서도 좋소."

"예."

당연하지만 안스카리우스는 별 표정도 없이 일어섰다. 무릎 꿇고 땅에 머리를 처박는 행동이나, 단숨에 칼날처럼 떨어진 처벌이나, 죄다 그에게 아무 영향도 미치지 못했다. 모두 예상했던 모양이다.

"제 변을 하기 위해선 사람을 불러야 하는데 괜찮습니까?"

그가 처음으로 제 쪽을 바라보았다. 티티라는 경멸하는 표정을 허겁지겁 숨겼다.

"괜찮소. 이 자리에 있소?"

"예. 내려와라, 소조폴 상단주."

티티라는 잠깐 멈칫했다. 안스카리우스의 명령에 놀란 것은 아니었다. 단지, 그가 이 순간에도 제 이름을 부르지 않았다는 사실에 놀랐을 뿐이다.

옆에서 군인이 거칠게 떠밀었다. 그녀는 발가락에 힘을 꽉 주어 고꾸라지지 않았다. 뒤돌아 노려본 뒤 성큼성큼 걸어 주갑판으로 내려왔다.

계단 중간부터는 탈란타우에와 소존데의 시선을 느끼지 않으려 무척 노력했다. 안 그러면 걷는 방법조차 까먹을 것 같았으니까. 그래서 우습게도 안스카리우스가 여전히 자신을 '개인적으로' 대하고 있다는 사실을 지지대로 삼았다. 적어도 저 중의 하나는 곧장 내 목을 치지 않을 거라는 게 작은 위안이었다.

티티라는 최대한 자연스럽게 안스카리우스 옆에 섰다. 어떻게 인사를 해야 할지도 잘 몰라서, 최대한 꾸벅이고 말았다.

"소조폴 상단의 상주 티티라 돔니니, 인사를 올립니다. 예에 어두운 장사치라 깊은 양해를 구합니다."

"총독, 설명하시오."

그녀는 공기처럼 무시당했다. 차라리 다행이지. 그녀는 갑판 바닥을 바라보았다.

"보고드렸던 바와 같이 이자는 소조폴의 유력 상단을 운영하고 있습니다."

탈란타우에의 시선이 느껴졌다. 아마 아까부터, 꾸준히.

"이자가 소조폴 상업이 처해 있는 큰 위기를 사역관에 고발했습니다. 이즈버르의 대상단들이 중남부의 설탕 공급량을 독점할 계획을 세워 소조폴 상단들을 압박했습니다. 상단 간 거래는 시노드 신넬 토착법으로 운영되기 때문에 저희가 법리적으로 설득하기 어려운 부분이 있었고, 그럼에도 사탕수수 수확 시기상 상황을 더 지체시킬 수 없었습니다. 이에 교국군은 대상단의 근거지인 이즈버르를 빠르게 함락하고 거래의 균형을 잡았습니다."

"그래서?"

"이로써 저희가 목적한 바, 교국 지원 물품을 두 배 이상으로 증강할 수 있었고, 소조폴 상단들은 사역관 치하 평화를 영위하여 다시 한번 충성을 맹세했습니다. 마지막으로 교국의 통치에 힘입어 이즈버르에서도, 점령한 계절이 지나기 전에 효율적으로 생산 정책을 집행했습니다. 실로 성하의 위엄을 드높인 결과라 할 수 있습니다."

"으음."

"만일 소조폴 상단의 직접 고발을 무시했다면 그들은 무너졌을 겁니다. 민심은 부차적인 문제로, 무엇보다 거래와 돈이 중요하던 시점이었습니다. 총독의 역할은 미개한 신대륙의 생산량 진작과 이를 통한 대교국 지원입니다. 저는 제 책임을 다했습니다."

"그러나 법황 성하께 전투를 미리 보고하지 않았소. 그는 크나큰 죄요. 아, 아니, 답변하지 마시오. 나머지는 성하의 명에 따라 판결할지니."

"예. 부디 성하께서 가륵히 여겨 주시기를 바랍니다."

소존데는 무시했다. 티티라는 서로를 못 잡아먹어 안달인 높으신 분들 사이에 끼어 초조해졌다. 고개도 들 수 없다니, 이 지독한 침묵 속에서 상황 파악을 하는 건 실로 불가능했다.

"'티티라 돔니니'?"

그녀는 흠칫 놀라 고개를 들었다. 탈란타우에의 주름진 눈과 마주쳤다.

자기도 모르게 뒤로 한 걸음 물러섰다.

"혹시 내가 통치하던 소조폴에 있었나?"

티티라는 얼어붙었다. 증오심은 땅바닥으로 꺼져 간 곳이 없고 단지 두려웠다. 여태껏 단단하던 정신이 어디로 사라졌는지 도무지 모르겠다. 젠장, 젠장.

"탈란타우에, 사담을 나누기에 적절하지 않은 자리요."

"하지만 대리인 소존데, 개전 사유를 제공했다면 사석에서 식사를 함께할 정도는 되겠지요."

그녀는 이 순간만큼은 시노드 신넬인을 쓰레기 보듯 무시하는 소존데와, 불필요하게 자신을 끌어들이는 살인자 탈란타우에 중 누가 더 악당인지 구분하지 못했다. 둘 다 너무 싫었다.

"어차피 자세한 이야기는 이자가 직접 고해야 신빙성이 높을 테고."

탈란타우에는 입을 다물 줄 몰랐다.

안스카리우스가 얼굴을 찌푸렸다.

티티라는 발가락에 힘을 주었다. 왜 저러는지 모르겠으니까, 저 미친 소리 좀 막아 봐.

"소존데, 축하연을 위해 극장으로 모시겠습니다."

"음, 좋소."

안스카리우스의 말에 소존데는 탈란타우에를 노려보며 대답했다.

티티라는 서로 빳빳한 대립각을 세운 사람들 사이에서 초조하게 빈 곳을 바라보았다. 어쨌든 안스카리우스가 말렸으니 자신은 이쯤 되어 빠지면 될 것 같았다.

"같이 가지? 저녁 연회로 이어질 텐데."

……탈란타우에는 미소인지, 경멸인지 모를 표정으로 자신을 바라보고 있었다.

티티라는 오한이 드는 것을 넘어 혼란스러웠다. 저자가 정말로 나를 아는 건가? 하지만 어떻게 알지? 총독으로서 소조폴에 머무를 때 우스페히 상단 관련 인물을 추적했나? 하지만 그때 나는 겨우 바지 1조장이었는걸.

"……."

"사제왕 바를라암, 안내를 부탁드립니다."

"……."

안스카리우스는 더 반대하지 않았다. 대신 소존데에게 낮게 권하며 먼저 걸음을 뗐다.

티티라는 뒤에 덩그러니 남아 주먹을 여러 번 꽉 쥐었다 폈다.

그러다 다음 순간 정신을 차려, 제 옆에 선 그림자를 바라보았다. 탈란타우에는 여전히 자신을 바라보고 있었다. 앞선 안스카리우스가 잠시 뒤를 돌았다.

"탈란타우에."

"이만 가지."

탈란타우에는 '자신에게' 말했다. 티티라는 얼결에 몸을 움직였다. 그제야 탈란타우에 또한 느릿느릿 자신을 따랐다.

티티라는 바짝 긴장한 채로 배에서 내렸다.

대체 왜? 한 가지 질문만 머릿속에서 빙글빙글 돌았다. 탈란타우에는 303년의 늦여름에 시노드 신넬을 떠났다. 점령자가 떠나던 노을이 모든 소조폴인들에게 회자되었으니, 벌써 구 년이나 된 전설이었다. 저 살인자에게도, 자신에게도 아주 오랜 옛날인 것이다.

"티티라 돔니니."

티티라는 빳빳해졌다. 맹수 발톱에 멱이 눌린 쥐새끼처럼 숨을 멈추었다.

"너, 바를라암과 함께 우스페히상에 있었지?"

반응하지 않았다. 사람이 너무 놀라면 반응할 수조차 없다. 정면을 바라보았다. 안스카리우스는 소존데와 무의미하고도 우호적인 대화를 주고받는 듯했다. 밟는 대로 끼익끼익 우는 부두 탓에 목소리가 들릴 거리가 아니었다.

"바를라암이 애쓰는구나."

그제야 그를 올려다보았다. 표정을 숨길 수 있으리라곤, 그녀도 믿지 않았다.

탈란타우에는 사람 좋은 눈에 웃음기를 머금고 있었다. 첫인상처럼 여전히 호의적이었다. 그러나 입술이 얇았다. 마치 안으로 한 번 깨문 것처럼 얇아서, 그 입에서 무슨 말이라도 떨어지길 바라는 사람에게는 지독히도 야비해 보였다. 말을 하려는 듯, 하지 않으려는 듯 자신을 희망 고문하는 입매였다.

"너는 언사를 주의해라. 입을 함부로 놀릴 시 내게 죽는다."

그제야 궁금증이 공포를 이겼다. 죽인다는 소리를 듣고 공포를 이기다니 희한한 일이었다. 하지만 죽일 정도로 숨기고 싶은 비밀이라니, 알고 싶어 죽을 것 같았다.

"총독님."

"'사제왕 탈란타우에 각하'."

"각하, 저는 모르는 일입니다."

탈란타우에는 대답하지 않았다. 그녀의 말을 경청할 필요조차 없다고 느끼는 모양이었다. 그는 그녀의 등을 '퍽' 소리 나도록 쳐서 걸음을 재촉했다.

티티라는 가시덤불 위를 걷는 듯 긴장해서 앞사람을 따라갔다. 안스카리우스와 가까워졌다. 그는 마차 앞에 섰을 때에야 비로소 그들을 돌아보았다.

"탈란타우에, 다시 한번 묻겠습니다. 굳이 저자를 데려가야겠습니까? 귀한 자리에 폐가 될 겁니다."

안스, 어떻게 해 봐.

"저녁 연회에 다시 부르느니 지금 함께 가는 편이 좋겠습니다. 대리인 소존데께서도 궁금한 내용이 많으시지요? 법황 성하께 제대로 고하기 위해서 말입니다."

"으큼, 흠."

"……그러면 최소한 마부석에 두지요. 격에 맞지 않습니다."

"소존데께서 정하시지요."

"마부석으로 보내시오."

티티라는 십년감수한 표정으로 바닥을 내려다보았다. 이즈버르에서 귀한 분을 모신다면 라스폴로제 극장일 텐데, 그렇다면 저 갑갑한 마차 안에서 적어도 십 분은 버텨야 했다. 숨 막혀서 죽을 수도 있는 십 분 말이다.

"탈란타우에, 소존데, 저는 말에 오르겠습니다. 총독으로서 손님을 모신다면 공개적으로 얼굴을 내비쳐야 합니다. 그래야 미개한 시노드 신넬인들에게도 와닿는 바가 있을 겁니다."

"그래그래, 마음대로 하시오."

소존데가 무언가 말을 하려던 탈란타우에를 가로막았다. 탈란타우에는 티티라를 흘끗 바라보곤 먼저 마차에 들었다. 소존데가 콧김을 뿜으며 따라 들어갔다.

안스카리우스는 마차의 문을 닫은 뒤에야 그녀를 돌아보았다. 아무 말도 하지 않았다. 보고 듣는 이가 너무 많았으니까.

그는 그녀가 마부 곁으로 올라가는 사이 누군가 끌고 온 말에 올랐다. 수없이 눈이 마주쳤다.

"소조폴 상주, 극장에 도착하면 대기실로 가라."

"……예."

그가 자신을 위해 억지로 틈을 내주고 있었다.

마차가 출발했다. 마차 속에 있었다면 확실히 천만 년처럼 느껴졌겠지만, 마차 바깥이라도 그다지 즐겁지는 않았다. 도착하자마자 극장 대기실로 도망칠 생각뿐이었다. 행차를 위해 뻥 뚫린 길

속에서 초조하게 소맷자락을 구겼다.

극장에 도착했을 때, 그녀는 인사도 없이 작은 문으로 도망쳤다. 혼자 있을 시간이 필요했다. 제발.

지나가는 하인을 붙들곤 대기실이 어디냐고 윽박질렀다. 하인은 다소 겁을 먹은 듯 외부인 출입 금지라는 말만 꽥꽥 외쳤다. 그를 한 대 치기 직전, 갑자기 누군가의 목소리가 그녀를 꽉 막았다.

"돕니니."

티티라는 하얗게 질린 채로 멈추었다.

세 개의 다리를 가진 사람이 다가오는 소리가 들렸다.

"총독 무리와 함께 왔으면서 여기서 웬 행패냐?"

티티라는 뒤돌아 그레슈카를 바라보았다. 노인은 한 번 더 모욕하려다, 상대의 얼굴을 보고 할 말을 잊은 듯 입을 다물었다.

"……모젬, 그만 가 봐."

"옛!"

하인은 도망갔다.

그레슈카는 복도에 아무도 없다는 것을 확인하려는 듯 두리번거렸다. 귀한 양탄자로 포장된 길에는 점점이 박힌 따뜻한 불뿐이었다. 노인이 신경질적으로 지팡이를 휘둘렀으나 그 소리까지 부드럽게 먹혔다.

"무슨 일이냐?"

"대기실……."

"대기실은 저쪽이다."

티티라는 대답 없이 몸을 틀었다.

"문제가 있나?"

"아니요, 아닙니다."

그녀는 더듬더듬 대기실로 향했다. 뒤에서 따라오는 소리가 들렸지만 말릴 기력도 없었다. 어차피 그레슈카가 대주주인 극장에서 그녀를 막는 것은 불가능한 일이었다.

티티라는 무장한 경비들이 지키고 선 문을 발견했다.

"비켜."

그들은 당장 내쫓기보다 교국 차림을 한 티티리에 머뭇거리는 눈치였다. 저 덩치를 하고도, 교국인을 내쫓았다가 끔찍한 일이 생기면 어떡하지 걱정하는 모양이었다.

티티라는 그들에게 공감할 수 있어서 고통스러웠다. 자신 역시 교국에 대한 공포에 갈려 죽어 이 자리에 서 있었다.

"아, 두어라. 내가 보증하겠다."

느릿느릿 뒤를 따라온 그레슈카가 말했다. 경비병들이 만면에 화색을 띠며 물러섰다. 티티라는 노크도 없이 대기실 문을 열어젖혔다.

화려하게 분장한 시동이 눈을 휘둥그레 떴다.

"외부인! 아, 그레슈카 님!"

"그래그래. 바쁠 텐데 미안하다. 쉴 자리를 마련해다오."

"이즈보츠트 여러분! 그레슈카 님이 오셨어요!"

"아이고."

갑자기 주위가 소란스러워지며, 한꺼번에 여러 사람들이 달려 나왔다. 티티라는 밀쳐지다 못해 쓸데없는 짐 덩어리처럼 나동그라졌다.

"그레슈카 님! 예행연습 때에도 소식이 없으셔서 큰일이 생기신 줄 알았어요! 안 그래도 교국 놈들이 오는데 대체 무슨 해를 끼쳤을지……!"

"나는 두하 언덕에서 잘 자다 왔다. 늙은이 늦잠도 못 자게 하는 녀석들 같으니. 문제는 없고?"

"제 삼십 년 무대 인생에 오늘만큼 개애애애 같은 날은 없었어요, 그레슈카 님. 아까 살짝 보고 왔는데 벌써 교국군들만 바글바글하더라고요. 바퀴벌레 같은 놈들."

"말이 씨가 된다고, 그놈들이 너한테 장미를 보낼 수도 있다."

"우에엑!"

티티라는 엉금엉금 기어 의자 하나를 잡았다. 번쩍 든 채 칸막이 옆으로 들어갔다. 마침내 여러 배우들과 그레슈카가 낮은 울타리 너머로 사라졌다.

그녀는 웅크린 채 의자에 앉아선 기우뚱기우뚱 몸을 흔들었다. 드디어 독립된 공간을 찾았지만 도통 안정이 되질 않았다.

'탈란타우에가 어떻게 안스를 알고 있지?'

아직까지도 찬물을 맞은 듯한 기분에서 벗어나지 못했다. 탈란타우에는 —당연하게도— 소조폴을 점령하기 전엔 이곳과 연고가 없는 인간이었다.

물론 소조폴 점령 후에도 이 땅을 진지하게 대하지 않았다. 상단 관련인들을 마구잡이로 죽여 대더니 똑같은 일을 도이도흐에서 반복하고 대뜸 떠났을 뿐이다. '한 해 동안의 폭정' 외에 그를 표현할 말은 없었다.

그런데…… 그 와중에 안스를 만났나?

티티라는 부르르 떨었다.

그들의 마지막 날, 안스는 불타는 소조폴로 향했다. 이후 도이도흐로, 마주두 섬으로 갔다는 소문을 들었지만, 사실 그런 말들은 아무나 착각해 내뱉을 수 있었다. 선원들은 혼자서도 상상 속의 인어를 만들어 내지 않나. 그러니 탈란타우에가 무너진 소조폴로 돌아온 안스를 붙잡았을 수도 있는 것이다……. 그리고 무슨 짓을 해서 머리를 망친 뒤 사제왕으로 내세울 수도 있는 것이다…….

소조폴 1001 26 X

버렸던 희망과 절망이 한꺼번에 불타올랐다. 안스가 망망대해에서 실종되었다고 믿는 것과, 살해당했다고 믿는 것은 완전히 다른 이야기였다.

그가 실제로 바를라암 가문의 장손이든 어떻든, 그녀는 관심 없었다. 그녀에게는 단지 '안스'였으니까. 아니, 오히려 그가 진짜 사제왕의 혈통이라면 더더욱 증오스러웠다. 교국이 장손을 되찾고자 저지른 짓들만이 제 영혼을 할퀴었다.

숨이 가빠 왔다. 탈란타우에가 충격을 준 순간에 발작하지 않아 어찌나 다행인지. 살인자. 머릿속에서 단어를 반복하자 책임감이 눈덩이처럼 불어났다. 안스가 내게 도와 달라고 했어. 위험하다고, 내 죽음을 기억하라고 안스카리우스를 내게로 보냈어.

티티라는 의자 아래로 떨어졌다. 목을 움켜쥐곤 컥컥거렸다. 무너지던 소조폴, 떠난 안스, 내 선택. 내가, 내가 도와야 해. 나밖에 도울 사람이…….

"잔."

누군가 제 입가에 차가운 유리잔을 가져다 댔다. 티티라는 그걸 생명 줄처럼 잡아 들었다. 거칠게 숨을 내쉬었다. 한참 멀어졌던 천장이 가까스로 돌아왔다.

티티라는 고개를 돌렸다.

시야에 안스, 그리고 그레슈카가 있었다.

주변은 조용했다.

티티라는 부르르 떨며 일어섰다. 피할 곳을 찾아 뒤로 물러섰지만, 처음부터 구석진 곳으로 숨어들었기에 당장에 벽에 부딪쳤다.

"꺼져."

험악한 말씨를 들은 그레슈카의 눈이 크게 뜨였다.

순간 정신이 번쩍 들었다.

"그만……. 아니, 아니……. 총독님, 그레슈카 대상, 죄송합니다. 제가 정신이 없어 착각을 했습니다."

그녀는 곧장 뒤돌아 나가려 했다. 물론 단단히 막힌 벽에 바로 어깨를 박고 보니 그저 멍청해서 슬픈 짓이었다.

"그레슈카 대상."

"예. 이만 무대 앞줄로 갑니다. 상주가 늦어 다들 궁금해할 터이니, 더 지체하지 않는 게 좋겠습니다."

"……."

안스카리우스의 부름에 그레슈카는 본 적 없는 속도로 대기실을 나갔다. 티티라는 문이 닫힐 때까지 방어적으로 벽을 부여잡고 있었다.

달칵.

그녀는 그제야 입을 열었다.

"……배우들은?"

"무대 대기실로 옮겨 간 지 오래다. 괜찮나?"

"뭐? 나는 괜찮아. 당연히 괜찮아."

"탈란타우에가 무슨 말을 했지?"

"아무 말도."

"티."

"아무 말도!"

티티라는 그의 말을 거절하기 어려워 더 악을 썼다. 지나가던 개도 거짓말이라고 생각하겠지. 식은땀이 흘렀다.

"티, 정확히 말해야 널 보호할 수 있다."

"겨우 내보내는 게 최선이었으면서 보호는 웬……."

그녀의 말꼬리가 점점 흐려졌다. 제 말은 마치 그가 자신을 보호해 주지 않아 실망했다는 것처럼 들렸다.

안스카리우스가 그녀의 손목을 잡았다. 천천히 끌어당겨 의자에 앉힌다. 그는 그녀의 눈높이에 맞게 한쪽 무릎을 꿇었다.

"내가 무턱대고 탈란타우에에게 반격할 수는 없다. 그는 교국에서 새 신앙의 주춧돌 역할을 하는 이다."

"……."

"그자가 너를 아는 듯 보였다. 무슨 말을 했나?"

"먼저 대답해. 아까…… 배 위에서 당신, 무슨 벌을 받은 거야?"

티티라는 안스카리우스가 어느 위치에 서 있는지 알아야 했다. 그러니까, 탈란타우에의 졸개이자 법황의 졸개로서 말만 허황된 꼭두각시인지, 아니면 적어도 스스로 결단을 내릴 수 있는 권력자인지 확인해야 했다.

안스카리우스는 그녀를 물끄러미 바라보았다.

티티라는 짓씹듯 말했다.

"안스카리우스."

그는 마침내 낮게 답했다.

"법황이 처형한 이들은 내가 북부에 있을 때 천거해 친위대에 넣은 대대장들이다. 칠 년을 알았으며…… 이제는 바를라암 직속이지. 그들이 키운 부대도 마찬가지다."

"……친해?"

"……."

"괜찮아? 각오했던 거야?"

티티라는 그의 손을 더듬어 잡았다. 스스로도 잘 이해되지 않았으나, 떼고 싶은 마음은 추호도 없었다.

아. 깨달았다. 탈란타우에가 눈앞에 있는 사람을 이미 한 번 죽였다고 생각하자 갑작스러운 동질감이 들었기 때문일 것이다.

"너, 바를라암과 함께 우스페히 상에 있었지?"

"언사를 주의해라. 입을 함부로 놀릴 시 내게 죽는다."

눈앞의 안스카리우스는 아무것도 몰랐다. 탈란타우에가 경고하지 않았어도 그의 무죄를 확신했을 것이다. 기억을 잃은 뒤 소조폴과의 유일한 연결 고리인 초대 총독에게 매달렸다지. 그런 바보가 뭘 알겠어.

"……각자 희생해야 하는 부분이 있다."

티티라는 바보에게 날카롭게 쏘아붙였다.

"그래? 탈란타우에는 뭘 희생했지?"

"그의 아내와 자식."

그녀는 갑작스러운 말에 인상을 찌푸렸다. 그 말 자체가 놀랍기도 했거니와, 무엇보다 그녀는 상대가 솔직해질 때 당황을 숨길 수 없었다. 그의 정직함이 제 경계심을 무안하게 했다.

"……."

"법황이 죽였다. 그래서는 안 되었다. 그 일만 아니었어도 탈란타우에는 시노드 신넬로 향하지 않았을 테지. 법황이 그렇게까지 잔인하지만 않았어도…… 사제왕은 안전하고 풍족한 교국의 노예 생활에 만족했을 것이다."

"그놈 사정이잖아. 잘못을 했겠지."

"그럼에도 넘어서는 안 되는 선이 있어. 나 역시 사제왕이므로 그의 위험은 곧 내 위험이다. 만일 우리에게 시노드 신넬이 없었고, 내가 오늘과 같은 죄를 저질렀다면, 법황이 내 무엇을 앗아갔을지 모르는 일이다."

"……."

"덧붙여 사제왕들이 담당하는 구역에 교회를 세우라는 명령은 문제가 안 된다. 말마따나 스물두 명이 분담하는 고통이기에 그만큼 가볍다. 마지막으로, 대리인 소존데가 머무는 것도 걱정되지 않는다. 그는 시노드 신넬을 전혀 모르니 떠날 때까지 속이기 쉬울 것이다."

"……."

"나는 설명했다. 그러니 대답해. 탈란타우에가 네게 무슨 말을 했나?"

안스카리우스는 여전히 제 앞에 무릎을 꿇고 있었다. 아주 가까웠다.

그녀는 그의 맑은 눈을 보며 찬물과 따뜻한 물 사이를 끊임없이 오갔다.

……그런데 '안스카리우스', 말이야. 초대 총독이 본인을 해쳤을 가능성이라곤 정말 조금도 떠올리지 못했을까? 어쨌든 안스는 대해를 넘어야 했잖아. 그때 대해를 넘기 위해선 당시 총독이던 탈란타우에의 도움이 필요했으리라, 당연히 추측할 수 있는 거잖아. 혹시 내게서 뭘 숨기고—

"말하지 않겠다면, 오늘부터 선장실에 머물러라."

티티라는 혼란스럽던 생각을 단번에 동여맸다.

"무슨 소리를—"

"아무리 네가 교국의 증인이라 하나 탈란타우에가 죽이겠노라 마음먹은 인간은 안전하지 않아."

"대체 그 정신 나간 살인마는 뭐가 문제야?"

"널 처형하고도 업무에 지장을 주어 미안하다는 한마디로 끝내겠지. 한순간은 그에게 말해 너를 보호할까 했지만 그마저 어려웠다. 순혈주의자니, 사제왕의 시노드 신넬 '연인'을 더 죽이고 싶어 할 수도 있다."

"정말 미쳤군……."

"그래. 그러니 제발 똑바로 말해."

그의 얼굴이 살짝 떨렸다.

티티라는 입가에 힘을 꽉 주었다.

안 돼.

탈란타우에가 두려운 것이 아니었다. 그보다는 책임감이었다.

티티라는 안스의 유언장을 집행해야 하는 사람이었다. 그 막중한 임무에 남을 끌어들이는 것이 가당키나 한가.

"……."

그녀가 대답하지 않을 거란 사실을 눈치챈 듯 안스카리우스의 얼굴이 일그러졌다.

그녀는 아직까지도 쥐고 있던 손을 비틀어 빼냈다.

"극이 시작할 때 총독이 없으면 이상하다고 생각할 거야. 나는 홀에 가 있을게."

소름 끼치게 조용했다. 안스라면 저 멀리서도 서로 무슨 생각을 하는지 알았을 텐데, 지금은 눈을 마주하고도 상대의 의중을 읽을 수 없었다.

"그에게 죽고 싶은가?"

그러니까, 이런 말을 할 줄 상상도 못 했다.

티티라는 꿋꿋이 대답하지 않았다. 탈란타우에가 나를 죽일 생각이었다면 죽여도 벌써 죽였을 것이다. 그러나 그 살인자는 칼을 꽂는 대신 입단속을 시켰다. 그러니 당장은 죽지 않을 테고, 티티라는 그 작은 시간만 벌어도 좋았다.

총독의 얼굴은 다소 상기되어 있었다. 화가 난 것인지 단순히 답답한 것인지 알 수 없었다. 다만 그가 흥분할수록 그녀는 가라앉았다. 그의 얼굴을 보면서 정교한 계획을 세울 수도 있었다.

티티라는 탈란타우에와 단둘이 남을 예정이었다. 그리고 물어볼 것이다. 대체 안스에게 무슨 짓을 저질렀냐고. 당신이 고백한 뒤에 곧장 내 목을 졸라도 원망하지 않겠다고…….

"티티라, 돔니니."

티티라는 갑작스러운 호명에 눈을 크게 떴다. 현실감은 뒤늦게 찾아왔다. 너 말이지, 내 이름을 부르지 않기로 맹세했잖아? 절대 어기지 못할 약속인 체하곤 이렇게 가볍게 벗어나?

그녀는 코웃음을 치며 독설하려 했다.

돌연 그가 몸을 숙였다. 아니, 구부러졌다. 꺾였다. 한순간 물에 잠긴 듯 부르르 떨더니, 병자처럼 칸막이를 부여잡고 쓰러졌다. 그의 무게를 못 견딘 칸막이가 무너졌다. 칸막이가 탁자로, 도자기로, 옷걸이로, 요란한 소리를 내며 바닥에 나동그라졌다.

티티라는 모든 말이 혀 속으로 말려 들어가는 것을 느꼈다. 놀라 의자에서 굴러떨어졌다. 무릎 꿇고 기어가 그의 어깨를 잡았다.

"괜찮아? 왜 그래?"

안스카리우스는 고개 숙인 채 대답하지 않았다. 몹시도 가는 숨소리가 들렸다. 차라리 가쁘고 거칠었다면 웃었을 것이다. 그러나 그의 숨은 흡사 목을 물린 짐승처럼 맥없이 바람이 빠져 있었다.

갑자기 바깥에서 큰 소리가 났다. 무대가 시작되고 있었다. 큰 홀에 울리는 음악 소리, 삐걱거리는 무대 장치 소리가 머리를 조여 왔다. 티티라는 초조해져 그의 팔뚝을 쥐었다.

"왜?"

그는 물 먹은 시체처럼 꿈쩍도 하지 않았다. 몹시 무거웠다. 그녀는 겁을 집어먹었다. 안스, 괜찮아? 어떻게든 얼굴을 보기 위해 흔들었다.

그때, 그가 갑작스레 숨을 들이켰다. 바닥을 짚고 기침을 터뜨렸다. 그녀는 그를 부축하려다, 카펫 위로 점점이 떨어진 핏자국에 기겁했다.

"피!"

안스카리우스는 더 거칠게 기침했다. 기도를 들어내듯 험악하고 갈라지는 소리였다.

그녀는 탈란타우에 따위는 순식간에 잊었다. 친구보다 더 고통받으며 웅크렸다. 그의 빈 곁으로 기어 들어갔다. 고개 숙인 뺨을 만지며 급히 보살폈다.

"안스, 괜찮아? 나 좀 봐 봐."

바깥에서는 시냇물처럼 멋진 소프라노의 노래가 울려 퍼지고 있었다. 벽 세 겹 너머 화려한 연극, 이 작은 방에는 피를 토하는 총독. 제 떨리는 목소리는 요란한 기침과 음악에 묻혔다. 그녀는 억지로라도 그를 끌어 올리고 싶었지만 그의 병세를 몰라서 발만 동동 굴렀다.

그렇게 얼마나 시간이 지났을까? 짧게는 반 시간, 길게는 천 년을 기다렸다.

그의 기침 소리가 서서히 멎었다. 드문드문 흘러나올 뿐, 더 이상 곧 죽을 사람의 비명 같지는 않았다.

그녀는 단단한 가슴팍을 밀어 올렸다.

"괜찮아? 어디 아파?"

아주 오랜만에 본 그의 입가엔 피가 얼룩져 있었다. 티티라는 걱정되다 못해 눈물이 날 것 같았다. 안스카리우스는 옛 안스보다 수배는 더 굳건하고 건강한, 북부에서 온 듯한 인상을 지닌 사람이었다. 그런 친구를 단숨에 고꾸라트리는 병이 무엇인지 몰라 속이 으깨어졌다.

"아……."

안스카리우스는 바닥을 노려보며 천천히 호흡했다.

"왜 그러는 거야, 겁나게……."

그녀는 초조하게 그의 반쯤 감긴 눈을 바라보았다. 그가 제 입가에 화병을 대 주었듯, 자신에게도 그를 도울 방법이 있기를 바랐다.

그가 느릿느릿 말했다.

"맹세를…… 어겼으니……."

문득 티티라는 제 이름을 부르지 않겠다던 그의 약속이 떠올랐다.

"사제왕의 목으로 맹세하겠다."

그녀는 순간적으로 당황하여 대답했다.

"그깟 건 그냥 체면치레잖아……. 약속 한 번 어겼다고 피를 토하는 게…… 그게 말이 돼?"

"사제왕의 맹세라 하지 않았나."

그는 가까스로 바닥에 앉았다. 바닥에 얼룩진 피가 방금 전 소란이 꿈이 아니었다는 사실을 증명했다.

"……그러면 설마, 내 이름을 부르면…… 한 번이라도 부르면, 계속 그렇게 된다고?"

"그래."

"당신—"

"나는 한 번도 네게 거짓을 말한 적 없다."

티티라가 아무 말도 못 하는 사이, 안스카리우스는 도자기 옆에 흐트러진 스카프를 가져와 입가를 닦았다. 그리고 성의 없이 던지더니 자리에서 일어섰다. 잠시 흔들렸지만 딱 한 걸음뿐이었다.

"디아세를 두고 가겠다. 홀에 머물러라."

그는 대기실을 떠났다.

티티라는 핏자국 앞에 멍하니 앉아 있었다.

한참 뒤에야 일어섰다. 터벅터벅 걸어 대기실 문을 열어젖혔다. 가깝지도 멀지도 않은 자리에 디아세가 서 있었다. 그가 이제 떠나느냐는 듯 턱짓했다. 디아세와 신호를 주고받을 정도로 시간이 쌓였다는 사실이 정말 비현실적으로 느껴졌다.

티티라는 말없이 라스폴로제의 주 홀로 향했다. 오래 걸리지 않아 커다란 음악 소리에 벌벌 떨리는 문고리를 찾아냈다. 그녀는 부서져라 문짝을 걷어찬 뒤 휘황찬란한 홀을 바라보았다. 고개를 저었다. 구석진 곳, 잔뜩 준비된 연회의 그림자로 스며들었다.

디아세는 세 걸음 뒤에 서서 한마디도 하지 않았다. 서로 보지도, 묻지도, 답하지도, 어떤 것도 하지 않았다.

그렇게 시간이 흘러 1막이 끝났다.

교국군들이 해일처럼 쏟아져 나왔지만 그들 중 누구도 그녀를 발견하지 못했다. 티티라는 마치 자신이 디아세의 하수인이 되기라도 한 양 겸손히 고개를 숙였다. 눈에 띄지 말아야 했다. 여기서 자신이 조금이라도 튀면 당장에 탈란타우에가…….

"돔니니."

고작해야 두 시간 전에 알게 된 이의 목소리가 뼛속에 새겨지는 것은 드문 일이다.

그녀는 고개를 숙였다. 주먹을 꽉 쥐었다. 손톱이 손바닥을 할퀼 지경이었다.

"객석에 오지 않았더군. 그간의 일을 물으려 했건만."

"각하, 송구합니다. 무슨 뜻으로 말씀하셨는지 제가 무식하여 이해하지 못했습니다."

다음 순간 티티라는 제 어깨를 감싸는 손에 기겁했다.

뱀 같은 손가락이었다.

떨치려 했으나 상대를 기억하곤 이를 악물었다. 아니, 물론 그에게 이상한 의도라곤 손톱만큼도 없었다. 그것은 사람을 대하는 데 잔뼈가 굵은 티티라가 아니더라도 여자라면 누구나 구분할 수 있는 종류였다.

그보다는 확연한 권력의 과시였다. '나는 언제든 너를 짓밟아 터뜨릴 수 있으므로, 우리 사이의 거리는 내가 만들고 좁히는 것이다.'와 같은…….

탈란타우에가 친절하게 물었다.

"너는 고아인가?"

"……고아나 다름없습니다."

"우스페히에게 거두어져 일한 것이 장장 십 년. 아버지라 할 만하군. 또 그 세월 동안 저자와 형제일 만도 하고."

부모가 살해당한 장면을 목격한 사람처럼 숨이 뻣뻣해졌다. 탈란타우에가 인간이길 기대하진 않았다. 그래도 이건 너무했다. 즉슨, 그는 당연히 개새끼겠으나 삶이 내게 이럴 수는 없다는 것이다. 눈에서 핏줄이 우두둑 터지는 느낌이었다.

"형제를 어떻게 찾았는지 궁금해지는군."

몸이 부들부들 떨렸다.

"출항 시 내 분명 야만인들에게 얼굴을 보이지 말라 하였는데,

젊은이가 참 말을 듣지 않아."

이렇게 가까이 있는데도 탈란타우에게서는 아무런 체취도 느껴지지 않았다. 어떤 향도 없이, 단지 말이 와닿을 때마다 달군 쇠처럼 뜨겁기만 했다. 텅 빈 열기가 그의 비인간성을 돋보이게 했다.

"대답해라. 혹시 네가 먼저 바를라암을 찾았나?"

티티라는 대화를 끝내고 싶은 마음이 굴뚝같은 나머지 하마터면 바로 답할 뻔했다. 그러나 곧장 꺾이던 마음을 잡아당겼다. 머리채를 쥐고 뺨을 한 대 갈겼다.

정신 똑바로 차려.

"돔니니, 대답하는 편이 좋을 텐데."

티티라는 숨을 들이켰다.

"아니요. 아니요. 저는 말씀드리지 않겠습니다."

어깨를 감쌌던 손이 목에 닿았다. 부드럽게 목젖을 눌러 왔다. 티티라는 헐떡이면서도 홉뜬 눈을 감지 않았다.

"각하, 각하, 끅, 하지만, 이제, 모른다고, 발뺌하지는 않겠습니다."

목젖을 누르던 힘이 살짝 약해졌다.

"하지만…… 답하지도, 않을 겁니다. 제 부족한 말솜씨로, 헉, 각하께 왜곡된 정보를 드릴까, 두렵습니다."

"너는 왜곡할 만큼의 지능도 없다."

"예. 그러면 정정하겠습니다. 전 '두렵지' 않습니다. 단지 각하께 고해할 생각이 없을 뿐입니다."

티티라는 짧게 뜸 들이는 사이 목이 졸릴까 걱정했다. 그러나 노인의 힘은 느슨한 그대로였다. 그 기회를 놓치지 않고 미끄러져 들어갔다.

"제 얼굴을 보자마자 애타게 답을 바라실 정도라면, 반대로 제안 드리겠습니다. 각하께서 제게 먼저 총독님에 대해 말씀 주십시오."

탈란타우에는 침묵했다. 그녀는 긴장해서 그를 쳐다볼 엄두도 내지 못했다. 수백 명의 사람들이 눈앞에 있었지만, 심지어 제 감시 임무를 맡았던 디아세 역시 바짝 긴장하여 벽에서 한 걸음 걸어 나왔지만, 서로 뻣뻣하게 경직된 눈이 마주쳤지만, 그 어떤 것도 도움이 되지 않았다. 제 목숨은 오로지 탈란타우에에게 달려 있었다.

"……그 뒤, 제게 하문하시는 모든 내용에 답하겠습니다."

탈란타우에의 숨소리가 들렸다.

그는 자신을 강하게 밀쳐 냈다.

티티라는 힘에 못 이겨 균형을 잃고 고꾸라졌다. 맨손으로 붉은 카펫을 짚었다가, 뼈가 덜거덕거리는 충격을 무시하고 일어섰다. 방어하듯 쇄골 부근의 옷자락을 꽉 움켜쥐었다.

뒤를 돌아보았다.

탈란타우에는 차분하게 그녀를 내려다보고 있었다.

"시노드 신넬의 맹세는 한낱 종잇장에 불과하다. 그러니 떠들기보단 목에 칼을 대는 편이 적절하겠다. 너희에게는 짐승도 이해하는 언어만이 가치 있으리라."

입에서 쌕쌕대는 소리가 났다.

"나는 당장이라도 네 손톱을 도려내 거래할 수 있다."

그가 무표정하게 한 걸음 다가왔다. 제 얼굴이 흡사 하나의 큰 심장이 된 듯했다. 팽창했다가, 쪼그라들었다가, 쿵, 쿵, 쿵.

마음속 자그마한 불꽃이 부추겨, 자꾸만 그를 노려보려 했다. 안 돼! 불이 난 자리를 애써 짓밟았다. 절대로 반항하면 안 돼! 한마디도 토 달지 마!

티티라는 하얗게 질린 얼굴로 탈란타우에에게서 시선을 떼지 못했다. 한순간은 괴물에게서 도망가거나, 죽거나 단 두 가지 선택지밖에 없단 생각이 들었다.

그녀가 그대로 머리를 들이박아 괴물을 부수려는 순간—

"탈란타우에, 계속 찾았습니다."

티티라의 어깨가 크게 들렸다. 입 안에 내뱉지 못한 공기가 가득 찼다. 헐떡였다.

안스카리우스가 자신을 잡아 밀었다. 그녀는 그가 아무것도 묻지 않은 채 도와주기로 결심했다는 사실을 깨달았다.

"아, 바를라암. 극이 끝나고 극장의 주인과 대화를 나누는 듯하여 피했습니다. 나는 모르는 중한 공무가 있겠거니 해서요."

"아닙니다. 인사치레에 불과합니다. 혹시 2막이 시작하기 전까지 내게 시간을 내줄 수 있겠습니까?"

"물론이지요. 안내 부탁합니다. 더불어 차를 한 잔 제공해 주면 아주 좋을 것 같습니다. 이 쓸모없는 땅에서 몇 안 되는 상품이지요."

"예. 좌측 통로로 가시면 됩니다. 차를 명하고 따라가겠습니다."

"아닙니다. 오래 걸리지 않을 테니 제가 기다리는 편이 나을 겁니다."

대화는 한 치의 틈도 없이 올라가는 성벽 같았다.

티티라는 탈란타우에의 혓바닥 아래 숨은 말을 알아차렸다. '너희가 따로 이야기할 시간을 줄 필요는 없겠지.' 동시에 탈란타우에가 이미, 그들이 극이 시작하기 전에 만났단 사실을 알고 있다는 확신이 들었다. 묶어 놓은 죄인들 앞에서 총을 덜그럭거리는 처형인 같았다.

안스카리우스는 바로 답했다.

"예."

그는 시종을 불러 차를 부탁한 뒤, 저택의 주인처럼 능란하게 탈란타우에를 안내했다. 그가 자신을 스쳐 지나가는 사이 눈을 보려 했으나 허사였다. 상대가 몹시도 경직된 군인 같아 끼어들 틈이 없었다.

그녀는 바짝 긴장한 채 물러났다.

갑자기 탈란타우에가 뒤돌았다. 폭풍 속의 배처럼 거친 태도였다. 걸어오는 그의 옷자락에서 돛이 나부끼는 듯한 소리가 났다.

그는 순식간에 다가와 제 양어깨를 쥐었다. 아이를 대하듯 상체를 숙였다. 눈이 아주아주 가까이에서 마주쳤다.

"저녁 연회에서."

나이 든 사제왕은 그녀의 어깨를 툭툭 건드렸다.

탈란타우에는 우뚝 서 있는 안스카리우스에게로 돌아갔다. 안스카리우스는 그녀를 외면했는데, 아마 사제왕이 그의 반응을 뜯어보고 있기 때문일 것이다. 적어도 그녀는 그렇게 생각했다.

그들이 복도로 사라졌을 때에야 티티라는 벽에 등을 기댈 수 있었다. 힘이 쭉 빠졌다.

문득 제 눈앞으로 잔이 들어왔다. 티티라는 건네는 손을 확인하지도 않고 빠르게 들이켰다. 쌉싸름한 음료수였다.

그녀는 디아세에게 잔을 돌려주고 고마움의 표시로 눈짓했다.

티티라는 벽에 기댄 채 세 시간을 보냈다. 막이 끝날 때마다 군인들이 우르르 나갔다가 들어가길 반복했으나, 두 사제왕의 모습은 어디에서도 보이지 않았다.

그녀는 침묵에 감사했다. 제게 접근하지 않는 탈란타우에게, 또 옆에서 조용히 감시하고 있는 디아세에게 감사했다. 휴식이 자신에게 생각할 틈을 주었다.

물론 자신은 못된 초대 총독에게 끝끝내 모든 것을 뱉어 내야 했다. 다만 바로 그렇기 때문에, 적어도 고문을 당하기 직전까지 기를 열고 잘 생각해야 할 필요가 있었다. 그것만이 자신을 살릴 테니 말이다.

안스카리우스에게도 무언가를 기대하기는 힘들었다. 총독이 한 순간 위기를 모면하게 해 줄 수는 있겠지만 단지 그뿐이다……. 사제왕 바를라암의 위세가 낮아서라기보다는, 탈란타우에의 휘광이 너무도 강력한 탓이다. 뼛속까지 시노드 신넬인인 티티라조차 그 분위기를 눈치챌 수 있었다.

티티라는 눈을 꽉 감았다 떴다.

연극의 최종장이 끝나고 극장 안에서 우레와 같은 박수 소리가 울려 퍼졌다. 군인의 찬사답게 강하고 규칙적이었다. 두려웠다. 그 소리야말로 자신이 상대하는 모든 것을 상징하고 있었다. 누군가 등 뒤에 뿌려 둔 소금물을 뒤늦게 깨달았다. 시간이 지날수록 긴장되어, 지끈지끈하게 당기고 따끔거렸다.

"돔니니, 나가도 좋다."

티티라는 화들짝 놀라 디아세를 돌아보았다.

"아까 총독께서 종장 후엔 떠나도 된다고 하셨다. 저녁 연회가 본격적으로 시작되어 번잡할 테니…… 그 틈을 노리려면 빨리 나가야 한다."

티티라는 잠깐 생각했다. 탈란타우에가 저녁 연회에서 보자는 말을 했지만, 명령에 고분고분 따를 필요는 없을 것 같았다. 특히 이제 저 혼자 그와 힘겨루기를 해야 한다면, 지금까지 억눌려 있던 것과 다른 모습을 보여 줄 필요도 있었다.

게다가 그녀는 그가 마지막으로 자신을 모욕하고 갔다는 사실을 잊지 않았다. 이미 쓰러져 있는데 일부러 진흙을 묻혀 머리를 짓밟았지. 굴욕적이고 역겨웠다.

그녀는 빠르게 결정한 뒤 벽에서 등을 떼어 냈다.

"가자."

라스폴로제 극장을 잘 아는 티티라는 빠르게 홀을 가로질렀다. 곁문을 통해 바깥으로 나갔다. 근 다섯 시간을 밀폐된 공간에 서 있다 보니 밤공기가 너무도 반가웠다.

티티라는 핀잔하듯 말했다.

"나갈 수 있다고 일찍 좀 이야기하지. 기분이라도 나았을 텐데."

"미리 이야기할 수 없었다."

"그래도 내가 그 자릴 싫어한단 걸 알아차릴 만큼의 눈치는 있어 다행이다. 라요나에게 뭘 배우긴 배운 모양이야."

그녀는 혀를 차며 그의 앞섶 안쪽의 석고 브로치를 가리켰다. 얼마 전 라요나가, 그레슈카에게서 선물받았다고 자랑하던 브로치였다. 석고 위에 섬세하게 새겨진 두 사람.

디아세가 희미하게 웃으며 옷깃을 여몄다.

"자랑하고 다니는 건 아니지?"

"설마."

그들은 한참 동안 다시 말없이 걸어갔다.

부두가 보이기 시작할 때쯤 티티라가 불쑥 입을 열었다.

"탈란타우에 각하께선 정말 대단하셔."

"돌려 말하지 않아도 된다. 존경스럽지만, 두려운 분이시다."

티티라는 소리 없이 미소 지었다.

"그러게. 사람 많은 홀에서 하마터면 죽는 줄 알았지 뭐야."

"나도 상당히 놀랐다. 각하께선 널 모르실 텐데."

"내가 시노드 신넬인인 것 자체가 문제일 수도 있지."

디아세가 고개를 돌려 잠시 그녀를 바라보았다. 티티라는 어깨를 으쓱이며 부두로 걸음을 재촉했다.

"너희가 어련히 알아서 하겠지만, 그래도 조심해! 그놈의 브로치도 한동안 치우고. 라요나에게도 말해 둘게……."

말을 잇던 티티라가 우뚝 멈추었다.

부두로 들어서는 입구에는 항상 등을 걸어 놓던 높은 기둥이 있었다. 그러니까, 평소라면 그 기둥과, 환한 빛이 들어오는 등뿐이어야 했다.

그러나 지금은 그 자리에 자루가 매달려 있었다. 색이 탁하고 몹시도 해진 자루. 자루 바닥에 침착된 어두운 얼룩이 보였다.

티티라는 호기심에 걸음을 재촉했다.

"돔니니, 내가 하겠다."

등 뒤에서 디아세의 낮은 목소리가 들렸다. 그러나 티티라 또한 그 자루의 정체를 알고 있었다.

"나도 시체는 여럿 봤으니 걱정하지 마."

그녀는 그가 먼저 나서지 않도록 달렸다. 숨을 크게 들이켠 채로 주위의 상자를 옮겨 올라갔다. 티티라는 자루를 묶은 끈에 손을 대기 전, 디아세를 돌아보았다.

"오늘 누가 처형당했단 소식을 들었나?"

그가 고개를 저었다. 얼굴이 어두웠다. 생각하자니 이상했다. 안스카리우스는 이즈버르를 다스린 이후 단 한 사람도 죽이지 않았는데, 왜 갑자기 주검을 전시한다는 말인가?

티티라는 방심하여 호흡을 놓치고 헛구역질을 했다. 벌써 봄날이라 냄새가 그리 유쾌하진 않았다. 그녀는 캑캑거리며 끈을 던지듯 풀어냈다.

"몇 시간은 된 것 같은……."

혀가 말려 들어갔다. 그녀는 한순간 가벼이 죄를 지은 혀에 목 졸려 살해당했다.

세상이 아주 느려졌다. 천천히…… 출렁거리며…… 뛰었다. 오로지 자신이 밟고 있는 땅만 무게로 짓눌렸다. 아래로 아래로 늘어났다. 파도 속처럼 흔들리는 세상에서 혼자 주욱 죽 깊이 가라앉았다.

그녀는 꼼짝도 못 한 채 서 있었다. 디아세가 그녀를 스쳐 지나갔다.

등이 뜨거워졌다. 얼음장처럼 차가워졌다. 피가 천방지축처럼 사지로 쏘다니다 한꺼번에 심장으로 몰렸다. 터질 것 같았다. 모든 것이. 심장이, 머리가, 눈이, 이 부두와 바다가.

디아세가 한쪽 무릎을 굽혔다.

그의 어깨가 들렸다.

그는 이해할 수 없다는 듯이 말했다.

"라요나?"

3장

3장

안스는 티티라가 어둠 속으로 사라질 때까지 지켜보았다.

사실 티티라가 떠나는 순간 생각했다. 소조폴이 무너져 저 안의 모든 사람이 죽어도 좋으니 친구 곁에 있고 싶다고. 부끄러움도 모른 채 당장 말에 타서 그녀를 쫓아갈 뻔했다.

그녀가 보이지 않자 바닷물을 억지로 먹은 사람처럼 숨이 차 고통스러웠다. 차라리 기절이라도 하여 익사하는 고통을 없애고 싶었다. 깊은 물속에서 버둥거려 탈출할 방법은 티티라뿐이었다. 그러니 그녀에게, 제 십 년을 지켜 준 친구에게 돌아가고 싶었다.

그토록 어리석은 그를 막은 것은 또 한 번, 티티라였다. 방금 전 자신이 시야에 담은 그녀의 뒷모습은 제 눈알을 파 장님이 되어도 선명할 것이다.

티티라, 티티라.

파도를 잘라 낸 듯한 단발, 머리칼을 귓가로 넘겨 드러나는 동그랗고 작은 귀. 그러니까, 어두컴컴한 밤 속 살짝 도려낸 듯한 초생달.

그 모습을 수백, 수천 번 오려 제 삶에 붙였다. 같은 모습을 수없이 반복하자 이제는 검은 바탕에 밝게 있는 모든 점이 그녀로 보였다.

그러므로 시커먼 밤에 불타는 도시. 그조차 티티라였다. 검은 것은 그녀의 바탕이고, 흰 것은 그녀의 살이었다.

그렇게 안스는 함락당하는 도시를 보며 티티라를 생각했다. 이곳에도 티티라가 있다. 그러니 세상 모든 곳에서 그녀를 찾을 자신이 있었다.

그녀를 생각하며, 천천히 천천히 그녀를 놓쳤다.

웃기지. 우스페히 씨와의 의리를 지키기 위해 아득바득 이 자리에 남았는데, 정작 등 돌려 생각하는 사람은 티티라뿐이라니.

그러나 스스로에게 거짓말을 하지는 않을 것이다. 자신은 위험할지도 모르는 우스페히 씨를 외면할 수 없었다. 그것은 제 목숨을 살려 준 사람에게 바치는 당위였다. 억울하지도 않았다. 그는 그래야 했다. 이를 티와 함께할 수 없다면 그것은 어쩔 수 없는 일이었다. 아무리 내가 그녀를 사랑해도…….

그는 다시 한번 웃었다. 장엄하게 지껄인들 사실 그조차 자신이 하마터면 티티라를 따라갔을지도 모르겠다고 생각했다. 그래. 그녀가 그토록 확고하게 우정을 선언하지만 않았어도, 의리를 시궁창에 처박고 따랐을 것이다. 아주 티끌만큼의……. 검은 머리칼에 난 작은 귓가만큼의 희망이라도 내게 주었더라면…….

"너는 죽어도 날 좋아하지 않겠지."

안스는 자리에서 벌떡 일어섰다.

말을 끌고 갈 장소는 아니었다. 그는 고삐, 안장, 짐을 풀어 나무 아래에 내려 두었다. 그 뒤에야 고요히 서서 자신을 지켜보는, 어쩌면 지혜로운 동물을 밀어냈다. 말은 주저하듯 뒤를 돌아보았다. 그는 한 번 더 밀어냈다. 짐승은 터덜터덜 멀어져 갔다.

그는 짐을 둘러맨 뒤 언덕 아래로 달렸다. 이 난리 통에 운하 방면으로 사람이 배치되어 있을지 몰라 잠시 고민했지만, 달리 방도를 찾지 못했다. 그는 걸음이 점점 빨라지는 것을 느꼈다. 자신도 모르게 긴장하여 제 배냇 노래라 해도 과언이 아닌 음을 작게 흥얼거렸다.

"바다가 얼었다는 소식을 들었네.

세상이 변했나 보오, 겨울 곁에."

소조폴 앞바다는 불타고 있었다. 안스는 비현실적인 절망에 킬킬거리며 웃었다.

"우리가 헤엄쳤던 파도, 흔적이 없노라."

'옛 파도 소리'는 포격과 고함에 묻혀 들리지 않았다. 평생 처음으로 가사를 의식했다. 자꾸만 내용이 머릿속으로 흘러 들어오자 노래를 잘못 선택했다는 느낌이 들었다. 소절, 소절마다 주먹에 피가 통하지 않을 정도로 힘이 들어갔다. 자신이 노래를 부르는 것이 아니라, 누군가 저 대신 부르는 노래를 경청하듯 질질 끌려갔다.

"얼어붙은 수평선에서 벗이 돌아오면

오, 한 줌 남은 기쁨으로 나를 불태워

네게 파도를 돌려주고 잿더미가 될 텐데."

그래, 티. 네가 돌아오면.

"볕 드는 봄이 다시 오지 않아도 좋네.

네게 파도를 돌려주고 잿더미가 되면

일렁이는 파도에 네 웃음이 들리면

겨울 속에 익사해도 미풍 같은 죽음."

안스는 짓씹듯 마지막 소절을 내뱉으며 천천히 멈추었다. 뒷골에 벼락에 꽂힌 듯한 기분이었다. '이 난장 맞을 노래. 내 거잖아?'

먼 길을 떠나는 모든 뱃사람의 그리운 이를 뜻한다는 자연스러운 해석은 몽땅 잊었다. 이 노래는 정말로 '그의 이야기'를 하고 있었다. 기가 막히고 화가 났다. 눈물도 조금 났다. 신의 장난질 같았다. 티가 보고 싶었다.

그는 뒤를 돌았다. 그녀에게—

"안스냐?"

안스는 우뚝 섰다.

성벽 아래 졸졸 흐르는 똥물에서 소리가 들렸다. 좀 더 가까이 갔다. 몸을 숙이자, 똥물— 아니, 작은 운하를 가로막은 창살에서 목소리가 들렸다. 그는 살짝 떨며 손을 움켜쥐었다.

"벨리코브 씨?"

그는 황금 돛의 일원 중 하나였다. 긴급 상황에 내륙 운하 경비를 서고 있는 모양이었다.

"기다려. 열어 주마."

안스는 뒷덜미를 잡힌 모양으로 돌아보았다. 쇠지레가 끼익거리는 소리와 함께 창살이 올라갔다. 그는 도망쳐야 할지, 들어가야 할지 도무지 모르겠다는 표정으로 구정물을 바라보았다.

그러나 숙련된 소조폴인에게는 그 정도 시간이면 충분했다. 벨리코브가 작은 배를 밀어 보냈다. 안스는 떠밀리듯이 배에 탔다. 몇 번 노를 저어 성벽 안쪽으로 들어가자, 벨리코브가 다시 한번 열심히 손잡이를 돌렸다. 그의 등 뒤로 창살이 내려갔다.

안스는 얼떨떨한 채 벨리코브의 손을 잡고 배에서 내렸다.

"노래를 듣고 알아봤지. '겨울 친구'를 그렇게 부르는 녀석은 너밖에 없어."

"아, 그렇군요."

"도시 꼴을 보고 돌아올 생각을 하다니, 용감하구만."

"무슨 놈들인진 몰라도 다 죽이진 않을 테니까요. 그리고 제가 여기 있어야 우스페히 상의 면이 살죠."

"암. 우스페히 상주는 좋은 후계자를 두었어. 그러고 보니, 사마귀는?'

안스는 사마귀라는 말에 울컥했다. 그러나 도저히 이 순간 화를 내는 바보 멍청이가 될 수 없었다.

"일이 있어 카르타타로 갔습니다."

"겁나서 도망갔군."

"아니에요. 지금 논쟁할 시간 없습니다. 우스페히 씨는 상관에 계시겠죠?"

그는 고개를 끄덕였다.

안스는 옷매무새를 정리하며 인사했다. 먼저 가 보겠다고. 벨리코브는 몸조심하라며, 걱정스러운 기색을 지우지 못한 채 그를 보내 주었다.

안스는 잘 아는 길을 걸어갔다. 바깥에서는 요란해 보였지만, 정작 안으로 들어오니 이토록 고요한 멸망이 있을까 싶었다. 멀리서 울리는 포격 소리는 자연재해처럼 희끄무레했다. 경비병들이 웅성댔으나 절도 있는 외침은 아니었다. 우두머리를 잃어 혼란스러운 졸개들의 한숨이었다.

안스는 성벽이 무너진다면 어디로 도망가야 하나 열심히 머리를 굴렸다. 당연하지만 점령당한 항구는 못 쓸 것이다. 어쩌면 밤중에 몰래 쪽배를 타고 건너가, 육로를 통해 도이도흐로 잽싸게 도망갈 수는 있겠다. 대략 일주일 정도 소요될 터. 지리를 잘 아는 사람들에겐 큰 준비 없이도 편안한 여행길이 될 것이다.

안스는 언 발에 오줌 누기 식으로 생각하다가, 의외로 말이 된다는 생각을 하곤 마음 한구석에 정리해 두었다—물론 도주지로 보다 안전한 내륙 도시를 선택해도 나쁘지는 않았다. 그러나 그 가난한 도시들은 자본이 부족한 탓에 가뜩이나 힘든 상단의 회복 속도를 더디게 만들 것이다. 그러니 도이도흐가 최선이었다—.

그는 마침내 우스페히 상관 앞에 다다랐다. 관계자들이 모두 징발되어 성벽에 있는지, 상관 자체는 쥐 죽은 듯이 조용했다. 그러나 적어도…… 자신이 떠났을 때와 마찬가지로 우스페히 씨 방에는 불이 들어와 있었다.

안스는 문을 열고 들어갔다. 텅 빈 홀에는 아무도 없었다. 밤공기가 들어차 냉랭할 정도였다. 투크 바하 씨와 마린카 씨는 어디로 가셨을까? 궁금해할 틈이 없었다. 너무 썰렁했다. 애초에 이 거대한 상관에 한 사람이라도 있긴 한지 몰라 마음이 급해졌다.

계단을 달려 올라갔다. 단숨에 두세 칸씩, 제 숨이 허락하는 한 빠르게 뛰었다. 익숙한 문을 마주했다. 문고리를 잡고 쾅 열어젖혔다.

우스페히 씨는 평소처럼 상주의 책상에 앉아 있었다.

안스가 숨을 가다듬는 사이, 그가 시선을 들었다. 검은 눈이 샅샅이 상대를 훑어보았다. 안스는 의리를 지키겠답시고 돌아온 자신이 갑자기 어린아이가 된 듯하여 얼굴을 붉혔다.

우스페히가 말했다.

"이 멍청한 놈."

입이 열 개라도 할 말이 없었다. 자신이 걸어오며 구축한 영리한 계획들이 우스페히 상주 앞에서는 낙서에 불과했다.

"나는 도시에 얼씬도 하지 말라고 했다."

"……이미 늦었습니다."

"그러니 화내지 말라고? 책임질 줄 모르는 바보로군."

"반항하지 않는 도시를 하루 종일 포격한다는 건 저쪽의 병력이 부족하다는 뜻입니다. 역사적으로 도시를 장악할 힘이 없는 군대가 어떻게 공포를 심어 주었는지 우스페히 씨께서도 잘 아시지 않습니까?"

"그래서?"

"그들이 들어오기 전에 도망가야 합니다. 데를란 운하로 나가면 곧장 반대편 만에 다다를 수 있습니다. 믈른에서 필요한 물자를 조달하고 도이도흐로 향하면 됩니다."

"너희가 떠나기 전, 내가 뭐라고 했지?"

"우스페히 상단의 주는 소조폴에 남아 있어야 한다고요."

"지금 네가 말한 방안은?"

"하지만—"

"티티라는 어디 있나."

안스는 입을 꾹 다물었다.

우스페히가 마침내 일어섰다.

"그 애는 떠났군."

"……."

"너는 내 말을 경청할 생각이 없었고."

"아닙니다. 제가, 저희 정도가 아니면 우스페히 씨를 설득하기 어렵다고 생각했습니다. 블리조 씨가 우스페히 씨를 설득할 수 있으시겠어요? 아니요. 저는 그렇게 생각하지 않습니다. 제가……."

"'설득?'"

"소조폴을 떠나셔야 합니다."

우스페히는 뚫어져라 그를 바라보았다.

안스는 빳빳하게 서 있었다. 거리낄 것도, 부끄러운 것도 없었다. 말을 이을수록 우스페히 씨가 이곳에 남아 있는 것이 자살행위라는 생각만 더더욱 확고해졌다.

"우스페히 씨, 저놈들은 너무도 수가 적어서…… 도저히 정상적인 침략군이란 생각이 안 듭니다. 들어와서 어떤 짓을 할지 모르겠습니다……. 아니, 사실 알고 있습니다. 도시를 전부 장악할 수 없다면 도시 지도층부터 죽여서 '기강을 잡을' 거예요."

"그래, 위험할 수도 있지."

"솔직히 말씀해 주세요. 보호 귀족들 중 도망친 사람은 없나요? 도망가려면 언제든 갈 수 있어요. 제가 이 도시에 들어오기 얼마나 쉬웠는 줄 아세요?"

"도망친 사람은 없다. 그들은 점령군이 자신들을 대우할 거라 철석같이 믿고 있다."

"우스페히 씨는 아니시잖아요."

"나는 남겠다."

안스는 화를 냈다.

"지금까지 여기 남아 계셨으면 충분합니다! 사태가 안 좋아 보여 떠났다! 나중에 말하면 되잖아요!"

"내가 '몰래' 떠날 수 있는 방법은 없다."

"……."

"그러니 남아 있는 편이 낫다."

안스는 그제야 우스페히 씨를 똑바로 보았다. 갑자기 철렁 내려앉았다. 덧씌워져 있던 막을 긁자, 낡은 허물처럼 벗겨졌다. 진실이 보였다.

우스페히는 스스로 오판을 내렸단 사실을 인정하기 싫어하고 있었다.

항상 믿고 따랐던 사람이기에 이 상황에 몰려서도 묘수가 있으리라 생각했던 것 같다. 선택지를 검토할 만큼 여유로워도 고집을 피우는 것이라 믿었다.

그러나…….

안스는 손이 떨리는 것을 느꼈다.

"우스페히 씨, 제가 무슨 일이 있어도 도이도흐로 보내 드리겠습니다."

우스페히 씨는 가볍게 웃었다.

"말했지. '몰래' 떠날 수 없다고. 우리가 아는 길은 곧 소조폴 시민 모두의 길이다."

"그래도—"

"물론 호위병을 이용한다면 영 못 나갈 것은 아니지. 하지만 절대로, 절대로 재기할 수 없다. 특히 점령 후 실제로 학살이 자행된다면 반드시 낙인찍혀 남부에서 쫓겨날 것이다. 시노드 신넬인들은 신뢰할 수 없는 상인을 가장 싫어한다."

아스는 제 입처럼 주먹을 펼쳤다. 다시 잠갔다. 식은땀이 났다. 자신이 저 산 같은 후견인을 인도해야 한다는 [illegible]에 눈앞이 막막했다. 사실 반쯤은 원망하고 싶었다. 왜 우리가 당신을 신뢰하도록, 삶을 통틀어 한 번도 틀린 적이 없었느냐고. 왜 그토록 단언하여 우리들이 안심한 채 기대도록 두었냐고.

"우스페히 씨."

"……."

"언제 알아차리신 거예요?"

"바깥 성벽이 다 무너졌을 때."

"얼마나 걸렸죠?"

"포격이 시작되고 세 시간 뒤."

"……."

"도시에 안 들어오더군. 성벽은 주춧돌밖에 안 남았는데. 바라는 게 있다는 거지."

"뭘 기다리는 걸까요?"

"항복 사절."

"……."

"교국은 우리가 항복 사절을 보내야 이 땅에 발이라도 디딜 것이다. 그 사절을 신뢰해서가 아니야. 저들은 반드시 권내 유력자들과의 회의를 요구한다. 그리고 자리에 모인 소조폴 인사들을 죽이고 시작하겠지.”

안스는 우스페히의 판단력이 무시무시하게 명징하다는 데 고통받았다. 우스페히는 본인의 선택이 틀렸다는 사실을 아주 빨리 깨달은 사람이었다.

“혹시 틀리셨을 확률은 없을까요?”

안스는 고통스럽게 물었다. 우스페히를 인도하기는커녕, 희망이라도 찾으려는 마음이 불쑥 튀어나왔다.

제 감정은 색색으로 변했다. 한순간 소신所信을 가졌다가도, 한순간 어린애처럼 의존적이 되었다. 그 두 가지가 반대되는 감정이라고 생각하지 않았다. 불안감, 자신감, 분노, 안도……. 섬세하게 이어지는 한 장의 색지였다. 그리고, 마침내 색지를 찢어 버리고 싶은 충동으로 뚝 떨어졌다.

안스는 오래 뛴 사람처럼 헐떡였다.

“안스.”

“…….”

“너는 어려. 이런 상황에서 당황하는 것은 당연하다. 나조차 차분해지기 어려운데 네가 문제를 해결할 수는 없는 법이야.”

“하지만, 그러시면 저를 봐서라도, 도망치셔야 합니다.”

“안 돼. 의미 없다. 그리고 너는 다른 사람들을 바보 취급하지 말아야 한다.”

“…….”

“물론 보호 귀족들은 얼간이다. 하지만 황금 돛 상주가 지금 상황을 모르겠나? 그 늙은 구렁이가? 다들 나와 비슷한 시점에 의심을 품기 시작했을 거다. 하지만 한 사람이라도 도망쳤다간 소조폴 전체에 소란이 인다. 시끄러워지면, 도시를 감시 중인 적이 눈치 챈다. 항복 사절조차 없이 군대가 밀고 들어왔을 때 소조폴이 어떤 꼴이 될지 감히 상상하기도 어렵군."

"설마 시민들이 덜 죽도록 희생하는 거라고 하지 마세요. 우스페히 씨, 그런 분 아니신 거 다 압니다. 제가 평생을 봐 왔어요. 말도 안 되는 위선 떨지 마십시오."

우스페히는 처음으로 소리를 내어 웃었다.

"도망갈 수 없다니까. 지금은 상주들이 서로의 목을 쥐고 있는 꼴이야. 먼저 떠나는 놈은 교국이 아니라 소조폴 상주들에게 죽는단 말이다. 나도 이미 내 아래 경비병들에게 명령해 두었다. 책임은 우스페히에 있으니 지위 고하를 막론하고 나가는 이를 모두 죽이라고."

"……."

"안스, 네게 묻자. 너, 나를 어떻게 찾아왔느냐?"

"……황금 돛의 벨리코브 씨에게 여쭤봤습니다. 26구 방향 운하 통로를 지키고 있더군요."

"그가 뭐라 하던?"

"'우스페히 씨는 상관에 계신다'고……."

"그걸 어떻게 정확히 알고 있을까?"

안스는 망연한 표정으로 고개를 저었다.

"아무리 그래도 목숨이 걸린 문젠데…… 한시에 다 도망치면 되지……. 이렇게 서로 못 나가게 할 필요가……."

"있다. 교국이 일부는 본보기로 죽이고, 일부는 소조폴 통치를 위해 살려 둘 테니까. 순전히 운에 달려 있는데, 그렇다면 사람이 줄어들수록 '내'가 죽을 확률이 높아질 테지. 그러니 모두가 남아 있어야 한다."

당연하지만…… 안스는 소조폴에서 혼자 똑똑하게 굴 수 없었다. 애초에 소조폴은 징글징글하게도 머리를 굴려 대는 상인들의 집합소였다. 그들은 적들이 점령 후 본인들과 협력하지 않으리라는 사실을 깨닫곤 가장 합리적인 수를 택했다. 아무도 도망치지 못하도록 막고, 제비뽑기에 목숨을 거는 것.

그의 얼굴이 일그러졌다.

"소식을 전해 모두 함께 떠나죠. 소란이 인다 해도 쫓아오기 전에 성벽을 넘겠다는데 저들이 무슨 수로 막겠습니까?"

"적 함대의 절반이 이미 항구에 정박해 있다. 이미 판자까지 내린 배들이 수많다. '쫓아오기 전'이라고? 말은 쉽군."

"……."

안스는 기가 막혀 우스페히를 바라보았다.

"항구에 정박하고도 병사를 내보내지 않고 있다고요?"

"그래. 사절을 기다리는 거야."

안스는 살짝 뒤돌아 어두컴컴한 계단 아래를 바라보았다. 다시 정면을 바라보았다.

"……상관에 왜 아무도 없습니까?"

"내가 내보냈거든."

"그 사람들은 지금 무슨 상황인지 알아요?"

안스는 거의 화를 내듯 말했다. 사실 이미 답을 알고 하는 질문이었다. 블리조 씨가 상황을 알았다면 과연 우스페히 씨를 떠났을까?

"아니."

우스페히는 뒷짐 진 채 책상을 돌아 나왔다.

그는 반복했다.

"아니. 티티라처럼 내보냈지."

눈썹이 떨려 시야를 가렸다.

"'봉쇄 조치가 시행되었으니 우선 소조폴 곳곳에 머물러라. 침략당하는 도시에서 안전하려면 흩어져야 한다. 그 뒤 외부로 피해도 좋고, 내가 부를 때 돌아와도 좋다.'"

안스는 누군가 뒤에서 밀친 듯 여러 걸음 다가갔다. 우스페히 씨가 점점 커졌다. 아니, 작아졌다. 자신이 꼬맹이일 적 본 어른의 크기와 너무도 달랐다. 이제 그는 자신보다 반 뼘이 더 작았다. 그 사실이 공포스러웠다.

우스페히 씨가 손을 뻗었다. 그 손은 제 안개 같은 기억을 파고들었다. 안스는 그와 처음 만났던 여덟 살이 되었다.

황금 돛의 새끼 분과장이 자신을 세워 두고 심부름꾼을 판다며 고래고래 소리를 질렀다. 누군가 제 앞에 섰다.

"나이는?"

우스페히는 이름을 물어보지 않았다.

"안녕하세요, 상주님. 대충 예닐곱쯤 된 것 같습니다. 딱 사환으로 들이기 좋은 나이죠."

"왜 황금 돛에서 쓰질 않고?"

"지난 순찰에 거지들을 많이 주워 와서, 먹여 살릴 여력이 없습니다."

"고개 들어."

안스는 혼란스러운 시선으로 남자를 바라보았다.

"왜 표류했지?"

"몰라요. 기억이 안 나요."

"추측해 봐."

그는 기억하라고 말하지 않았다. '추측'하라고 했다. 여덟 살짜리는 자신이 그에게 팔려야 좋은 것인지, 매대에 남아 있어야 좋은 것인지 구분하지 못했다. 그렇기에 대답은 본능적이었다.

"아저씨들이 저를 도망 노예라고 했어요. 도망쳤으니 똑똑한 거죠? 노예가 아니라면 아주 어린 나이에 배를 타고 돌아다닌 거예요. 그러니 똑똑한 걸 거예요."

남자는 이상한 억양으로 또박또박 말하는 꼬마 애를 바라보았다. 곧, 품에서 주머니를 꺼냈다.

"얼마지?"

"아이고, 편하게 주십시오. 우스페히의 주인이신데 제가 어찌 흥정을 하겠습니까?"

그는 주머니째로 건넸다. 황금 돛이 제 등을 밀어 매대에서 떨어뜨렸다. 안스는 겨우 중심을 잡은 채 높이 있는 상주를 바라보았다. 그는 큰 손으로 제 어깨를 두드린 뒤 손짓으로 방향을 가리켰다.

그렇게 한마디도 없이 우스페히 상관으로 가 마린카 씨에게 넘겨졌다.

안스는 아직도 자신이 얼마에 팔렸는지 몰랐다.

두 발자국 앞에 선 우스페히 씨를 내려다보았다.

"우스페히 씨."

"똑바로 말하마. 나는 절대 도망치지 않는다. 이미 충분히 설명했으니 너도 받아들여."

안스는 가장 중요한 사람들 앞에서 유독 짧아지는 제 말솜씨에 고통받았다. 작달막한 칼은 누구도 공격하지 못한 채 스스로를 난도질했다. 그는 양손으로 얼굴을 짚어 부어오르는 상처를 가렸다.

"저는 많은 사람들을 설득할 수 있지만, 우스페히 씨를 설득하는 방법은 모르겠습니다. 정말로요."

"……."

"그러니 제 선택은 여기 남는 것뿐입니다. 저도 우스페히 씨의 제비에 걸겠습니다."

침묵이 흘렀다.

안스는 그가 자신의 말을 어떻게 받아들일지 몰라 굳은 표정으로 고개를 들었다.

곧장 뺨을 맞았다. 무방비 상태라 고개가 꺾였지만, 큰 충격은 아니었다. 얼얼하게 아파 왔다. 정말로 우스페히 씨에게 맞은 것인지, 한순간 갈피를 잡을 수 없었다.

우스페히는 장갑을 낀 사람처럼 손을 부드럽게 감쌌다. 뺨을 갈긴 것이 마치 어떤 예절의 일종이기라도 한 양 품위 있었다.

안스는 화를 내기보단 긴장하여 바라보았다.

"안스."

"네."

"넌 내가 왜 너를 샀는지 아나?"

"제가 똑똑해서요?"

그는 기가 막히다는 듯 자신을 바라보았다. 안스는 농담과 함께 어깨를 으쓱였다.

"티는 똑똑해서 주워 왔다고 들었는데."

"너는 교국인이다."

"뭐요?"

안스는 사납게 반문했다.

"그걸 알아 그간 열심히 교국에 대한 책을 읽은 것 아니었나? 나는 교국인이 궁금했다. 그래서 네 문신과 독특한 억양을 보고 너를 사 왔다. 물론 스스로 가치를 증명하지 않았더라면—"

"그만, 그만! 말도 안 됩니다. 저는 항해 서적을 읽던 도중 몇 권 더 파헤친 것뿐이었어요."

"널 처음 봤을 때부터 지금까지 있는 문신."

"그게 뭐요? 한때 해상 노예였다는 증거일 뿐입니다."

"아니. 노예 문신은 허섭스레기다. 몇 해만 지나도 뭉개진다. 그런데 네 것은 시간이 지날수록 분명해졌다. 마주두 노예상이 표류자에게서 묘안을 얻어 노예 문신을 새기기 시작했다는 사실은 널리 알려져 있건만, 나는 오히려 네가 한 번도 스스로의 출신을 의심하지 않았다는 사실이 더 놀랍다. 일부러 생각하지 않은 것 아니냐? 네가 아무것도 아니길 빈 것은 아니냔 말이다."

"우스페히 씨, 솔직히 말씀드릴까요? 제가 교국 표류자든, 노예든…… 하나도 상관없습니다. 진심으로 관심 없어요. 지금 제 관심사는 오로지 우스페히 씨가 저와 함께 소조폴을 떠나는 것뿐입니다."

그는 우스페히에게 한 대 더 맞았다.

이번에는 확실히 모욕받았다. 그는 울컥해서 우스페히를 노려보았다.

우스페히는 남부인 특유의 딱정벌레처럼 검은 눈으로 그 시선을 받았다.

"안스, 교국군이 들어오면 너는 죽을 수도 있다."

안스는 텅 빈 말을 열었다가, 흘리지 못한 채 닫았다.

"교국인들은 불신자를 증오한다. 하물며 배신하여 불신하는 자라면 어떻겠느냐?"

"순전히…… 추측입니다."

"아니. 너는 소조폴 사람으로 자란 교국인이지 않나."

안스는 인상을 찌푸렸다. 자신이 '교국인'이라는 말은 정말이지 아무 의미도 없었다. 그는 십 년 동안 자란 소조폴을 버릴 생각이 추호도 없었기 때문이다. 오히려 어린 시절 쓰레기 잡초 같은 출신이 제 '진짜' 삶을 흔들도록 두지 않을 생각이었다.

"내가 너를 알아보았듯이, 저들도 교국의 표류자를 알아볼 것이다. 교국이 옛 동포를 포용한다면 너는 꼼짝없이 교국인이 되어야 하고, 적대한다면 그 자리에서 죽는다. 선택의 여지가 없다. 그렇게 휘둘리도록 둘 테냐?"

안스는 우스페히를 노려보았으나, 날카롭지 못했다. 그 스스로도 말을 곱씹느라 시선으로 드러난 것은 볼품없는 제 자존심뿐이었다.

"안스, 생각해라. 너는 당장 소조폴을 떠나야 한다. 밤이 지나기 전에 보호 귀족들이 항복 사절을 보낼 거다."

"그 말씀은."

"……."

"우스페히 씨는 여기 계신다는 말씀이시죠?"

"그래."

그는 제 후견인을 뚫어져라 바라보았다. 우스페히 역시 피하지 않아 시선은 잠깐 동안 부러질 듯 얇은 유리가 되었다. 아슬아슬했다.

결국 먼저 눈을 피한 사람은 안스였다. 그러나 하늘 같은 후견인이 두려워 피한 것은 아니었다. 그보다는 제 목구멍에 얹힌 말 때문이었다.

"우스페히 씨는 항상 티를 더 좋아하셨죠."

우스페히가 헛웃음을 터뜨렸다.

"그 애가 지금 이 자리에 있었더라면…… 함께 도망가겠다고 고집 피웠더라면…… 우스페히 씨는 어쩔 수 없이, 모든 것에도 불구하고 소조폴을 떠나셨을 겁니다."

"네 가정은 잘못되었어. 티티라는 위험한 곳에 돌아오지 않는다. 내가 죽어도 결단을 내릴 애다."

"그 애가 여기 있었으면 도망치셨을 거라고요."

"내 말을 안 듣는군."

"저는 티를 사랑합니다. 우스페히 씨가 그 애를 아끼시는 이유를 저보다 더 잘 이해할 사람은 없습니다. 티는 명민합니다. 날카롭습니다. 언제나 덜 귀중한 것을 포기하는 용기를 가지고 있습니다. 정이 많지만 선을 긋습니다. 그 애는……."

그가 꾸역꾸역 후회를 삼키는 사이, 우스페히가 끼어들었다.

"왜 헤어졌지?"

"……."

"대답하면, 나도 결단을 내리마."

설핏 티의 얼굴이 떠올랐다. 그녀는 제 속에서 젖살이 통통한 일곱 살짜리였다가, 덤불처럼 마르고 작은 열 살짜리였다가, 순식간에 냉랭한 열일곱이 되곤 했다.

제가 그녀의 친구가 될 수 있었던 건 신이 개입한 것이 분명한 행운이었다. 그는 그 우연을 떠올릴 때마다 칼에 베인 듯 감사했다. 출신도 모른 채 이곳에 머무르게 된 것은 오로지 티를 만나기 위해서였다.

문득 기억 속 티의 얼굴 위로 안개가 떨어졌다. 안스는 이를 악물었다. 그 낯을 너무 징글맞게, 지겹게, 고통스럽게 좋아했다.

티를 좋아하는 마음은 순식간에 어마어마한 높이의 나무로 자라나는 씨앗이었다. 나무의 밑동을 베고 뿌리를 파내면 한순간은 죽은 듯하여 안심이 되겠지. 그러나 다시 깊은 땅속 미처 발견하지 못했던 씨앗 한 조각에, 순식간에 부풀어 터지는 마음에 사람이 미치는 것이다.

그렇게 또 베고, 죽이고, 없애고……. 안스는 마음속 텅 빈 흙바닥을 삽으로 내리찍었다. 이곳을 '마지막까지, 진심으로, 정말로' 비워야 그녀에게 돌아갈 수 있었다.

그런데 멍청이같이, 스스로 보는 빈 공간이 진짜인지 가짜인지 도무지 몰랐다. 어딘가에 씨앗이 숨어 있을 수도 있다. 그러니까, 강박증 같았다. 씨앗은 분명히 거기에 있다. 그런데 없었다. 병적으로 바닥을 긁었다. 아마 땅이 쪼개어 없어질 때까지 힘주어 공격해야 할 것이다. 아무짝에도 쓸모없는 내 죽음이 닥칠 때까지…….

안스는 어두컴컴한 미래에 잠시 숨이 막혔다. 당장 함락당할 위기에 처한 소조폴보다, 티에게 돌아가지 못한 채 삶을 마감할지도 모른다는 사실이 더 절망적이었다. 눈에 안 보일 정도로 작은 씨앗을 파낸다는 것이 가당키나 한지 도무지 자신이 없었다…….

"안스."

그는 부르르 떨었다.

"아니, 티는 저와 친구로 남고 싶어 했습니다."

"알 만하군."

"그래서 삼 년 뒤에 만나기로 하고 헤어졌습니다."

"약속 지켜라."

"예. 그러니 우스페히 씨는 지금 저와 나가셔야 합니다. 십 년 동안 티를 귀애하셨다면, 저에게도 한 번은 기회를 주셔야지요."

"네가 그런 놈일 거란 상상을 못 했군."

사실 그는 별로 '그런 놈'이 아니었다. 더 나아가, 안스는 우스페히가 티보다 자신을 더 좋아했더라면 도저히 그 사실을 이해하지 못했을 것이다. 티는 절대적으로 그보다 나았으므로 이는 불가능한 일이었다. 이 모든 사실들은 당연할 뿐, 제게 어떤 상처도 되지 못했다.

하지만 지금은 우스페히를 설득해야 했다.

안스는 제 모든 무기를 활용하고 있었다. 함께 자란 동기에게 열등감을 품고 있었다는 오해를 무릅쓰더라도.

"안스."

"예."

"안 그래도 고민하고 있었는데 잘되었다."

안스는 처음으로 희망에 찼다.

우스페히는 뒤돌아 책상 아래로 몸을 숙였다. 드르륵 서랍을 여는 소리가 들렸다. 손을 뻗어 안쪽을 뒤지는가 싶더니, 움켜쥔 주먹이 올라왔다. '탁' 소리와 함께 책상 위로 떨어지는…… 유리병.

안스는 불길한 기분에 앞으로 한 걸음 나섰다.

"우스페히 씨?"

"이 시점에 생각해 봄직한 것이지."

우스페히는 다시 의자에 앉았다. 그리고 유리병을 중앙으로 끌고와 살짝 밀었다.

"뭡니까?"

"굳이 말할 필요 있나."

"설명하세요. 뭡니까?"

"말디비 독."

그는 당장 책상으로 뛰어들었다.

그러나 우스페히가 병을 잡아채는 속도가 훨씬 빨랐다. 그는 단숨에 세 발자국이나 물러서 마개를 열었다. 안스는 곧장 책상에서 뛰어내려 병을 빼앗으려 했지만—

우스페히가 입 가까이에 독을 댔다.

안스는 순식간에 양손을 들었다.

"알겠습니다."

우스페히는 꿈쩍도 하지 않았다.

"가만히 있을게요."

주춤주춤 뒤로 물러났다. 책상이 '턱' 하고 허리에 걸렸다. 바보처럼 버벅거렸다.

"가만히…… 가만히 있을게요."

"그래."

"우스페히 씨, 이러시면 안 됩니다. 제가 대답하면 결단을 내리신다고 하셨잖아요."

"이것도 결단이지."

"자해예요."

"정확히는 '자살'이다."

안스는 양손으로 이마를 감쌌다.

"안스, 티가 나를 빼닮아 신경이 쓰였다면 그 말은 옳다. 하지만 나는 단 한 번도 그 애가 너보다 낫다고 생각한 적 없다."

"……."

"긴말로 설득할 생각 없다. 널 소조폴에서 내보내기 위해 난 독이라도 먹겠다. 너를 존중하는 것과 내 삶의 결정은 별개란 말이지."

"우스페히 씨, 일단 독을 내려놓고 말씀해 주세요. 불안합니다."

"나를 팔순 늙은이 취급하는 것이 아니라면, 내 손에 독이 들려 있은들 불안할 리가 없지. 스스로의 마음가짐을 돌아보도록 해라."

안스는 안절부절못했다. 책상에 덜덜거리며 부딪히다가, 결국 더듬더듬 뒷걸음질 쳐 소파 쪽으로 향했다. 절대 덤비지 않겠다는 표시로 양손을 번쩍 들었다.

벌서는 자세로 우울하게 내뱉었다.

"저는 우스페히 씨 때문에 티와 헤어지기까지 했습니다."

"진심이냐?"

"……."

"너 스스로가 더 잘 알 테지. 안스, 마지막이다. 나는 소조폴에서 도망쳐 죽을 위험을 감수하지 않겠다. 몸뚱이가 죽지 않더라도 마찬가지다. 다시는 재기할 수 없도록 추락하기보단 차라리 운에 걸겠다."

"……."

"이미 걸었으면 반대로 갈 수는 없어. 너도 상인의 규칙을 알아야 한다."

안스는 제게서 금방이라도 터져 나올 분노와 눈물을 기대했다. 아주 격정적인 이별의 감정이, 저 모퉁이를 돌아 황소처럼 달려오고 있노라 믿었다.

그러나 의외로 평온했다. 자신은 여전히 우스페히를 믿고 있었다.

그는 우리가 탄 배의 선장이다. 절대 실패하지 않는 선장. 그에게 무엇을 '해라, 마라.' 하는 것은 지도자의 판단력을 해칠 뿐이다—라고 생각했다. 이 지경에 이르러서도! 마치 오감 중 하나가 마비된 것처럼, 살아가는 데 필수적인 것, 그러니까 의심하는 능력을 잃어버린 듯했다!

제 목구멍에서는 진심이 느껴지지 않았다. 우스페히가 선언했다면, 이뤄질 것이다. 그 믿음이 거미줄처럼 온몸을 돌돌 말았다. 털이 부숭부숭한 아가리와 징그러운 십이면체 눈이 보였다. 잡아먹힐 것을 알면서도 평화롭게 덫에 걸렸다.

안스는 도저히 의심하는 능력을 되찾을 수 없었다. 때문에 불안해할 수도, 슬퍼하거나 화를 낼 수도 없었다. 우스페히가 여전히 '어른'이었기에 자신은 스무 살을 먹고도 '어린애'였다. 어른의 단단한 마음에 쾅쾅 부딪혀 떼를 쓰다가도, 어느새 주르륵 주저앉는 어린애.

아, 단단한 성벽이다. 이 단단한 성벽을 믿어야 한다.

"너는 남아 있으면 반드시 죽는다. 그러니 아침 해가 뜨기 전에 떠나라."

우스페히는 마개가 열린 독을 흔들었다. 검은 물이 툭 떨어져 그의 옷깃을 적셨다. 그러나 안스는 걱정하지 않았다. 약간의 계산 실수에도 불구하고 그는 명백히 세상을 운영하는 사람이었다. 고작해야 독약을 좀 흘린 것이 어찌 불안할 이유가 되겠는가.

안스는 고개를 숙였다. 그를 따르겠다는 표시였다.

마침내 우스페히가 한숨을 쉬었다.

"티티라에게로 갈 테냐? 그 애는 어디로 갔지?"

"카르타타로 갔습니다. 저는 안 따라갑니다. 티와 약속했으니까요."

"그러면 운하로 나가 믈른에 도달해라. 우스페히의 이름으로 물자를 조달하여 도이도흐로 가면 될 것이다."

안스는 저와 똑같이 제안하는 상주를 물끄러미 바라보았다. 우스페히는 희미하게 웃었다.

"좋은 방법이었다. 그대로 해라."

여기까지 오고서도 우스페히의 말에 따르려는 자신이 믿기지 않았다. 무기력했고, 어느 정도는 소망에 부풀었다. 그는 줏대 없는 쓰레기였다.

"안스, 내가 왜 네게 성姓을 주지 않았는지 아느냐?"

움찔했다.

우스페히의 얼굴에는 더 이상 웃음기가 없었다. 다만 그렇기에 그 본연의 얼굴이 더 선명하게 드러났다. 썰물이 빠져나간 바다처럼. 모래, 펄, 게, 조개, 고둥, 단호함, 긴장감, 떨림, 의지.

"나는 네가 교국의 삶을 원할지도 모른다고 생각했다."

안스는 물기 어린 웃음을 뱉어 냈다.

"제가요? 저는 오늘 여기서 제 출신을 처음 들었는데요!"

"나도 네 반응을 오늘 처음 봤지."

"……."

"안스, 그렇다면 이제 네게도 성이 필요하겠구나."

"……."

"마침내 홀로 결정한 삶은 귀중하니, 너 스스로 지어야겠다."

바닷물이 쓸려 나간 자리에서 나누는 대화는 몹시 간소했다. 안스는 짧은 답에 담긴 긴말을 이해하는 사람이었다.

안스는 뒤로 물러났다.

"우스페히 씨, 저는 당신을 의심하지 않고 자랐습니다. 소름 끼치지만 심지어 지금 이 순간조차 의심하지 않아요……. 단지 제가 언젠가 후회할까 두렵습니다. 그럼에도 당신을 믿고, 또다시 '혹시'를 생각하다가, 마침내 당신의 엄중한 얼굴에 움츠러들게 됩니다."

"내 아직은 네 후견인이겠지."

"정말, 정말, 쥐어짜서 딱 하나만 말씀드리자면……."

"……."

"절대 교국군에게 당하지 마십시오."

"그러마."

우스페히는 병을 흔들어 보였다. 어느새 마개가 닫힌 채였다.

안스는 포기하고도 여전히 희망찼다.

"사태가 안정되면 돌아오겠습니다."

우스페히는 손을 들었다. 흔들지는 않았다. 펄 속에서 헤매듯 잠시 느려졌다가, 영원히 멈추었다.

안스는 물이 떠난 바다를 등졌다. 문을 닫았다. 잠시 무게를 실은 채 자신의 선택을 꺼내 보았다. 오싹했다. 그러나 돌아갈 수 없었다.

안스는 우스페히 상관을 떠났다.

안스는 들어왔을 때만큼이나 쉽게 소조폴을 탈출할 수 있었다. 데를란 운하를 지키던 이가 안스를 알아보고 '우스페히 씨는 어디 계시냐.'고 물은 것이 전부였다. 상대는 거리낌 없는 태도로 창살을 열어 그를 바다로 내보내 주었다.

팔이 빠져라 노를 저었다. 구석진 곳의 쪽배라도 발각될 위험이 아예 없는 것은 아니었다. 숨어야 했다. 도망쳐야 했다. 다만 그 와중 수많은 함대를 흘끗거리게 되는 것은 불가항력이었다.

사 층 건물보다 큰 배들이 반듯이 도열해 있어 경악스러웠다. 어찌나 적연부동한지, 한순간은 어쩌면 자신이 저놈들 앞에서 자선 공연을 하고 있는 것인지도 모르겠다고 생각했다. '한심한 도망자가 어디까지 가나 보자.' 조롱하고 있을까?

그러나 의심과 달리 안스는 안전하게 다른 쪽 땅에 다다랐다. 소조폴은 돌아보지 않았다. 짧은 항해 동안 공포에 질린 것만으로도 충분했다. 그는 쪽배를 끌어당겨 모래톱에 올리고는 급히 언덕을 기어 올라갔다. 얼굴에 불그림자가 어른거렸다.

반쯤 고개를 돌리자…… 찰나, 도시는 타오르는 벽난로 속 아슬아슬하게 버티는 장작처럼 보였다. 아직 하얀 배를 드러내고 있었지만 곧 죽을 것이 분명했다.

안스는 비현실적인 광경에 눈을 꽉 감았다. 다시 네발짐승처럼 언덕을 올랐다. 마침내 보다 단단한 땅을 디디곤 달렸다. 숨이 턱 끝까지 차오르도록, 바람이 제 목구멍에 칼집을 내고, 그 찢어진 구멍으로 진물이 터질 때까지 달렸다.

부두는 여전히 등 뒤에 있었다. 느껴졌다.

한순간 돌아보았다. 소조폴이 시야에 들어왔다.

도시는 차가워 보일 정도로 평온했다. 불타는 곳은 배와 부두뿐. 유령선처럼 무너지는 배, 들끓는 나무 부두, 기름에 붙어 둥둥 떠다니는 불. 마치 누군가 특별한 지옥과 고요한 밤을 나누어 보여 주는 듯했다.

사람이 죽는 소리는 들리지 않았지만, 분명 제 어린 시절을 보낸 도시의 머리가 잘리고 있었다.

쾅!

안스는 꿈쩍도 하지 않았다.

이 광경을 눈에 담을 것이다. 복수보다는 자신을 위해서였다. 그는 생각지도 못한 적에게 모든 것을 잃을 수 있음을 기억해야 했다. 눈 깜짝할 새 몰락하는 감각을 채워 두어야 했다. 이것은 분명 제 인생에서 짧은 토막에 불과할 테니, 흔치 않은 경험을 품어 내

일의 양식으로 삼을 작정이었다.

그는 우스페히 씨를 다시 만날 것이다.

아니. 안스는 눈을 꽉 감았다 떴다. 조심스레 한마디를 덧붙였다.

그는 티가 돌아올 상단을, 잃어버린 터전을 복구할 것이다. 무슨 수를 써서라도, 사람을 죽이고 계약을 어기고 사기를 쳐서라도 제 영화로웠던 십 년을 움켜쥘 것이다.

안스는 잠시 뒤 다시 몸을 돌렸다.

아침 일찍 믈른에 다다랐다. 우스페히라는 이름과 함께 그의 꼴을 본 마을 사람들은 앞다투어 편의를 살펴 주었다. 반나절의 휴식 후, 말을 얻어 떠났다.

그렇게 누구에게서도 소식을 듣지 못한 채 이십 일이 지났다.

안스는 도이도흐에 도착했다.

곧장 말을 반납하곤 우스페히 외관外官으로 갔다. 도이도흐에 뻔질나게 드나든 덕분에 외관까지는 눈을 감고도 걸어갈 수 있었다. 일하는 사람들과도 대부분 인사하는 사이일 정도로 친숙했다. 그는—

우스페히 외관이 단단히 잠겨 있었다. 인기척이 느껴지지 않았다. 안스는 불길한 기분으로 주변을 수소문했다. 그러나 처음 사정을 물어본 행인의 얼어붙은 표정만으로도 심장이 덜컥 내려앉았다. 그는 억지로 상대의 대답을 틀어막곤 곧장 시청으로 도망쳤다.

시청 직원은 안스가 정체를 밝히자 의자가 쓰러질 정도로 거칠게 일어섰다.

'우스페히 상단의 상비. 소조폴이 함락당하기 전에 떠나 육로로 급하게 온 나머지, 소식을 모른다.'

직원은 안절부절못하더니 시장님을 모시겠다며 복도로 달려 나갔다.

안스는 아찔한 기분이 되어 고개를 숙였다. 그는 한 번도 도이도흐의 시장을 본 적이 없었다. 자신이 상비든 아니든, 그럴 위치가 아니었다.

그는 일부러 아무 생각도 하지 않았다. 행인에게 그러했듯 꽉 틀어막았다.

“안녕하십니까?”

안스는 저도 모르게 한 발자국 물러나 늙은 시장을 경계했다. 그녀는 안경 아래서 엄격한 표정을 짓고 있었다. 절대, 어떤 것에도 흔들리지 않기로 맹세한 사람 같았다.

“도이도흐 시장, 모젬 아날리스입니다. 비보를 전하게 되어 안타깝습니다. 교국의 소조폴 점령으로 터르노보 우스페히는 사망했습니다. 우스페히 상단 휘하 조장들, 상단 관련 인원도 전원 사망했습니다.”

귓속에 물이 가득 찼다.

“우스페히 상이 소조폴 권내 자산을 복구할 수 없다는 도이도흐 상인회의 빠른 결단에 따라, 신용 대금 미결제 건으로 도이도흐 내 우스페히 자산은 몰수되었습니다. 이에 우스페히 외관과 예술품들은 경매에 부쳐졌으며 경매일은 내일 오후입니다.”

“소조폴은…….”

“소조폴은 동쪽에서 온 이방인들에게 함락되었습니다. 그들은 소조폴의 모든 보호 귀족, 상관을 보유한 상주, 상단 관계자들을 처형했습니다. 소조폴에 남아 있는 이 중 칼날을 피한 이는 없습니다. 다시 한번 애도의 말씀을 드립니다."

안스는 한 걸음 더 뒤로 물러섰다.

고막 아래로 물이 들어와, 목선을 따라 꾸역꾸역 불쾌하게 떨어졌다. 서늘한 감각이 들면서도 역겨웠다. 구정물이었다.

"당신이 받을 충격을 감안하여 내가 직접 소식을 전했습니다. 또한 여태껏 우스페히가 도이도흐에 기여한 부분을 고려해, 원하는 시점까지 시청에서 잠자리를 제공할 예정이며, 도이도흐에서 출항하는 배에선 삯을 받지 않겠습니다."

시장은 고갯짓만으로 직원에게 명령했다.

"편히 지내요."

결단코 위로하지 않겠다는 태도였다. 그녀는 단호히 몸을 돌려 사라졌다.

안스는 잠시 서 있었다.

"저⋯⋯ 도와 드릴까요? 필요하시면 객방을 드리겠습니다."

그는 직원을 돌아보았다. 여자는 제 얼굴을 보더니 움찔하여 몸을 젖혔다. 상대가 왜 저런 반응을 보이는지 이해할 수 없었다. 그러나 어떤 말을 건넬 생각조차 들지 않았다.

그는 차분히 다시 앞으로 향했다.

걸어갔다.

시청 바깥으로 나왔다.

안스는 멍하니 광장을 바라보았다. 사람들이 바삐 오가고 있었다. 터벅터벅 내려가 시청 앞 계단에 주저앉았다.

겨울로 접어드는 날씨였으나, 남부였다. 소조폴에서 배로 일주일 거리의⋯⋯ 따듯한 남부.

심장이 쿵쿵 뛰었다. 찰나, 눈앞이 어두워졌다. 혹은 아주 밝아졌다. 살아 있는 것도, 죽어 있는 것도, 그 어떤 것도 없었다.

공포에 식은땀이 쭉 흐르자⋯⋯ 이내 시야 속에서 배경만 볼록하게 튀어나왔다. 곧이어 건물이 불쑥 튀어나와 자리를 틀었다. 개미처럼, 벌처럼 사람들이 우수수 쏟아져 나왔다. 제 세계가 완전히 무너졌다가, 마침내 다시 솟아올랐다.

새로운 세상에 소조폴은 없었다.

안스는 예상외로 충격을 받았으나, 또 예상외로 침착하기도 했다. 설마 그런 일이 벌어지지는 않으리라 믿었지만 결국 벌어졌기에 경악했으며, 자신이 미쳐 버릴 거라고 생각했지만 그 정도는 아니었기에 입맛이 썼다.

우스페히 씨가 돌아가셨다고? 블리조 씨가? 투크 바하 씨와 마린카 씨가?

현실감이 없었다.

한참 뒤, 안스는 일어섰다.

걸어갔다. 항구로 향할 예정이었다.

일단 뱃일을 해야겠다. 이제 그에게는 돈이 몇 푼 없었다. 그럼에도 시청에서 거지에게 베푸는 적선을 받기에는 자존심이 상했다. 또한 스스로를 고독하게 남겨 두면 생각에 익사해 버릴 것이 분명했다. 차라리 복잡한 고민을 못 하도록 여러 사람과 부대끼는 일이라도 받아야 했다.

그러다 덜컥 걸음을 멈추었다.

티는 소식을 들었을까? 충격이 컸을까?

내가, 그 애에게 필요하지는 않을까?

누군가 단호하게 답했다.

입 닥쳐.

안스는 고개를 숙였다. 터벅터벅, 제 몸뚱이가 무거운 수레라도 된 양 의욕 없이 걸어갔다.

하지만 티도 조금은 울 거다. 그 애는 울고, 그 뒤 절대로 후회하지 않을 거다. 난 눈물은 나지 않는데 자꾸만 머리가 아파 온다. 누군가 살을 파내 아교를 바른 것처럼 고통스럽다. 살을 파냈기에 응당 터져야 하는 피가 끈적한 풀에 막혔다. 이 모든 게 어디로 쏟아지고 있는 건지 잘 모르겠다. 눈물은 안 난다. 그런데 추잡스럽게도 무언가를 흘리고 있었다. 깔끔하게 굴지를 못하고, 덜떨어진 등신처럼…….

손이 떨렸다.

안스는 자신이 얼마나 오래 걸었는지 알지 못했다. 고개를 들자 부두가 앞에 있었다.

선원 조합으로 가 명패를 보여 주었다. 턱수염이 덥수룩한 남자가 그를 한 번 훑어보더니 말했다.

"마주두 제일섬으로 가는 배가 하나 있는데, 생각 있소?"

"소속도 함께 말씀해 주십시오."

"이즈번 산하의 서비티야호."

"급료는요?"

"이 년 경력이니, 하루에 일 은銀."

"부두는?"

그는 서류와 함께 '6번 부두, 검은 문양 돛.'이라는 말을 건넸다. 안스는 선원에게 인사했다. 그리고 그가 가리킨 방향으로 무감각하게 걸어갔다.

짠바람이 옷자락을 말아 올렸다. 육로로 오는 바람에 십수일 간 제대로 맡지 못한 바다 냄새가 풍겼다. 기억을 건드리는 향에 머리가 화끈거렸다. 아니, 기억이 아니지. 그의 삶 전부였다. 그는 홍수에 떠밀려 가다 겨우 제 인생의 밑동을 껴안은 사람이었다. 버텨야 했다. 버틸 수 있었다.

그는 자신이 무슨 말을 하는지도 모른 채 서비티야호의 모집원을 불렀다. 상대는 앵무새처럼 잽싸게 미끄러져 내려와 몇 가지 신상에 대한 질문을 했다. 안스는 평범한 노역 선원인 척했다.

모집원은 엄지로 배를 가리켰다. 돛에 검은 해마가 그려져 있는 작은 범선이었다. 마주두 섬으로 가야 하니 어쩔 수 없이 범선을 택한 모양인데, 범선 경험이 짧아 내심 마음에 걸렸다. 그러나 내색하지 않고 배에 올라 선원실에서 노름 중인 갑판장에게 인사를 했다.

안스는 아주 빠르게 자신의 자리를 찾았다. 그물 침대에 얼마 안 되는 짐을 풀고 누웠다. 주위가 왁자지껄한 가운데 잠을 청하려 했다. 다행히 선원들의 잡다한 이야기에 고민을 내던질 수 있었다. 누군가의 이름이 잠시 떠올랐으나, 피곤에 지쳐 그대로 눈을 감았다.

안스는 양손으로 눈가를 짚었다. 스스로가 낱알을 가득 채운 인형 같았다. 마구 흔들자 온몸에서 눈가로 열기가 쏟아졌다. 쇄아아.

그는 한참 동안이나 얼굴을 가린 채 누워 있었다.

안스는 바쁘게 며칠을 보냈다.

출항하자마자 범선 경력이 짧다는 사실이 들통났지만 아무도 초보 선원을 나무라지 않았다. 그들이 너그러워서라기보단, 그것을 신경 쓸 만큼 항해가 녹록하지 않기 때문이다. 다행히 그는 소란 속에서 일을 빨리 익혔고, 일주일 뒤에는 모든 선원들과 노름을 할 만한 사이가 되었다.

다만 안스는 스스로를 점점 더 혐오하게 되었다. 제 몸에 묻은 오물이 말라붙어 코를 마비시킬 때까지 밑바닥으로 추락했다. 무감각해졌다.

일당은 노름에 다 팔아먹었다. 쥐가 파먹어 폐지 같은 빵을 끼니마다 해치웠다. 텁텁하고 신맛이 났다. 귀한 물 대신 싸구려 증류주를 쏟아부었다.

마주두에 다다를 때까지 절반은 술독에, 절반은 빗속에 빠져 살았다. 입에 욕과 비웃음을 달지 않은 날이 없었다. 가장 거친 파도가 몰려왔을 때에도 반쯤은 술에 취해 있었다.

다들 젊은이라며 그의 체력을 칭찬했다. 그러나 그는 일부러 자신의 싱싱한 껍질을 깎아 대는 중이었다. 더 쇠약하게 망가뜨리고 싶었다. 순식간에 나이를 앞당겨 관에 눕고 싶었다. 한 번은 어두운 바다 위로 몸을 기울여 보기도 했다. 그가 떨어지지 않은 것은 순전히 티 때문이었다.

티.

그 애의 이름만이 진흙에 묻힌 유리처럼 빛났다. 찬란하게 빛나는 것이 아니라, 안에 있는 존재를 알릴 정도로, 딱 그만큼 빛났다. 티티라가 아니었다면 안스는 자신이 살아 있는지도 잘 몰랐을 것이다.

친구가 아직 카르타타에 있다면, 이 쾌속선으로 단 한 달이면…….

불가능했다. 이제 시노드 신넬의 어떤 배도 소조폴을 넘지 못했다.

마주두 제일섬에 도착해서야 이야기를 들었다. 소조폴에 가까이 가면 죽은 목숨이라고. 아무리 멀리 항구를 돌아간들, 교국의 어마어마한 범선이 있으므로 촘촘한 감시망 아래 신속히 생포된다고. 벌써 소식이 끊긴 배들만 십수 척이 넘어간다고 했다.

안스는 진지하게 생각하지 않았다. 서비티야호에서 만난 선원이 괜찮은 건을 찾았다며 새로운 배로 끌고 갈 때까지도 그러했다. 그는 듣는 둥 마는 둥 모집원 앞에 서 있다가, 한순간 자세를 바로 했다.

“마주두 남쪽으로 간다고요?”

“그래. 산호를 좀 캐려고. 도이도흐도, 소조폴도 요새는 순찰 나올 여력이 없거든.”

함께 온 선원이 끼어들었다.

“소조폴은 순찰 나올 ‘사람’이 없습니다.”

“슬픈 일이지.”

“아직 도이도흐는 안전하니…… 그러니 마주두 섬도 안전한 거죠. 그런데 섬 남부는 잘 모르겠습니다. 교국 놈들이 거기까지 올 확률이 아예 없지는 않을 텐데요.”

“다들 그렇게 생각해서 수익률이 네 배야. 너희 봉급은 열 배다.”

“아, 좋습니다.”

선원은 함박웃음과 함께 악수했다. 애초부터 조금도 불안하지 않았지만 급여를 올리기 위해 걱정스러운 척한 모양이었다.

안스는 얼굴을 찌푸렸지만, 사실 이 배가 위험을 감수하든 말든 관심이 없었다. 다시 한번 코가 삐뚤어지도록 마실 생각뿐이었다. 이번에는 술 취한 채로 잠수까지 할 테니 정신을 날려 먹기에는 더 좋겠다는 생각도 들었다.

안스는 배에 탔다.

배가 뜨던 날, 그는 조금 후회했다. 티의 초상화를 받아 둘걸 그랬어.

그는 다시 한번 기절할 때까지 술을 마시고 몸을 움직였다. 눈을 떴을 때 갑판 위인 경우가 훨씬 더 많았다.

선원들은 지나다니며 쓰레기 같은 청년을 향해 덕담을 해 주었다. 나도 저랬었지. 저 꼴도 얼마 못 가. 뭍에 붙어 있을 필요는 없지만, 결혼은 해야지. 내 아들 또래인데 그놈도 비슷하게 있을 깜냥이라 골치가 아프군.

그들은 그가 산호 밭에 잠수할 때도 똑같은 이야기를 했다. 다 같이 바다에 첨벙첨벙 뛰어들면서, 술 마시고 잠수하는 녀석 명줄이 긴 걸 못 봤다며 엄중히 야단쳤다.

안스는 그들이 그러거나 말거나 누구보다 많이 산호를 따 왔다. 불필요하게 추가금을 받을 정도로. 몇몇 사람들은 그가 기록지에 수를 쓸 때 훔쳐보곤 그 액수보다 필기체에 놀라 수다를 떨었다. 글을 제대로 배웠나 본데? 똑똑한 녀석이군. 그러니 술 좀 그만 마시고 우리 노름 회계나 봐주면 어떻겠나?

물론 노름 회계 외에도— 마침내 선장이 눈독을 들였다. 똑똑한 삼 년 차 선원이 있다는 소식에 선장은 냉큼 불러 계산을 시켰다. 항해사 옆에서는 해도海圖를 보며 항로를 계산해야 했고, 부선장 옆에선 수익 계산을 해야 했다. 술에 취한 상태였지만 아주 쉬웠다. 머리가 좀 더 번잡해져서 자신으로서도 이득이었다.

그는 도이도흐를 떠난 뒤로, 유리 감옥에 갇힌 사람처럼 석 달을 보냈다. 그간 많은 사람들을 만났으나 이름을 기억하는 이는 아무도 없었다. 심지어 지금 탄 배의 명칭조차 몰랐다. 그는 단지 스쳐 지나가거나, 녹아 사라지고 싶었다.

그러던 어느 날, 안스는 귀청이 찢어질 듯한 소리에 깨어났다. 비척비척 갑판으로 기어 나가는데, 올라가는 순간 목에 칼이 들이밀어졌다.

안스는 어리둥절한 채로 올려다보았다. 내가 너무 강렬하게 소원을 빈 덕분에 누군가 들어주는 건가?

"베오메네스, 저쪽으로 보내라."

처음 듣는 억양이었다. 안스는 조심조심 두리번거리다, 그와 똑같은 표정으로 묶인 선원들을 발견했다. 그 역시 그들 사이로 내동댕이쳐졌다. 늦게 올라온 놈들은 묶기도 귀찮은 듯 긴 총칼로만 쿡쿡 찔렸다.

안스는 도저히 상황 파악이 되지 않았다. 술 때문에 헛것을 보는가 했지만, 선장이 얻어맞은 채로 끌려 나오자 빠르게 현실 감각을 되찾았다. 배가 한밤중에 공격당한 모양이었다. 공격자들은, 아마도 외지인들이고, 아마도…….

안스는 그들의 검은 정복을 노려보았다. 높낮이가 이상한 말투를, 깨끗한 턱과 밝은색 눈을 찾아냈다.

"교국?"

입속에서 읊조리자 제 옆에 있던 선원이 거칠게 어깨를 쳤다. 닥쳐.

"화물 목록."

선장은 목에 칼이 닿자 제정신이 아닌 것처럼 보였다. 그는 갑자기 마구 악을 썼다.

"안스! 나와서 보여 드려라!"

안스는 기가 막혀 주변을 둘러보았다. 선원들이 시선을 피했다. 저 명령에 부선장도 아니고 나를 부른다고? 아무래도 선장은 죽어도 상관없는 순으로 고른 것 같았다. 총칼을 지닌 자에게 들려 보내도 죄책감이 들지 않기 위해서.

외톨이로 남은 그는 양손을 든 채 자리에서 일어섰다.

"선장실에 있습니다."

"베오메네스, 따라가 감시해."

안스는 등 뒤를 위협당하며 상갑판 아래로 걸어 들어갔다. 뾰족한 날이 민감한 등에 닿았다가 떨어지길 반복했다. 그는 걸음을 재촉했다. 지금까지 꾸준히 삶에 의욕이 없었지만, 그럼에도 생각보다 죽기는 싫은 모양이었다. 선장실로 들어가 잽싸게도 자신이 관리하던 화물 목록 및 장부를 꺼내 건넸다.

또다시 날에 찔려 가며 갑판으로 나왔을 때, 안스는 이유도 모르고 총신으로 얻어맞았다. 잔뜩 찌푸린 채 네 발로 엎드렸다. 저놈들이 대체 뭘 원하는지 모르니 때리면 때리는 대로 아픈 척하는 게 최선이었다.

엎드린 제 위로 칼날이 지그시 눌렀다. 안스는 양손을 바닥에 둔 채, '설마 찌르지는 않겠지.'와 '도망가야 하나.' 사이에서 오락가락했다. 하지만 내가 반격해 봤자 적이 몇 명이나 있는지도 모르는 상황에…….

"역겹군."

내가 뭘?

"왜? 거기 문제 있나?"

"아닙니다. 장부까지 함께 받아 왔습니다."

칼날이 무신경하게 제 등을 긁었다. 살갗이 벗겨지며 한순간 선뜻했다. 안스는 상처를 확인하기 위해 이미 우수수 올이 나간 옷자락을 옆으로 뜯어냈다. 더듬거리는 손 아래 뜨끈한 피가 느껴졌지만, 소란을 떨 정도는 아니었다. 긁혔을 뿐이다.

안스는 곧장 일어서 뒤로—

"너, 멈춰 봐."

안스는 긴장했다. 해 달라는 걸 다 해 줬는데 대체 뭐가 문제야?

다음 순간 얼굴에서 핏기가 빠졌다. 완전히 잊고 있었다. 우스페히 씨가 간곡히 말씀하셨던 내용임에도, 그를 잊겠다는 명목으로 모조리 지워 버린 아주 중요한 사실. 욕설이 튀어나왔다.

"너는 교국인이다. 널 처음 봤을 때부터 지금까지 있는 문신."

설마?

머뭇거리는 사이, 뒤에서 누군가가 다가왔다. 제 옷자락을 잡았다. '북' 소리와 함께 찢었다.

안스는 뒤를 돌아보려 했으나 한순간 힘에 막혔다. 안스는 분노에 울컥했다. 그러나 상대의 품에 있는 수많은 단검들을 보자면 반항은 정말 미친 짓이었다.

침묵 속에서 지옥을 열두 번도 더 다녀왔다. 애초에 들킨 것부터가 글러 먹은 것이다. 그 실수를 만회할 방법이 떠오르지 않았다. 이마 끝이 화끈했다가, 순식간에 차가워졌다.

"'안스카리우스'?"

제 이름이 이토록 낯설게 들리는 순간이 있을까.

안스는 잡아떼려 했다.

"등에 있는 건 마주두 노예 문신입니다. 지금은 해방되었습니다."

"베오메네스, 이놈 묶어 봐."

"네."

다음 순간, 그는 짐 덩어리처럼 끌려 뱃전에 내동댕이쳐졌다. 아주 무지막지했다. 곧장 손목이 부서질 듯 밧줄에 조여들자 몸을 버둥댔다. 한 번, 두 번, 세 번. 재갈을 물리지 않는 게 다행일 정도로 짐승 취급이었다.

"나머지는 어떻게 하시겠습니까?"

"확인하고."

안스는 가까스로 몸을 돌려 선장과 선원들이 모여 있는 자리를 바라보았다.

"혹시 등에 문신 있는 사람이 여기 더 있나?"

"……."

선원들은 저 말을, '한때 노예였던 이가 있느냐.'는 뜻으로 이해했을 것이다. 하지만 어떤 시노드 신넬인도 노예였던 과거를 밝히지 않는다. 그러니 실제로 문신이 있더라도 절대 공개적으로 나서지 않을 터였다.

안스는 확신하여 초조해졌다. 본능적으로 결말을 알고 있었다. 그 혼자였다면 멍청해서 몰랐을 테지만, 우스페히 씨가…….

"없는 것 같군."

"……."

"데려가."

안스는 또다시 목줄 매인 개처럼 끌려 일어섰다.

“네가 직접 걸어라.”

생각은 나중이었다.

그는 사다리로 내려갔다. 최대한 조심하여 바다로 떨어지는 바보 같은 꼴을 보이지 않으려 했다.

더 이상 갑판이 보이지 않는 순간, 십수 번의 총소리가 들렸다.

안스는 사다리 위에서 멈칫했다.

고함 소리와 낮은 아우성이 섞였다. 폭력을 쓰는 소리, 켁켁거리는 기침, 칼이 살에 박히는 소리, 돌고래 같은 비명, 욕설, 마침내 다시 울리는 여러 발의 총성.

그리고 무시무시한 침묵.

안스는 표정이 굳은 채 작은 배로 내려왔다. 배에는 이미 두 사람이 더 있었으며, 그들은 ‘베오메네스’라고 불린 이가 고개를 끄덕이자 노를 젓기 시작했다.

파도를 스쳐 지나갔다. 얕은 만 사이의 산호 지대는 한 치 앞도 볼 수 없을 정도로 짙은 안개에 뒤덮여 있었다. 입가에 기분 나쁜 물기가 달라붙었다.

그는 배 위에서 일어난 일을 상상하지 않기로 했다. 그러자 갑작스레 현실감이 들었다.

‘내가 무슨 정신으로 마주두 섬 남부까지 기어들어 온 거지?’

소조폴과 가깝지는 않았지만, 어쨌든 고향에서 산호 산출량 관리를 명목으로 정기적으로 순찰을 나오던 지역이었다. 만일 교국이 소조폴의 귀족청을 점령했다면 한 번쯤 확인을 해 볼 법한 장소인 것이다.

아니, 아니지. 누군가 제 속에서 필사적으로 방어했다. 지리적으로, 마주두가 함락되기 전 도이도흐, 이즈버르가 먼저 함락되었어야 옳다. 갓 시노드 신넬에 입성한 교국이 해적과 따개비밖에 없는 섬에 관심을 가질 리 없었다.

안스는 오히려 자신이 가장 안전한 곳에 걸어 들어왔다고 믿었다. 겨우 목숨을 건지고도 정신이 나가선 입 벌린 죽음에 입성했다고 자백하기는 힘들었다.

물론 스스로를 설득하지 못했다. 몸이 떨렸다. 그는 우스페히 씨가 자신을 보낸 이유를 깡그리 무시한 셈이었다.

이 돌대가리 새끼. 허둥지둥 돌아다니다 어디에 머리를 처박는지도 몰랐다. 넋이 빠져 있었다는 것은 변명이 되지 않는다. 너는 정신이 아니라 팔뚝 위에 '교국에서 도망쳐야 한다.'고 새겼어야 했다. 우스페히 씨가 너를 왜 내보냈는지 안다면…….

그는 숨을 가쁘게 쉬었다.

갑자기 어두운 밤에 홀로 남아 있던 우스페히 씨가 떠올랐다.

생각을 단단하게 봉쇄했던 지난 넉 달을 넘어 오랜 후견인의 모습이 떠올랐다. 자신을 줍고, 기르고, 방임하고, 가르치고, 마침내 보내 주었던 현명한 스승.

안스는 지금까지 '후회'라는 단어에 대해 잘 몰랐다. 대부분의 경우 그는 문제없이 모든 것을 잘 해냈으므로. 그렇기에 더욱 깜깜한 구덩이로 굴러떨어졌다.

숨이 막혔다. 제가 가지 않았던 수많은 길에 몸 조각조각을 두고 왔다. 그렇게 찢어졌다. 육신을 꿰매기는커녕 손마디 한 짝만 남아서 정처 없이 쪽배를 더듬고 다녔다. 안전하게 북부로 떠난 자신의 동공과 도이도흐 시청 객방에 머무르고 있는 힘줄, 내륙 도시에 숨어 있는 연골과 라주마 산맥 오두막의 뒤꿈치 뼈. 그의 모든 것이 먼 곳에서 고통스럽게 후회하고 있었다. 그러길 바랐던 뒤늦은 희망이, 멍청한 스스로에게 애원하며 우두둑 끊어지는 자괴감이.

안스는 묶인 양손으로 판자를 짚었다. 여기서 멈출 수는 없었다. 적어도 제 다리는 풀려 있었다. 총과 칼을 든 세 사람이 눈앞에 있어도, 그는 무언가를 해야 했다. 개죽음이라는 생각이 문득 떠올랐지만 충동적으로 마주두를 떠났을 때처럼 스스로를 말릴 수가 없었다.

허벅지에 힘을 주는 순간, 앞에 앉은 사람이 말했다.

"그만. 도착했다."

멈칫했다. 배에서 떠난 지 채 몇 분도 안 된 시점이었다.

머지않아 안개를 뚫고 어마어마한 높이의 보우 스피릿[11]이 나타났다. 더 이상 밤도, 안갯속도 아니었다. 갑판 위에 수백 개의 불이 켜져 있는 듯 주변이 환해졌다. 그 위로 속속들이 사람들이 나타났다.

"산양."

누군가 위에서 소리를 높였다.

"그늘 아래 영원까지 보존하시리다."

마침내 뱃전을 쾅쾅 두드리는 소리가 들렸다.

"누구지? 왜 먼저 돌아왔나."

"베오메네스입니다. 탈란타우에 각하께서 명하신 포로가 있습니다. 마땅한 곳이 없으니 창고에 가둬 두겠습니다."

"올라와 이야기하는 편이 낫겠군."

---

11) 돛대를 고정시키기 위해 길게 튀어나온 배의 앞머리 장대.

"예."

안스는 군인에게 팔뚝을 잡혀 일어섰다. 뿌리치고 싶었으나 이미 노잡이들이 칼잡이로 변한 뒤였다.

그는 빳빳하게 긴장하여 그들이 찌르는 대로 움직였다. 눈앞에 거대한 사다리가 나타났다. 안스는 비틀거리며 단을 잡았다. 헛디딘 척 물로 빠질까? 어림도 없는 소리였다. 아무리 자신이 수영을 잘한다 한들, 이 망망대해에서는 말 그대로 자살 행위였다.

"뭣하고 있어? 어서 올라가."

그는 입술을 꽉 깨물며 단에 올랐다. 천천히, 하나하나 올랐다. 밤의 항해처럼 사다리는 끝이 없었다. 용골이 지독히도 높았다. 안스는 어떤 단이 마지막인지도 알 수가 없었다. 빛이 점점 더 강해진다는 사실만이 날카롭게 그를 찔러 왔다.

문득 목소리가 들려왔다.

"교국이 옛 동포를 포용한다면 너는 꼼짝없이 교국인이 되어야 하고, 적대한다면 그 자리에서 죽는다."

안스는 뱃전을 넘었다.

밝은 갑판 위에서 수많은 사람들이 바삐 움직이고 있었다. 모두 검은 정복을 입고, 수염을 말끔히 정돈한 채였다. 그리고 머리칼, 눈…….

그는 갑작스레 혼란스러워졌다. 제게 익숙한 광경이 아니었다. 늑대는 개 사이에 풀어 키우면 똑같이 개가 된다. 안스는 모두가 짙은 인상이었던 소조폴에서 그들의 외양에 익숙해졌던 터였다.

자주 스스로가 어떻게 생겼는지 잊었고, 가끔 초면인 사람들이 북쪽에서 왔느냐고 물을 때에야 문득 떠올릴 정도였다.

그런데 이 자리의 무채색 인간들은 자신과 비슷했다. 하나같이 밤중에도 도드라질 정도로 밝은 눈, 흐린 머리 색을 지니고 있었다.

"아, 베오메네스 백인대장."

"신은 거룩하시나이다. 돌아왔습니다. 페곤니스 내내상께선 배를 소각한 후 돌아오실 예정입니다."

"알겠네. 이자에 대해서는 이미 각하께 보고를 올렸네."

한꺼번에 너무 많은 생각이 머릿속에서 맴돌았다. 순간적으로 자신과 비슷한 생김새의 사람들을 보아 안도했던 감정, 팽팽히 당겨진 실처럼 저를 둘러싼 불안감, 적들이 언급한 '특별 명령'을 향한 의심. 모든 것이 한 줄로 꼬여 들어갔다. 도무지 손쓸 수 없을 정도로 얽혔다.

"창고에 둘까요?"

"잠시, 병사가 돌아올 게야. 아니, 뭘 저렇게 방정맞게 뛰어와?"

앞에 선 상관이 고개를 돌리곤 인상을 찌푸렸다.

"신은, 헉, 거룩하시나이다. 각하께서, 당장, 데려오라, 십니다."

"제대로 말하는 법을 못 배웠군."

"죄, 죄송합니다."

안스는 그들의 독특한 억양을 알아듣기 위해 온 신경을 집중해야 했다. 사람이 많아지고 말이 빨라지니 긴장을 놓칠 수 없었다.

"베오메네스, 네가 데려가라."

"예."

그는 벌써 세 번째 같은 인간에게 끌려가고 있었다. 반항하지도 못한 채 다시 한번 칼에 쿡쿡 찔렸다.

안스는 불평했다.

"방향을 모르는데."

베오메네스와 상관이 동시에 눈살을 찌푸렸다. 무엇이 그렇게 듣기 싫은지 모르겠다. 안스는 불쾌한 얼굴로 그들을 노려보았다. 상관의 눈 아래가 순간적으로 꿈틀거렸다.

"올가미를 들고 와라."

안스는 멀뚱멀뚱 기다리고 있다가, 누군가 구리 고리가 달린 긴 장대를 가져오자 흠칫 놀랐다. 한 번도 본 적 없는 기구였지만 저것으로 무엇을 할지는 분명했다.

베오메네스가 지루하다는 듯 고리 쪽을 들고 제게 턱짓했다. 알아서 대라는 뜻이었다. 안스는 뻣뻣하게 서 있었다. 그러자 상대는 한숨을 쉬며 그의 머리채를 잡아당겼다. 반항했으나 등을 걷어차였고, 자신이 몸을 숙이는 동시에 고리를 끼우는 동작, 콱 조이는 힘이 한순간에 이어졌다. 안스는 컥컥거리며 고개를 숙였다.

"곧장 보고드리겠습니다."

"알겠네."

베오메네스는 막대를 잡아당겼다. 안스는 얼굴에 피가 쏠리는 것을 느끼곤 더듬더듬 걸어갔다.

이 미친놈들은 애초에 시노드 신넬인들과 대화를 나눌 의지 자체가 없었다. 배에 있던 선원들은 모두 죽이고, 어떤 필요에 의해 끌고 온 자신마저 짐승처럼 무시했다. 또 질문에 답하긴커녕 한 대 갈기고 목을 조르는 것이다.

불행 중 다행이라면 베오메네스는 그다지 고문에 취향이 없는지 얼추 보폭을 맞출 수 있도록 걷고 있다는 것이었다. 안스는 급하게 그를 쫓아 천장 아래로 들어왔다. 실내를 보자 이 배가 얼마나 큰지 실감이 되어 잠시 멈칫했다. 그리고 목이 졸렸고, 켁켁거리며 쓰러졌다.

베오메네스가 가까이 와 멱살을 잡아 일으켜 세웠다.

"반항하지 않고 따라온다면 올가미는 풀어 주겠다."

안스는 의외의 말에 눈썹을 치켜올렸다. 선택의 여지가 없었기에 고개를 끄덕였다.

군인은 제 목에서 올가미를 빼서 아무렇게나 바닥에 던졌다. 그는 '별 이리의 거시기 같은 일을 다 시킨다.'고 낮게 읊조렸다. 안스는 기가 막혀 그를 바라보았다. 물론 베오메네스는 턱짓만으로 다시 그를 재촉할 뿐이었다.

그들은 조금 더 걸어 선장실 문 앞에 다다랐다. 어마어마한 크기의 흑감 나무를 통으로 떼어 조각한 듯 화려한 문 장식이 보였다. 아무리 문화가 달라도 값비싼 물건들 간에는 비슷한 정취가 풍기기 마련이다. 이 안에 있는 사람이 누군지는 모르지만, 아마 저 정도 황금을 부릴 만한 인간일 것이다.

안스는 기가 질렸다. 우스페히 상관을 평생 본 사람으로서 정말 흔치 않은 일이었다.

"각하, 호라 대대장께 명하셨던 인물입니다."

"들어와라."

베오메네스는 문을 열기 전부터 머리를 숙였다.

안스는 고개를 빳빳이 든 채, 귀한 방에 들어 있는 인간을 확인했다.

아니, 인간이 보이지 않았다. 그보단 배경이 눈에 들어왔다. 놀라움은 본능이라 이길 수 없었다. 전면이 모두 트여, 촘촘히 엮인 살 사이로 완벽하게 조립된 유리 창문이 보였다. 한밤중의 빛은 이곳저곳 놓인 등잔 속에서 강하게 불타올랐다. 모든 것이 안정적이고 따뜻하여 마치 땅 위에 있는 건물 같았다.

안스는 정신을 차리고 책상 너머에 선 사람을 바라보았다.

그는 젊은 듯 늙은 듯 가늠할 수 없는 나이의 남성이었다. 의외로 부드러운 인상이었으나, 입술이 조금 얇았다. 저것은 아마 가장 친절할 때조차 사람을 불안하게 만드는 야비한 입매가 될 듯했다.

안스는 그에게 전혀 호의를 느끼지 못했다. 자신이 '포로'여서가 아니라, 근본적으로 좋은 느낌이 아니었다.

"벗겨 봐."

안스가 흠칫 놀라는 사이, 등 뒤로 손이 올라왔다. 이미 반쯤 찢어져 있던 옷자락을 대중없이 '북' 가르는 소리가 들렸다.

"돌려."

안스는 베오메네스가 미는 대로 돌았다. 그와 잠시 눈이 마주쳤으나, 그 눈 속에는 언짢음, 경계, 의혹이 가득했다. 제 문신이 마주두 노예의 증거가 아니라면, 최선의 경우여 봤자 단순히 교국인이라는 표식일 텐데, 아까부터 왜 저런 표정인지 알 수 없었다.

뒤에서 '각하'가 걸어오는 소리가 들렸다. 어깨에 힘이 들어갔다.

"앉힐까요?"

"됐어. 나가 봐."

"예."

그는 복종했다.

넋 놓고 닫히는 문을 바라보는 사이, 제 등 위로 손가락이 얹혔다. 누르는 힘이 느껴졌다. 한 곳을 짚은 뒤, 곧장 범위를 늘려 가며 이곳저곳을 만졌다.

안스는 자신이 웬 변태 새끼에게 잡혀 온 것인가 의심했다. 그렇다면 차라리 죽는 게 나을 텐데, 그딴 식으로 자살의 이유를 만들기도 싫었다.

안스의 팔에 힘이 들어갔다가, 풀렸다가, 다시 꽉 들어갔다.

"아서라."

"……."

"몇 살이지?"

"스무 살…… 아니, 해를 넘었으니 스물하나……."

"고향은?"

"소조폴."

"부모는?"

"몰라."

안스는 퉁명스럽게 굴면서도, 저 불쾌한 인간이 왜 제 말투를 지적하지 않는지 의아해졌다. 나이를 말할 때 한 대 맞을 거라고 생각했는데.

갑자기 그가 무지막지한 힘으로 자신을 돌려세웠다.

코앞에 그자가 있었다. 본능적으로 뒤로 물러나려 했으나, 상대가 양어깨를 꽉 잡았다.

"교국인이군."

안스는 인상을 찌푸렸다. 아무 표정을 보이지 않으려면 그것이 최선이었다.

사실 저가 어떤 얼굴일지 짐작이 안 갔다. 죽은 후견인에게 처음이자 마지막으로 출신에 대한 의혹을 들었는데, 그 뒤 반년도 지나지 않아 '교국인'이 자신을 알아보자 비현실적이라는 느낌이 들었다. 이 모든 게 말도 안 되었다. 만일 긴장을 늦추었다면 얼빠진 놀라움, 언짢은 호기심, 역겨운 환영 정도가 툭 튀어나왔을 것이다.

그 혼란을 본 상대가 얇게 웃었다.

"안스카리우스 드라수스 바를라암. 이거 참, 크나큰 우연일세."

티티라는 악을 쓰려 했다. 그러나 목구멍에서 아무 소리도 나오지 않았다. 디아세에게 손을 뻗었다. 닿았다. 그는 얼어붙어 반응이 없었다.

그녀는 혼자 미친 사람처럼 부두로, 이프루이우호로 달려갔다. 아무도 없는 갑판을 지나 급히 제 선실 문을 열어젖혔다. 안에는 누군가 마시다 나간 듯한 찻잔이 다소곳이 놓여 있었다.

잔을 들어 입에 댔다. 아주 찼다. 주변을 둘러보자 라요나의 옷가지 몇 개가 정갈하게 걸려 있는 모습이 보였다. 흔적은 그뿐이었다.

몇 분간 두리번거리다, 갑자기 머리끝까지 화가 차올랐다. 열기에 잠시도 발을 가만히 둘 수 없었다. 그녀는 고장 난 시계처럼 배에서 튕겨져 나갔다. 여전히 무릎 꿇고 앉아 있는 디아세에게 외쳤다.

"여기 있어! 내가 확인할 테니……."

제 말끝이 분노를 담고 사그라졌다. 그것은 불이 일렁일 때 투명해지는 것과 같았다. 그녀는 증오를 품은 채 발끝을 밀쳤다. 수십

분 만에 온 길을, 쉬지도 않고 달렸다.

숨이 턱 끝까지 차올라 발을 헛디뎠다. 길바닥 위로 굴렀다. 라요나가 소매를 다듬어 준 옷이 진흙탕에 엉망이 되었다.

다시 미칠 것처럼 흥분이 올라왔다. 살인자를, 살인자를 찾을 것이다. 그놈의 가죽을 벗겨 손마디부터 상어에 우둑우둑 씹히게 만들 것이다. 날카로운 이빨이 살을 걷어 내어 뼈밖에 남지 않도록, 지옥과 같이 고통스럽게 죽기를 바랐다.

그녀는 너무 화가 나 눈앞이 깜깜했다. 그 감정만이 호흡 곤란이 오지 않도록 지켜 주는 무기로, 실수가 잦은 제 멍청한 머리통 속 유일한 의지였다. 분노. 비리고 역겨운 맛의 분노. 피에 섞은 구토와 비슷했다. 아찔하고 구역질이 났다.

티티라는 다시 뛰었다. 또 뛰었다. 미친 듯이 달려 마침내 라스폴로제 극장 앞에 섰다.

그녀는 맹수에게 달려들 듯 정문 안으로 돌진했다.

교국군은 교국 차림새의 자신을 막지 않았다. 잔뜩 의심스러운 눈으로 보았으나 그뿐이었다. 그 정도면 충분했다.

티티라는 작은 홀로 들어와 두리번거렸다. 이곳에는 일반 병사나 장교들뿐이었기에 활짝 열린 큰 홀로 몸을 던졌다.

조명이 무시무시하게 밝고 사람들도 너무 많아 한순간 앞이 제대로 안 보일 정도였다. 그녀는 지나가는 직원을 붙잡고 총독님을 뵈었느냐고 물었다. 직원은 겁먹은 듯한 표정으로 어느 한쪽을 가리켰다. 여전히 지긋지긋한 교국군의 검은 정복에 묻혀 아무것도 보이지 않았다. 다시 채근하려는 순간, 그가 도망쳤다.

이에 티티라는 욕설을 내뱉으며 군인들 사이를 헤집고 지나갔다.

가장자리 벽까지 간 뒤, 장식물을 타고 올라 미친 여자로서 주의를 집중시키든, 멀리 있는 총독의 꼬투리를 잡든 할 생각이었다.

그녀는 누군가의 머리를 무례하게 밀고 지나가다 팔뚝을 잡혔다. 발작하듯 화를 냈다.

"안 놔?"

"누구지?"

티티라는 몸에 붙은 기술을 사용해 군인을 떼어 냈다. 그리고 당장 다른 사람들을 또 한 번 밀고 나가기 시작했다.

"거기, 잡아!"

교국 군인의 말 한마디에 양옆에서 손이 뻗쳐 나왔다. 거대한 문어발 같았다. 티티라는 피하려고 이리저리 애썼지만, 순식간에 양팔과 머리채를 붙잡혔다.

"미친 여자인가?"

"나는, 티티라 돔니니, 소조폴의 상주니까, 당장 놔라!"

"누구?"

"뭐라고?"

소란 속에서 군인들이 짜증스레 반복했다. 티티라가 재차 우렁차게 외쳤으나 이미 불이 붙은 잡담은 각자의 목소리를 더 높일 뿐이었다.

그녀는 발버둥을 치며 최소 두 사람의 낭심을 걷어찼고, 당연히도 상황은 더욱 거칠어졌다. 다 죽이고 싶었다. 이 홀에 물을 가득 채워 한 사람도 빠짐없이 익사시키고 싶었다.

"금일 경비 담당을 불러라. 누구지?"

"툴라히스톤호의 1중대."

"놔! 당장, 총독님을 뵈어야 한다!"

그녀는 뺨을 얻어맞았다.

더 이상 웅성대는 소리도 없었다. 착 가라앉은 침묵 속에서, 양팔을 붙잡힌 채 뺨을 여러 대 더 맞았다. 고개가 이쪽저쪽으로 꺾일 정도의 힘이었다. 머리가 아릿하게 울리면서 어지러웠다. 그러나 이를 갈아붙였다. 눈을 제대로 못 떠도 침 뱉을 악은 남아 있었다.

"지금 당장, 바를라암 총독 각하께 고하지 않으면 너희 목이 날아갈 줄 알아라."

다시 한번 자신을 때리려던 손이 멈칫하는 것이 보였다.

"나는, 소조폴 상단의 상주 티티라 돔니니이고, 바를라암 총독 각하를 개인적으로 모셔, 그분의 의지에 일조하는 자다."

잔잔하게 울리던 음악 소리가 점차 빨라졌다. 조금 더 커졌다. 구석진 곳이라 보이지 않겠지만 드디어 음악가들이 무언가 이상한 낌새를 파악한 모양이었다. 그들이 파악했다면 이 홀 어딘가에 있을—있어야 할 안스카리우스도 마찬가지일 것이다.

"……병사, 총독 각하께서 여기 계시나?"

"아까 안쪽에 계시던 모습을 뵈었습니다."

"데려가."

자신을 때리던 군인이 이번에는 반대로 밀쳐 냈다. 티티라는 수많은 사람들이 쳐다보는 가운데 홀 바닥에 굴렀다. 물론 그 정도면 충분했다. 최대한 고통이 없도록 몸을 굽힌 뒤 튕겨 올랐다.

티티라는 여전히 저따위 놈들에게 쏟을 시간이 없었다. 험악한 인상으로 자신을 인도하려는 교국군에게 다가갔다.

"아니. 그럴 필요 없다."

그녀는 익숙한 목소리에 흠칫 놀라 고개를 돌렸다.

둥그렇게 모인 군인들이 초식 동물처럼 서로를 밀기 시작했다. 티티라는 이를 악문 채 목소리의 주인공을 찾았다.

안스카리우스는 제 귓가에 들어온 것과 같이 불쑥 시야에 나타났다. 원체 키가 큰 탓에 다른 사람들과 완전히 다른 공간에 서 있는 것 같았다.

티티라는 순간적으로 심장이 철렁 내려앉았다. 준비하지 않은 채로 총독을 보면 아직도 잠깐 동안 추억의 먼지에 뒤덮였다. 그런 스스로가 도저히 용납되지 않았다. 지금 이 순간마저도! 네가! 제정신이야! 눈가에 열이 올랐다.

그녀는 군인을 뿌리치고 뚜벅뚜벅 걸어갔다.

"총독님, 긴히 드릴 말씀이 있습니다."

안스카리우스의 눈길이 내려왔다. 무언가를 발견한 모양인지 그가 한쪽 눈썹을 찡그렸다.

찰나, 뼈마디가 불거진 손이 제게 다가오는 것을 분명히 보았다. 움켜쥐는 듯하다가, 허공에서 자연스레 사그라졌다.

안스카리우스의 시선은 몇몇 군인들을 둘러보곤 다시 티티라에게로 돌아왔다. 약하지만 분명한 의도를 담고 턱짓했다. 저쪽으로.

그녀는 꾸벅 인사한 뒤 먼저 복도로 걸어갔다. 이번에는 덩치 큰 군인들을 밀치려 아등바등 애쓸 필요가 없었다. 모두 자석에 밀려난 나침반처럼 줄줄 뒷걸음질을 쳤다. 우스꽝스러울 정도였다.

티티라는 복도로 접어든 뒤에도 안심하지 않았다. 가까운 방 중 최대한 인적이 드문 곳을 찾았다. 안스카리우스가 들어온 후 바로 문을 꽁꽁 잠갔다.

그녀는 방을 한 바퀴 돌고 창문 너머까지 확인한 뒤, 아무도 없다는 사실에 안도하여 숨을 헐떡였다.

한참 동안 빈방에는 제 숨소리밖에 울리지 않았다. 저가 먼저 용건을 꺼냈는데도 말을 그러모을 수 없어 바보처럼 멀뚱히 서 있었다. 수치스러웠다. 마음이 급해졌다. 때문에 그녀는 상대가 먼저 입을 열 줄 정말 몰랐다.

그는 대뜸 말했다.

"맞았나?"

티티라는 그 기막힌 질문에 겨우 말문이 트였다.

"괜찮아. 탈란타우에는?"

그의 짙은 눈썹이 기울었다.

"그는 왜?"

티티라는 말하려다가, 갑자기 숨이 턱 막히는 것을 느꼈다.

'숨이 막힌다.'는 표현은 비유가 아니었다. 오래된 병이 다시 치밀고 있었다.

정말 욕지기가 터질 지경이었다. 이 멍청하고 덜되고 약한 인간! 약한 인간! 약해 빠진 인간! 자꾸만 막히는 목구멍에는 이제 아예 주먹을 처넣고 싶었다. 그냥 죽지 그래! 죽어 버려! 몸이 비틀거릴 정도로 화가 나서 정신을 차릴 수 없었다.

안스카리우스가 두 걸음 만에 다가왔다. 그의 손가락이 조마조마하게 길어졌다가, 쑥 줄었다. 구부러져 그녀에게 얹혔다. 티티라는 고개를 숙인 채 여러 번 헐떡였다. 몸이 기울어서…… 의식하지 못하는 사이에 그의 가슴팍에 머리를 부딪쳤다.

"숨 쉬어."

그녀는 고개를 부들부들 떨었다. 끽끽거리는, 악기 현이 기괴하게 튀는 소리만 떨어졌다. 생각은 손톱으로 긁은 줄처럼 끊겼다. 툭, 투툭, 투두둑. 몸이 뒤틀렸다.

그때, 명치와 등에 무언가가 동시에 닿았다. 납작한 손아귀였다. 그녀는 그의 두 손 사이에 옴짝달싹 못 하도록 끼었다. 호흡하려 들 때마다 자신을 죄여 오는 힘을 뿌리칠 수 없었다.

다음 순간, 더 강하게 조여드는 악력에 고개가 꺾였다. 발이 들릴 정도로 무지막지한 힘이었다. 살갗이 찢어질 것 같은 고통과 함께 곧장 폐에 신선한 공기가 들어왔다.

어두컴컴한 시야 가장자리가 사라지자 가장 처음 보인 광경은 안스의 얼굴이었다. 그는 평소처럼 무표정하지 않았다. 반쯤은 찡그린 채, 반쯤은 가라앉아 있었다.

티티라는 후다닥 뒤로 물러섰다.

그녀는 이 상황에서마저 건강을 잃은 자신을 용서할 수 없었다. 불쌍하고 수치스러웠다. 그렇기에 생각에 쫓겼다. 아직까지 제대로 다듬어지지 않은 숨으로 말했다.

"라요나가, 살해당했어."

총독의 손이 허공에서 멈추었다.

"……."

"부두에 자루째로 매달려 있었다. 지금 디아세가 시체를 지키는 중이다. 누가 살인을 저질렀는지는—"

안스카리우스의 얼굴이 일그러졌다.

"탈란타우에."

티티라는 그제야 자신이 안스카리우스를 철석같이 믿고 있었음을 깨달았다. 물을 엎지른 다음에야, '저자가 라요나를 죽였으면 어떡하지?'라는 질문이 떠오르는 것이다. 아찔했다. 이렇게 모든 것을 고백한 다음에야…….

그러나 안스카리우스는 숨길 수 없는 모욕감으로 떨고 있었다. 제 의심은 황급히 도망갔다. 그의 뺨이 움푹 들어갔다. 안스는 화를 참을 때 턱 안쪽을 피가 나도록 깨무는 버릇이 있었다. 지금 안스카리우스의 표정이 꼭 그랬다. 찌푸려서 좁아 든 눈매에, 흥분으로 커진 동공. 어딘가 어긋나 죽은 목뼈처럼 소름 끼치게 도드라졌다.

그의 발끝은 카펫을 짓누르고 있었다. 한 올, 한 올 단단히 박힌 양모가 우그러졌다. 신발이 힘에 쓸렸다. 항상 잘 조각된 상처럼 반듯하던 자세가 엉망으로 비뚤어졌다. 그 산 같은 덩치로 제게 떨어질 것처럼 위태롭게 서 있었다.

마침내 그가 한 손으로 얼굴을 짚었다.

"……경고로군."

티티라는 숨소리가 들릴 정도로 가까이 다가갔다.

"당신 아래 있던 애다. 옛 왕들도 보호 귀족의 하인은 건드릴 수 없었다. 그러니 벌을 내려."

안스카리우스의 입김이 느껴졌다. 그녀는 그의 열기만으로 답을 짐작해야 했다. 얼마나 낮게, 얼마나 빠르게 숨결이 흩어지는지에 귀를 기울여야 했다. 목젖이 움직이다가 무엇을 삼키지도 못한 채 내려오는 모습이 보였다.

그는 결정을 더듬거렸다.

티티라는 이를 갈았다.

"당신이 안 하면, 내가 할 거야."

그의 방패가 손가락 한 마디만큼 내려왔다. 깊고 날카로운 눈이 드러났다.

안스카리우스는 가면 쓴 사람처럼 방어적으로 그녀를 노려보았다.

"탈란타우에가 네게 무슨 말을 했지?"

"알려 주면 그자를 처벌하겠다고 약속해."

"노력하겠지만 내가 무슨 벌을 내리든 네 마음에 차지 않을 가능성이 높다."

그녀는 정직한 안스카리우스에게 신물이 났다. 방금 전 그의 격렬했던 분노가 라요나의 죽음과는 상관없다는 사실을 이렇게 빨리 깨닫고 싶지 않았다.

그는 그의 권역이 침범당한 데에 화를 낸 것이다. '그의 권역'에는 라요나뿐만 아니라 자신도 포함되었는데, 제게는 그 사실이 견딜 수 없을 정도의 수모였다. 마치 라요나와 자신이, 인간이 아니라 그의 저택에 자란 버들이라도 된 듯했다.

티티라는 라요나를 생각하며 눈을 꾹 감았다 떴다. 겁이 나서 얼굴을 제대로 보지는 못했지만, 적어도 그녀의 목에 난 자국만큼은 선명하게 기억했다. 울긋불긋하다 못해 검게 죽은 상흔. 누군가 목을 졸랐음이 분명했다.

그녀의 죽음을 상상하자 머리가 어지러웠다. 제발, 그 애가 부디 빠르게 정신을 잃었기를, 있지도 않은 신에게 빌었다. 제 마음을 위로하기 위해 비겁해졌다. 열여덟 살, 고작해야 열여덟 살인데…….

티티라는 주먹을 꽉 쥐었다.

"다 필요 없어. 내가 직접 할 거야."

그의 동공이 서서히 줄어들었다. 빛을 쬔 짐승처럼 급속도로 냉정해졌다.

"그자는 '라요나'를 죽인 것이 아니다. '너'를 위협했다."

"그게 중요해?"

"탈란타우에는 내게 일절 너에 대해 언급하지 않았다. 숨기는 이유를 모르겠다. 어떤 의도가 있을지 모르니 네 안전을 위해—"

"안스카르!"

티티라는 외치고, 잠시 멈칫했다.

안스카리우스가 턱을 젖혔다. 친근한 호명에 귀를 의심하는 눈치였다. 우연인지 그의 손 또한 마침내 얼굴에서 떨어져 나왔다. 그를 드러냈다.

티티라는 본능적으로 뒤로 물러섰다. 손가락질로 경계했다.

"나는 절대로 당신 일의 일부가 될 생각이 없어. 나와 탈란타우에 간에 문제가 있다면, 그자가 내…… 내 시중인을…… 좋은 아이를, 친구를…… 죽인…… 것이지……."

티티라는 말끝을 흐렸다. 이제는 분노보다는 슬픔에 가까운 불이 붙었다. 입술이 삐죽거렸다.

그녀는 한 팔로 눈을 가렸다. 앞이 보이지도 않으면서 여전히 상대에게 삿대질을 해 댔다.

"그 애는, 절대 그런 취급을 받아선 안 됐어. 그렇게 제멋대로 죽일 순 없어……. 살인죄야. 차라리 인간을 부리는 신이 있길 바란 적은, 나는, 처음이야. 너희에게 지옥이 기다리길, 반드시……."

대답이 들리지 않았다.

티티라는 떨리는 목소리로 머무적댔다.

"너희가 신을 믿는 자들인지 나는 정말 모르겠다……. 시노드 신넬은 신을 몰라. 그러니 내가, 죽일 거야. 목젖 위를 찢어 버릴 거야."

팔뚝 밑으로 눈물이 떨어졌다. 물기가 지나간 자리가 선뜻하게 식었다. 그녀는 마구 눈가를 비볐다.

"당신이 너무 떨었으니까요. 누구라도 그랬을 거예요."

나는 그 애가 떨 때 무엇을 했지?

그때 자신은 탈란타우에게 온 신경을 쏟고 있었다. 일어난다면 바로 자신에게 무슨 일이 벌어질 거라고 믿었다. 아! 마치 내가 극의 주인공이라도 된 듯 말이다! 그렇게 스스로 검투사처럼 도사리고 섰으나, 괴물은 초라한 검투사에게 덤빌 생각이 없었다. 앞발을 휘둘러 작은 깃대 하나를 부러뜨렸을 뿐이다.

티티라는 그 조그맣고 날카로운 막대에 폐부를 찔린 듯 고통스러워했다.

"제 상황이 교국 아래 더 낫다는 것이지, 그들이 잘했다는 뜻은 아니에요."

라요나는 교국 치하에서 평화롭게 잘 살 아이였다. 자신은 이미 녹으로 뒤덮였으나, 그 애는 열려 있었다. 열려 있다는 말은 곧 용감하다는 뜻이다. 앞으로 수만 개의 가지를 뻗을 싹이었다. 저처럼 영양가 없이 말라 비틀어진 덤불은 그 앙상한 꼴이 자랑인 양 살아간다. 멀리 뻗은 제 뿌리가 새싹을 죽인 것 같아 눈물이 났다.

손바닥으로 얼굴을 덮었다.

나는 그 애가 잘 살 거라고 생각했다. 다른 방법으로 버틸 줄 아는 현명함이 좋았다. 그레슈카와 나처럼 가망 없는 태엽 인형들을 이끌어 줄, 희고 강한 손이라고 믿었단 말이다.

그 애는 무덤 속에서까지 분개할 우리들을 안쓰럽게 바라봐야 했다. 그러니까 우리보다 더 오래, 더 근사하게 살아남았어야 했다.

겨우 발견했던 다른 길이 무너졌다. 물론 자신은 죽어도 라요나의 방법을 따르지 않았겠지만, 그녀로 인해 그런 사람들을 이해할 수 있었는데, 이젠 모든 게 끝장이었다. 탈란타우에는 그 길을 파괴했다. 자신은 틀림없이 교국을 증오하다 죽어 갈 것이다. 숨이 끊어질 때까지, 벌건 용암처럼 스스로를 불사를 것이다.

나는 교국을―

그녀는 한순간 팔뚝에 닿는 열기에 소스라치게 놀랐다. 당장에 몇 걸음이나 물러나 책장에 머리를 박았다.

하지만 안스는 틈을 주지 않았다. 순식간에 그녀가 멀어진 만큼 다가왔다. 자신이 허공에 휘두른 손을 잡고는 몸을 숙였다. 제 어깨에 머리를 묻었다.

티티라는 놀라서 뒷걸음질을 치려 했다. 그러나 책장에 다시금 부딪힐 뿐이었다. 숨을 들이켰다. 눈앞에 안스카리우스의 옅고도 짙은 머리칼이 보였다. 빛을 받으면 금처럼 빛나는 갈색.

뒤늦게야 그의 향이 확 풍겼다. 예전…… 그레슈카 창고로 향하는 길에서 맡았던 죽은 나무의 냄새였다. 사람을 가라앉히는 정숙하고 어슴푸레한 기척이 느껴졌다. 안스가 흘리고 다니던 짠 바닷물과는 정반대의 내음이었다.

이상하게도 흥분하여 쿵쿵 뛰던 심장이 천천히 천천히 느려졌다.

시야에 색깔이 돌아왔다. 그러니까, 미친 듯이 화가 났을 때 그녀는 개나 고양이처럼 빛이 거세된 세상을 가졌다. 그런데 그 자리에 조금씩 물감이 떨어지더니 점차 올록볼록하고 다채로운 양감이 생겼다.

티티라는 안스카리우스를 내려다보았다. 고개를 숙여 얼굴은 하나도 보이지 않았다. 그와 동시에 아주 멀리서…… 그가 제 손을 붙잡았다. 그녀는 보지 못한 덕분에 용감해진 사람처럼 가만히 있었다.

잡힌 손에선 열기가 느껴졌다. 상대는 제 부르튼 손등을 날개처럼 훑고 내려왔다. 마침내 엄지만 남아 손바닥을 쓸었다. 맥없이 미끄러진 것이 아니라, 분명 힘이 실려 있었다. 손금 사이로 그의 손톱이 파고들었다. 다시 살이, 다시 손톱이. 마치 제 손이 흙무더기라도 되는 듯 수없이 파고들었다. 그 깊은 고랑 속에 씨앗처럼 숨이 떨어졌다.

티티라는 그가 제 손을 매만지며 내려다보고 있다는 사실을 깨달았다.

그의 손과 입김 중 어느 것이 더 뜨거운지는, 잘 알 수 없었다.

목 위로 심장 뛰는 소리가 났다.

먼지처럼 부스스 내려앉은 실내 조명.

길을…… 잘못 든 것 같은데.

티티라는 한순간 바르르 떨며 손바닥을 쫙 펼쳤다. 안스카리우스 또한 겁먹은 동물인 양 멀어졌다. 순식간에 그와 눈이 마주쳤다. 뿌리치자마자 도망갔으면서, 그 시선은 여전히 당황하지 않은 사람처럼 침착했다.

그녀는 스스로를 보호하기 위해 본능적으로 주먹을 쥐었다. 그 순간, 손바닥 안에 흠뻑 들어찬 습기를 느끼곤 갑자기 소름이 돋았다. 이래서는 안 된다는 생각이 들었다.

그녀는 그를 똑바로 바라보며 말했다.

"당신은 탈란타우에에게 합당한 처벌을 내려야 해."

안스카리우스의 고개가 살짝 기울었다. 그렇게 장면이 비틀리는 순간 다시 질문이 치고 들어왔다. 저 냉정해 보일 만큼 멀쩡한 얼굴로, 대체 왜 내 어깨에 얼굴을 묻었지? 왜 손을 매만졌다가, 왜 한숨을 쉬었다가, 왜……. 이제 와 결백한 척을 한다고? 그녀는 그의 감정을 헤아리기 힘들었다. 낯설었다.

티티라는 찰나, 자신이 안스카리우스를 한 사람으로 보고 있다는 사실에 아연해졌다. 이제 안스는 죽은 이로 그리워하고, 제 눈앞에 있는 묘비 같은 인간을 '진짜'로 대하고 있는 것만 같았다.

사실 여러 달 동안 무뎌진 결과였다. 아무리 친구와 함께했던 기억이 길더라도 티티라는 매일매일 현실에 있는 사람을 대해야 했다. 선택을 해야 했다. 그렇게 갈팡질팡하다가 제 추억이 닳아 다른 사람을 바라보기로 결정했나.

티티라는 그가 커질수록 안스가 작아진다는 사실에 가슴이 철렁 내려앉았다. 그들은 마치 낮과 밤 같은 존재로, 서로가 서로를 갉아먹었다.

"얼마나 기다릴 수 있지?"

그녀는 흠칫 놀랐다.

그가 인상을 찌푸린 채 질문하고 있었다.

티티라는 다시 한번 제 속의 라요나를 끌어냈다. 갑자기 후텁지

근했다. 달아오르는 열기에 숨을 깊이 쉬었다.

"뭘 할 건데?"

"내가 할 수 있는 것."

그에게 의지할 마음은 추호도 없었다. 그러나 제 목적을 위해 그를 쥐어짜 무엇이든 하게 만들 예정이었다. 처벌이 누구 손으로 이루어지든 전혀 상관없었다. 자신이 내찌르는 것보다 강력한 칼이라면 충분했다.

"남의 일이라고 생각하지 마. 당신도 불쾌해했듯, 탈란타우에는 당신 권한을 넘본 거야. 벌해야 해."

"한 가지, 염두에 두어야 한다."

"뭐?"

"그에게 심각한 위해를 가할 수는 없다."

티티라는 안스카리우스를 노려보았다.

그는 이 방에 들어와 단 한 번도 그녀의 시선을 피하지 않았다. 이번에도 마찬가지였다. 그는 그녀에게 맞서 노려보는 것이 아니라, 넓고 강하게 직조된 피륙처럼 시선을 받아 냈다. 아주 강하게, 팽팽하게 짜인, 그물 같은 천.

물론 티티라는 여전히 싸움으로 여겼다. 지지 않으려 했다.

"당신에겐 라요나가 죽어도 별게 아닌 거지?"

라요나가 연신 '새 총독'을 칭찬하던 기억이 나서 마음이 아팠다. '새 총독'은 아이의 죽음보다는 상대가 영역을 침범했다는 사실에 화가 나 있었다…….

물론 상주로서, 냉정한 마음으로 이해하라면…… 이해할 수 있었지만…… 옛 소조폴의 시민으로서는……. 어마어마한 증오가 차올랐다.

티티라는 분노와, 현실적으로 내릴 수 있는 가장 확실한 처벌 사이에서 헤맸다.

비로소 앞으로 나서려는 순간, 그가 먼저 내뱉었다.

"방안을 마련한 뒤 이야기하겠다. 지금 아무것도 쥐지 않은 채로 너와 논할 수는 없어."

이를 악물었다. 몸을 굽힌 채 주먹을 쥐는데, 그가 다가와 감쌌다. 씨근거리며 고개를 들었다.

그는 아주 이상한 태도로 전조 없이 다가왔다. 모든 것이 아까와 같았다. 그런데, 이제는 그의 표정을 볼 수 있었다.

안스카리우스는 그들이 닿은 자리를 내려다보고 있었다. 그렇게 가까이 다가온 뒤에도 멀리멀리 도망치고 싶은 사람처럼 보였다. 표현하자면, 그는 경계하는 짐승처럼 냄새를 맡으면서도 뒤로 곤두서 있었다.

그러다 갑자기 그가 시선을 들었다. 눈빛이 돌아오며 모든 것이 쏠려 있던 그대로 다시 앞을 향했다.

그는 그녀처럼 두 가지 중 하나를 고르는 듯했다. 도망가거나, 달려들거나. 선택지 사이 뾰족한 모서리. 그곳에서 아슬아슬하게 버티고 선 채 고집을 부렸다.

그녀는 그가 한쪽으로 미끄러질 때까지 기다릴 생각이 없었다. 낮게 말했다.

"안스카리우스, 나는 따로 방법을 마련하겠어. 만일 당신 제안이 더 좋다면 스스로 증명해."

그리고 손을 뿌리쳤다.

티티라는 먼저 방을 떠났다.

티티라는 다시 밤의 대로에 서 있었다. 달려온 길은 변함이 없었다. 교국군이 라스폴로제 극장에 머무는 지금 이곳은 쥐 죽은 듯이 고요했다.

그녀는 스스로에게 물었다.

내가 그렇게 급하게 달려들어 무엇을 해낸 걸까?

안스카리우스에게 라요나의 죽음을 전한 것? 그래서 그의 처벌 의지를 확인한 것?

그를 노예의 문제를 해결해 주는 좋은 주인이라고 여기지 않았다면야 그따위 것을 목표로 둘 수는 없는 법이다……. 아니, 백번 양보하여 저가 그에게 도움을 받으러 갔다고 한들, 그가 화를 내며 탈란타우에를 죽일 것이라곤 당연히 믿지 않았다. 탈란타우에는 안스카리우스보다 위에 있는 자였으니까. 그녀는 현실적인 사람이었다.

그러면 대체 처음부터 왜 달려간 것이지? 그에게 라요나의 죽음을 전해서 무엇이 달라진다고?

티티라는 소름 끼치는 기분으로 바닥을 내려다보았다.

문득 스쳐 지나간 생각을 표현하기 싫었다.

그녀는 항구의 습기가 들어찬 물구덩이를 걷어찼다. 이미 엉망인 옷에 얼룩을 더했다. 행군하듯 나아가며 더 많은 웅덩이를 모욕했다. 그리고 그만큼, 스스로도 모욕당했다.

티티라는 한순간 높이 튄 물을 삼키고 헛구역질과 함께 무릎을 짚었다.

"콜록, 콜록!"

눈물이 배어날 때까지 기침했다.

그녀의 시선에는 밤하늘이 거꾸로 뒤집힌 물웅덩이가 있었다. 더럽고, 축축했다. 습기는 노란 달을 담고 있었다. 마치 제 엉망진창인 마음속에서 단 하나 손톱처럼 빛나는 희망 같았다. 희망이자, 은신처이자…….

티티라는 검은 웅덩이 속 달을 노려보았다.

'나는 위태로운 순간에 안스카리우스를 필요로 했다.'

그에게 처벌을 바랐다는 말은 껍질에 불과했다. 그녀는 기실 자신이 흔들릴 때 필요했던 사람을 찾아간 셈이었다. 그가 총독이기에 범죄를 고발하려 든 것이 아니라, 그를 의지하여 얼굴을 보아야 했던 것이다. 마침내 그가 제게 가까이 기댄 뒤에야 팔딱팔딱 뛰던 흥분을 가라앉힐 수 있던 것이다.

팽팽하게 당겨진 현악기의 줄 같은 긴장. 그가 조심스레 눌러 긴장을 풀어 주길 기대한 것이다. 그래야 휘몰아치는 바람에 끽끽대지 않고 가까스로 악기로 돌아올 수 있을 테니까. 그렇게 정신머리 없는 나무판자에서 다시 악기로 회귀하여 내 생각의 주도권을 잡을 수 있을 테니까.

그와 함께 있을 때 제 머리는 더 이상 비명을 지르지 않았다. 안스카리우스는 확실히 자신을 진정시켰다…….

그 말도 안 되는 힘은 어디서 나온 걸까? 티티라는 이해할 수 없었다. 그는 안스가 아니었다. 자신은 안스에게 느꼈던 감정을 그에게 느끼지도 않았다. 안온감, 우정, 지지. 이런 것들은 결단코 안스카리우스를 수식하는 단어가 아니었다.

안스카리우스는 속이 텅 빈 도자기 인형 같은 인간이었다. 아무리 아름답고 흠이 없는 듯 보여도 온전하지가 않았다. 한 방울 떨어진 물방울이 허겁지겁 다른 물방울에 달라붙으려는 것처럼 항상 무언가를 필요로 했다.

위선, 거짓, 불안감, 혼란. 그것들이 안스카리우스였다.

그놈이 무슨 명료한 뜻을 품고 제 어깨에 이마를 얹었다고? 아니지. 그도 아무 생각이 없었다. 그는 자신을 대할 때 아주 멍청해졌다. 무엇인지는 몰라도 아주 무서운 맹세를 어길 정도로 앞뒤를 못 가렸다.

티티라는 잘 달궈진 도자기 인형을 품에 안았다. 든 것이 없어 두드리면 명랑한 종소리가 나는 도자기. 그렇게 텅 비었지만 분명 따뜻했고, 덕분에 딱딱하게 식은 제 사지를 돌려놓을 수 있었다.

자신과 안스카리우스에게 무슨 일이 벌어진 것인지 잘 몰랐다. 단지 무언가 건강하지 않고, 몹시 이상한 순간이었노라 생각했다.

티티라는 무릎을 누르며 다시 일어섰다. 이번에는 웅덩이에 복수하지 않았다. 오히려 조심조심 메마른 길로 피해 갔다.

그러다 문득 제 앞에 드리워진 그림자에 걸음을 멈추었다.

어쩐지 조짐이 좋지 않았다. 그녀는 마음을 단단히 다지고 앞을 보았다.

그 덕분인지 탈란타우에의 얼굴을 보고도 동요하지 않았다.

그는 처음 만났던 대낮의 얼굴 그대로 자신을 내려다보고 있었다.

"분명 저녁 연회에서 보자고 말했는데."

티티라는 절대, 한 걸음도 물러나지 않았다. 대신 시선을 돌려 이프루이우호의 위치를 가늠하고, 가까운 등잔 아래 라요나와 디아세가 없는 것을 확인했다.

놀랍게도 탈란타우에 또한 그녀와 함께 뒤를 확인했다. 마치 제 그림자 같았다. 티티라는 그 모습에 반응하지 않으려 노력했다. 그가 다시 앞을 돌아보았을 때 굳은 표정이라도 지을 수 있기를 바랐다.

"음? 이프루이우호의 대대장에게 청소를 맡겼다. 총독의 배 앞이 번잡하면 안 될 일이지."

티티라는 이를 꽉 깨물었다. '청소'.

"장소는 다르지만 적어도 우리 만남은 지킬 수 있어 다행이군. 어서. 요르고호가 기다린다."

그는 고개를 기울인 채 이프루이우호 너머를 손짓했다. 갓 대양을 넘어온 배답게 보다 크고 우람한 모습이 보였다. 마치 누군가가 이프루이우호에 광원을 비추어 드리운 거대한 그림자인 듯했다.

티티라는 그의 쭉 뻗은 팔을 노려보았다.

정적 속에서, 조용히 물었다.

"왜 죽였습니까?"

탈란타우에는 실망한 사람처럼 팔을 내렸다.

"그 시체? 왜 내가 죽였을 거라고 생각하지?"

그녀는 울컥할 뻔했지만 가까스로 참았다. 어찌나 분노했던지, 저 인간의 눈이 파충류인 양 노랗게 보일 지경이었다. 위험했다. 상대방이 어떤 감정을 품었는지 파악할 수 없었다. 제정신으로도 힘든데, 이렇게 화가 난 상황에서야…….

"죽은 자가 누구기에?"

티티라는 그를 노려보았다.

그는 인상을 찌푸린 채 다시 한번 턱짓했다. 세 번째는 없으리라는 직감이 들었다.

오늘 저녁만이라도 안스카리우스 곁에 붙어 있을걸. 순간적으로 이런 생각을 한 스스로가 너무도 한심했으나 어쩔 수 없었다. 그녀는 너무 불리했다. 라요나를 죽인 탈란타우에에게 합당한 처벌이 있길 바랐지만, 제겐 권력도, 당장 손에 쥔 무기도 없었다.

더 나아가 그녀는 여전히 탈란타우에가 안스를 어떻게 아는지 캐내고 싶었다. 아주 애타게. 자신이 살인을 저지른다면 그 이야기를 듣고 난 뒤가 될 것이다.

이 모든 이기적인 마음이 섞여 지옥을 만들었다. 눈가에 열이 올랐다. 아, 그래. 라요나보다 안스가 먼저지. 하지만, 그 사실을 떠올리면 안 되는데. 너는 그러면, 인간이 아닌데.

"약속을 지키는 문명 시민이 되어야지. 따라오지 않으면 목을 부러뜨리겠다."

티티라는 입술을 꽉 깨물었다.

그는 그녀를 뒤로한 채 걸음을 옮겼다.

주변에는 아무도 없었다. 부두는 교국군의 권역이었고, 그들 중 절대다수가 지금 극장에서 고주망태가 되어 있을 것이다. 그나마 남은 몇 안 되는 경비병들은 서로 띄엄띄엄 떨어진 초소를 지키고 있었다. 물론 그들조차 탈란타우에를 거역할 수는 없을 것이다.

"그래. 걸어야지. 할 이야기가 아주 많다."

그녀는 신경 쓰지 않으려 노력하며 그를 따라갔다. 고요 속에서 돌바닥을 밟는 단단한 밑창 소리가 들렸다.

티티라는 지나치게 긴장해 있었다. 그가 짧게 내뱉는 한마디, 한마디가 제 얼굴을 부술 것 같았다. 그는 교묘하게 미친 사람인 체했고, 그녀는 그것을 도저히 방어할 수 없었다. 시시각각으로 고통스러웠다.

아주 길고도 짧은 시간 뒤 그들은 바로 옆 부두에, 이프루이우호 곁에 선 배에 도착했다.

그녀는 가벼운 걸음의 탈란타우에를 따라 판자에 올라섰다.

갑자기 먼저 뱃전에 선 탈란타우에가 돌아섰다. 티티라는 흠칫 놀라 멈추었다.

"생각해 보니, 친밀했던 소녀를 잃은 이에게 과한 부탁을 했군. 오늘은 들어가고 곧 다시 자리를 주선하지."

제 귀를 의심했다.

그러나 탈란타우에는 어느새 뱃전 너머로 사라져 있었다.

티티라는 부르르 떨었다. 생각할 겨를도 없이 뒤돌아 더듬더듬 뭍으로 내려왔다. 판자를 내려가면서, 한쪽 다리에 힘이 풀려 꺾였다. 떨어지고 미끄러지며 무릎이 돌바닥에 갈렸다. 떨리는 손으로 얼굴을 감쌌다. 정수리부터 화하게 긴장이 풀렸다. 자신을 옥죄던 무시무시하게 뻣뻣한 그물이 풀린 듯 강렬한 감각이었다.

그녀는 바닥에 웅크린 채 하나의 뜨거운 덩어리가 되어 봄바람에 식었다. 그녀도 누군가와 마찬가지로 한 번 죽은 것만 같았다. 온몸이 차가워졌다.

그래. 사실 고민할 필요도 없는 얕은 수작이었다. 걸어가는 동안 목을 졸라 놓고, 숨이 막혀 죽을 지경에 이르러 잘 도망쳐 보라며 풀어 준 셈이다.

티티라는 눈을 감은 채 수 분을 엎드려 있었다.

저 개새끼는, 죽일 테다! 반드시!

여전히 머뭇대는 숨을 붙들고 그렇게 맹렬히도 맹세했다. 자신이 여전히 탈란타우에를 무서워한다는 사실을 알았기에 더더욱 우악스러워질 필요가 있었다. 마치 전쟁을 나가기 전의 북처럼 제 심장을 두드려야 했다.

티티라는 쌕쌕거리며 가는 숨을 내쉬었다. 가슴에서 북을 두드렸으나, 나오는 것은 고작 그 정도였다. 언제 맺혔는지 모를 눈물이 눈가에서 차게 식어 갔다. 이 봄 속에서 추웠다.

아주 멀리 느껴졌던 세계가, 자신이 죽었는지 살펴보려는 듯 가까이 다가왔다. 그녀는 그것이 제 시체를 뒤집으려 할 때 손을 뻗었다. 물어뜯듯 매달려서, 겨우 고개를 들었다. 세계는 다시 그녀에게 붙잡혔다.

티티라는 바닥 먼지를 삼켜 가며 여러 번 빠르게 눈을 깜빡였다. 갑작스레 바다 냄새가 풍기고, 부두에 낀 이끼들, 기어가는 벌레가 보였다. 그녀는 삐걱대는 부두를 양손으로 짚었다. 몸을 바닥에서 밀어내어 마침내 일어섰다. 탈란타우에의 배를 등진 채였다.

티티라는 곧장 이프루이우호로 돌아갔다.

갑판과 제 선실로 가는 길에는 아무도 없었다. 그러나 라요나를 찾기에는 다소 지쳐 있었다. 계획이 필요했다.

그녀는 이기적인 마음과 위선에 패배하며 몸을 눕혔다. 빈 침상을 두고, 그물 침대에.

안스카리우스 드라수스 바를라암.

안스는 제 귀를 의심했다. 첫 단어는 물론 제 것이었지만 그 뒤는 완전히 처음 듣는 이름이었다.

"지금까지는 전부 조악한 가짜였는데 말일세. 기대 못 한 성과에 놀라야 하지만서도 여전히 비현실적이군. 도통 믿기지가 않아."

"뭐요?"

"다시 듣고 싶나? '안스카리우스 드라수스 비를라암'."

안스는 '누굽니까?'와 '저라고요?' 사이에서 갈등했다.

"……."

탈란타우에는 그의 어깨를 두드리고 한 걸음 떨어져 나갔다. 본인이 언제든 상대를 부릴 수 있다는 듯 일방적으로 긴장감을 조율하는 모습이 불쾌했다.

"질문이 많겠지. 나도 전할 이야기가 적지 않다. 하지만 지금은 꼴이 말이 아니니 쉬도록 해. 장교 선실을 주겠네."

"뭐?"

"그리고 공대하도록. 내 친절을 시험하고 싶지 않다면."

"……."

안스는 인상을 찌푸렸다. 저를 스쳐 지나가 바깥 문을 두드리는 탈란타우에를 노려보았다.

너무 많은 것들이 궁금해서, 벅차다 못해 한순간 평온하게 느껴질 지경이었다. 나는 우스페히 씨를 절대적으로 신뢰했다. 따라서 저 인간 역시 우스페히 씨처럼 '내가 교국인이라는 사실'을 눈치챘을 가능성은 충분하다. 하지만 어떻게 내 '본명'을 아는 거지?

문이 열렸다. 베오메네스가 복도에 기대어 있다가 몸을 반듯이 세웠다.

"백인대장, 이자를 장교 선실로 정중히 안내해라. 새 옷과 음식, 기타 필요한 물품을 제공하도록. 백인대장 단독으로 처리해. 누군가의 도움이 필요하다면 먼저 그자를 처분해야 한다는 점을 명심하고."

베오메네스는 음식을 먹다 혀를 씹은 듯한 표정을 했다.

"백인대장?"

"죄송합니다. 명령대로 이행하겠습니다."

안스는 탈란타우에를 바라보려 했지만, 상대는 이미 선실 안으로 들어간 뒤였다. 그는 어색한 침묵 속에 베오메네스와 단둘이 남았다.

"……."

"……."

"가시겠습니까?"

고개를 홱 돌렸다. 베오메네스는 어느새 침착을 되찾은 얼굴이었다. 그는 똑같이 반복했다.

"장교 선실로 안내하겠습니다. 당신이 탈란타우에 각하의 명령을 존중하신다면, 별도 공간에서 하문하시는 내용에는 답변드릴 수 있습니다."

안스는 혼란스러운 감정으로 사내가 사라진 작은 문과, 자신이 맞이한 텅 빈 복도를 번갈아 바라보았다. 결정은 빨랐다. 그는 여기서 철저히 혼자였다. 게다가 배에서 얻어맞고 실려 온 충격은커녕 우스페히를 잃은 충격에서 제정신으로 돌아온 것 같지도 않았다. 자신은 민달팽이처럼 약했다.

그는 베오메네스 쪽으로 한 걸음 내디뎠다. 군인은 고개를 끄덕인 뒤 바닥에 떨어져 있던 올가미를 주웠다. 그걸 휘적휘적 들고 오더니 날카로운 부분을 흔들었다.

문득 깨달은 안스가 뒤돌자 순식간에 묶인 손이 풀렸다. 마침내 몸을 툭툭 털었을 때, 이미 베오메네스는 등 돌려 걸어가고 있었다.

그들은 곧 밝은 갑판으로 나왔다. 직전에 자신을 모욕했던 상위 권자가 보였다. 자유의 몸이 된 포로를 보고 놀라 입이 떡 벌어지는 듯했지만, 베오메네스가 어떤 손짓을 하자 사그라들었다.

군의 상사에게 손짓하는 모양이 상식적으로 이해가 안 되었는데, 아무래도 명령을 내린 저 꼭대기의 사람이 웬만한 위치는 아닌 것 같았다. 탈란타우에, '탈란타우에 각하'?

안스는 베오메네스를 따라 넓은 계단을 내려갔다. 배가 어마어마하게 큰 덕분에, 평소처럼 술통 같은 지하가 아니라 완전히 구축된 건물로 들어가는 듯했다.

베오메네스는 한 층 내려가 곧장 방향을 꺾었다. 몇 안 되는 사람들의 시선이 쏠렸다.

안스는 그들의 생김새에 고통을 느꼈다. 받아들이기 힘든 현실에 대한 제 나름의 방어막인가 싶기도 했다. 저들은 결단코 남부인들이 아니었다. 자신과 몹시 닮은…….

"이쪽입니다."

친절하려 노력하는 태도가 엿보였다. 안스는 허탈하게 웃었다.

베오메네스가 문을 열자, 방금 전 '각하'의 공간보다는 작아도 충분히 아늑한 방이 나타났다. 안스는 시노드 신넬의 선장실보다 낫다고 생각했다. 한 걸음 들어가자, 베오메네스가 급히 떠나려 했다.

안스는 툭 내뱉었다.

"야—"

그가 인상을 찌푸리며 멈추었다.

"죄송합니다만, 예의를 지켜 주십시오. '베오메네스 백인대장'이면 충분합니다."

"백인대장, 아까 네가 말했지."

"……."

"조용히 따라오면 질문에 대답하겠다고."

"예. 탈란타우에 각하께서 특별히 내리신 명이니 복종하겠습니다. 하지만 잠시 제가 필요 물품을 가져올 때까지 기다려 주시겠습니까?"

안스는 어깨를 으쓱였다. 베오메네스는 경례를 하고 ―세상에― 떠났다.

안스는 방 안을 빙글빙글 돌아다니다 거울을 보았다. 대낮처럼 밝은 등불에 걸레짝 같은 상의가 비쳤다. 그는 잠시 고민하다가 남은 조각들을 북 찢어 바닥에 던졌다.

현실 감각이 돌아오지 않았다. 제 몸에는 지난밤 산호를 캐다가 보호복 아래로 살짝 긁힌 상처가 전부였다. 어제까지 같은 자리에서 식사하던 사람들이 다 죽었는데, 자신만 멀쩡한 게 이상했다.

물론 그들이 잘 기억나지는 않았지만 교국에 대한 꺼림칙한 감정은 본능처럼 남아 있었다. 혼자 살아남아 부잣집 아들처럼 따뜻한 방에 갇혀 있다니.

금세 문을 두드리는 소리가 들렸다. 들어오라 말하자마자 베오메네스가 문을 열어젖혔다. 군인은 거의 상인의 당나귀에 준하는 짐을 들고 있었다. 식사 먼저 침대 위에 올려 두었다. 안스가 무슨 말을 꺼내기도 전에 천을 열고 하나하나씩 꺼내기 시작했다.

"시간이 늦어 적절한 음식을 갖추지 못한 점 죄송합니다. 약소하지만 우선 챙기시고, 내일 아침부터는 탈란타우에 각하와 식사를 하시면 됩니다. 아침 시간은 오전 일곱 시입니다."

지금 새벽 세 시쯤 된 것 같은데. 자신이 잠들지 않은 것도 않은 것이지만 상대도 참 징그러웠다.

"……또한 예복과 성경, 성유, 성수, 비단 이불, 백색과 푸른색 안료, 편한 옷과 손톱깎이를 가져왔습니다. 마지막으로 탈란타우에 각하께서 특별히 하사하신 반지를 드리오니, 모쪼록 내일 아침 시간에 예복과 함께 착용해 주시길 부탁드리겠습니다."

안스는 베오메네스가 말을 더할수록 의심쩍은 표정을 지었다. 줄줄이 떨어지는 수많은 꾸밈 용품에 정신이 흐트러졌다. 그러나 상대는 대화를 시도할 틈도 없이 절도 있게 물건들을 놓았다. 어쩌면 저렇게 웃기는 소리를 하면서 무시무시하게 진지할 수 있나.

베오메네스가 드디어 텅 빈 자루를 들고 나가려 할 때, 안스가 물었다.

"'탈란타우에 각하'는 누구지?"

"사제왕, 아판둔 원정의 총 책임자, 소조폴의 총독이십니다."

갑자기 숨이 턱 막혔다.

'소조폴의 총독'.

순식간에 깨달았다. 자신이 본 키 크고 마른 사내는, 우스페히의 죽음에 책임이 있는 자였다.

누가 자신을 이불 속에 가두고 긴 칼로 꿴 것 같았다. 앞이 안 보이고 숨은 텁텁하고 가슴은 죽을 듯이 아팠다. 손이 부르르 떨렸다. 어깨를 들자 상처가 벌어져 고통스러웠다. '아' 하고 신음 같은 소리가 새어 나왔다.

안스는 한순간 앞을 바라보았다. 베오메네스의 손이 이상했다. 그의 손은…… 보이지 않게 숨겨진 중검 자루로 향해 있었다. 갑자기 정신이 번쩍 들었다. 공격 태세인 베오메네스가 두려운 것은 아니었지만, 당장 이곳에 있는 수백 명의 군인들이 떠올랐다.

안스는 천천히 긴장을 풀었다. 베오메네스 또한 속도를 맞춰 느슨해졌다.

마침내 베오메네스가 아무 일도 없었던 것처럼 입을 열었다.

"항구들이 잘 통제되는 상황에서 우리 이프루이우호 한 척만 시찰을 나왔습니다. 주변 해역을 단속하려는 목적으로, 겪으신 것과 같은 진압이 다수 발생하고 있습니다."

"……'아판둔 원정'?"

"짐작하실 겁니다. 설명해야 합니까? 불필요한 마찰을 빚기 싫습니다."

안스는 아무 말도 못 했다. 베오메네스를 무례하다고 느끼기엔 사실 자신의 위치는 아무것도 아니었다. 더군다나 군인의 지적처럼 다시 한번 화를 내지 않을 자신도 없었다.

"……소조폴을 어떻게 점령했지?"

"하루 동안 포격하여 성벽을 무너뜨렸습니다. 이후 소조폴 유력자들이 항복하였고, 곧장 그들에게 전투의 책임을 물어 처형했습니다."

"몇 명을?"

"제가 정확한 숫자를 세지는 않았습니다. 천오백에서 이천 명쯤 되었을 것으로 추측합니다."

추정치가 엉망이라는 사실마저 끔찍한 상처가 되었다. 저놈들에겐 그 오백 명의 차이가 아무것도 아니었다.

"이후 교국은 적절한 관리 감독으로 새 시민회장의 지지를 얻었습니다. 내부 요구 수렴 절차를 거쳤기에, 한 달 내에 다시 개항할 수 있을 겁니다. 마주두까지 순찰하는 것도 평화를 위한 디딤돌이라 볼 수 있겠습니다."

"……."

"더 궁금하신 내용이 있으십니까?"

"'사제왕'이란 건?"

"저희의 영적 지도자이자 군의 책임자십니다."

아무짝에도 쓸모없는 대답이었다. 그러나 상대는 절대 그 이상으로 논평하지 않으려는 듯 단호했다.

"이 배…… 이프루이우호라고 했어? 소조폴로 돌아가나?"

"예. 각하의 결정에 따라 며칠 안에 뱃머리를 돌릴 겁니다. 소조폴에 지도자가 없어선 안 될 일입니다."

"……."

"더 궁금하신 내용이 없다면 쉬십시오. 내일 아침에 모시겠습니다."

안스가 분노와 무력감에 주저하는 사이, 베오메네스는 뒤를 돌아 떠났다.

그는 한참 동안 멍하니 서 있었다. 몸을 돌리자 거울 속에 벌거벗어 볼품없는 인간이 서 있었다. 그러다 언뜻 문신이 보였다. 노예의 문신이었다. ……아니, 교국의 문신이었다.

머릿속이 뒤죽박죽 무질서했다. 문신이 곧 살아날 듯 꿈틀거렸다. 평생토록 함께했으나 네가 이토록 낯설게 여겨진 적이 없다.

그는 천천히 침대에 걸어가 앉았다.

중얼거렸다.

"안스카리우스."

제 이름이 아니었다.

그는 한참 동안이나 어둡고도 환한 창 너머를 바라보았다.

하지만 그것도 잠시, 갑자기 벌떡 일어서 문고리를 잡았다. 덜걱였다. 잠겨 있었다. 그는 고개를 돌려 책상과 침대 위에 놓인 귀한 물건들을 바라보았다.

순식간에 다가가 바닥에 내던졌다. '성수'와 '성유' 병을 깨뜨렸다. 말도 안 되는 장난질. 비단 이불을 찢고 안료를 박살 냈다. 마침내 그는 두꺼운 책을 반으로 펼쳐 찢으려 들었다.

한데 안스는 놀랍게도 글을 읽을 수 있었다. 아주 오래된 글자였지만, 낯설지 않았다.

[발아래는 늘 캄캄하오니 분노를 마주쳐도 태연하겠나이다.]

책을 던졌다.

그는 양손으로 얼굴을 짚은 채 한참 동안 서 있었다.

안스는 다음 날 아침 저들이 원하는 대로 차려입었다. 이유는 간단했다. 첫째로, 그는 도살장에 잡힌 돼지 신세였고, 둘째로 총독이 할 말이 궁금했기 때문이다.

다만 그는 이성적으로 행동하는 자신을 또 다른 스스로가 되어 지켜보는 듯한 느낌을 받았다. 삭삭 소리 나는 예복에 팔을 집어넣는 모습을, 몇 번이나 헤매다 목까지 졸라 가며 매무새를 다듬는 모습을, 두 겹의 바지를 입다 뒤로 나동그라지는 모습을.

마치 거울 속의 자신이 바깥에 선 비현실을 바라보는 듯했다. 그 인상은 '분장'하여 완성된 제 꼴을 보자 더욱 지독한 악취를 풍겼다.

그는 이제 평생 산 위에서 내려온 적 없는 사제처럼 보였다. 물론 그 같은 소조폴인은 일생 동안 사제를 본 적이 없었으므로, 단어부터가 아주 오랜 유적처럼 여겨졌다.

따라서 자신을 사제로 표현한 것은, 사람의 속성을 묘사하기보단 단지 오래되어 희고 닳은 유적처럼 느껴진다는 뜻이었다. 그뿐이었다. 그는 '경건함'이 무엇인지도 잘 모르는 사람이었다.

안스는 꼴 보기 싫은 제 얼굴에서 시선을 내려 서랍장 위에 놓인 반지를 바라보았다. 은이었는데, 보석 알이 박혀 있어야 할 부분은 단지 타원형으로 눌려 있었고, 그렇게 납작하게 눌린 자리에는 기괴하게 생긴 새가 초승달에 발톱을 뻗는 문양이 새겨져 있었다.

그는 잠시 문양을 바라보았다. 정말 이국적이고 원시적인 그림이었다. 그러나 비웃는 것도 잠시, 이미 고분고분 말을 들은 마당에 특별 명령을 어길 필요는 없었다. 반지를 끼웠다. 정확히 어느 손가락에 넣어야 하는지 몰라서, 이리저리 손가락을 옮겨 보다 가장 잘 맞는 왼쪽 검지에 끼웠다.

거추장스러운 손을 털며 침대에 주저앉았다. 방 안에 있는 시계는 시노드 신넬과 표현이 달랐지만 뱃사람으로서 쉽게 이해할 수 있었다. 곧 문을 열어 주러 올 것이다.

그는 멍하니 햇살이 비껴드는 창문을 바라보았다. 익숙한 마주두의 먼 바다색…….

"깨어나셨습니까?"

문 바깥에서 들리는 소리에 안스는 고개를 돌렸다.
“문 열어.”
“예.”
잠시 자물쇠를 덜걱이는 소리가 나더니 베오메네스의 얼굴이 보였다. 군인은 잠시 어딘가를 바라보았다.
안스는 무슨 짓을 해도 태연할 것 같던 인간의 얼빠진 침묵이 희한하다고 생각했다. 물론 곧, 함께 시선을 돌려 바닥에 쏟아진 기름을 발견해 냈다.
“…….”
“네가 치울래?”
안스는 이를 갈며 웃었다.
“……아닙니다. 어차피 이 방에는 다시 돌아오지 않으실 겁니다.”
그는 순식간에 약자가 되었다. 베오메네스가 무슨 뜻으로 이곳에 돌아오지 못하리라 말했는지 몰라 긴장했다. 설마 좋은 옷을 입혀 두고 죽이겠다는 건가? 공개적으로 도살하려나?
“나오십시오. 탈란타우에 각하께서 기다리고 계십니다.”
안스는 튕기듯 바깥으로 걸어갔다. 베오메네스를 추월하여 급하게 계단을 오르려 했으나, 팔뚝을 잡혔다. 돌아보자 베오메네스가 검지를 들었다.
“제 뒤를 조용히 따라오십시오.”
안스는 포로인 처지를 절감했다. 교국군은 욕이나 협박을 하지 않았다. 그럼에도 묵묵히 복종해야 했다. 그는 상대가 세 계단이나 먼저 올라가고 나서야 초라하게 따라가기 시작했다.
아침이었지만 오히려 밤보다 사람이 적은 갑판을 지나, 그들은 선장실 앞에 도착했다.

"탈란타우에 각하."

"들어와라."

베오메네스가 앞장서 문을 열었다.

탈란타우에는 어제와 똑같은 차림새로 큰 탁자 앞에 앉아 있었다. 탁자 위에는 바다 한가운데에서 먹기에는 과분한 고기와 채소, 적절히 따뜻한 음식과 차가운 음식이 있었다.

안스는 음식과 총독을 번갈아 쳐다보다가, 등 뒤로 문이 닫히는 소리가 난 후에야 정신을 차렸다.

"왜, 배고픈가? 어제 저녁은 먹었을 텐데."

그가 조롱하는 투였으면 화를 냈을 것이다. 아니, 애초에 그의 말은 비뚜름하고 얇은 입매에서 나와 웬만하면 모두 조롱으로 들렸다.

하지만 놀랍게도 탈란타우에는 호의를 담아 이야기하고 있었다. 꾸며 내는 것일 수도 있지만, 안스는 도저히 그가 시노드 신넬 포로에게 그럴 이유를 찾지 못했다.

"아니요. 아침부터 과하다고 생각했습니다."

"좋아, 좋아. 말투는 몹시 나아졌군."

정말로 호의였다. 안스는 떨떠름하게 섰다.

"앉게."

그는 꼭두각시처럼 총독이 가리키는 자리에 앉았다. 값비싼 은식기가 놓여 있었다. 부주의하게 몸을 기우뚱거리자, 반지와 그릇이 스쳐 지나가며 부딪혔다.

탈란타우에가 박수를 쳤다.

"아, 문장 반지. 그것도 잘 끼고 왔네."

"……."

"그것은 탈란타우에 사제왕의 반지다. 인주를 찍으면 수십만 예나를 동원할 수 있지. 물론 군사도 말일세."

안스는 새삼 제 손에 끼인 반지를 바라보았다. 기괴한 새가 눈코입도 없이 미소 짓는 듯했다.

"어서 들지. 식겠어."

안스는 고개 들지 않은 채, 시선만으로 상대를 노려보았다.

"먼저 말씀해 주십시오. 저는 노력했습니다."

"뭘 말이야?"

"왜 저를 데려왔습니까?"

"달걀을 하나 먹으면 알려 주지. 원래 낯선 이를 영토에 들일 때는 음식을 나누어 신뢰를 확인해야 하지 않은가."

결국 안스는 한 바구니 쌓여 있던 달걀 중 하나를 제 그릇 위에 놓았다. 가볍고 엉성한 모양이, 온전한 달걀이 아니라 무언가를 다시 넣어 조리한 듯 보였다. 아랑곳하지 않은 채 모서리를 박살 냈다.

그리고…… 그릇 위로 쏟아지는 물컹한 사체.

안스는 얼굴을 일그러뜨렸다. 점액에 쌓인 흔적으로 겨우 확인할 수 있는, 달걀 속에서 죽은 병아리였다.

"한 번에 먹게."

탈란타우에가 빙그레 웃었다.

안스는 눈을 가늘게 뜨곤, 작은 숟가락 속에 희끄무레한 것을 담았다. 들었다. 삼켰다. 날것이라 각오했으나 놀랍게도 간이 되어 있었다. 이를 느끼는 순간, 그러니까 '그것'에서 풍미를 느끼는 순간, 안스는 바침내 헛구역질을 했다. '우욱' 소리와 함께 잠시 식탁

옆으로 고개를 숙였다.

"맛있지 않나? 에예우의 특선 요리네. 남부의 닭들은 여리거든."

안스는 콧소리가 들릴 정도로 크게 호흡을 들이마셨다 내뱉었다.

조금 뒤, 물 바깥으로 머리를 내민 사람처럼 식식거리며 식탁에 다시 자리 잡았다. 천을 들어 입가를 닦았다. 제 얼굴이 하얗지 않기를 바랐으나 자신이 없었다.

"……이제 말씀해 주십시오."

탈란타우에는 손바닥을 살짝 들어 말을 막았다.

그 또한 달걀 하나를 가져갔다. 안스는 절대 고개를 돌리지 않겠다는 다짐으로 적을 바라보았다.

탈란타우에는 세심하게 껍질을 깨 내용물을 쏟아 냈다. 곧장 포크를 들어 어린 새의 머리를 찍었다. 어찌나 부드러운지 뼈나 힘줄을 부수는 소리조차 나지 않았다.

안스는 움찔했다. 상대는 보조 포크를 사용해 새를 구깃구깃 말았다. 다시 한번, 이번엔 남은 몸통 끄트머리를 찍었다. 포크에 꿰뚫린 시체 위 검은 눈이 자신을 바라보았다.

탈란타우에는 깔끔하게 한입에 넣었다. 천을 들어 입가를 닦을 필요도 없었다.

안스는 경멸의 감정으로 코끝을 꿈틀거렸다.

탈란타우에는 조용히 식기를 내려 두며 다시 그를 마주 보았다.

"식재료 하나는 훌륭하군. 야만의 땅도 아쉬운 대로 괜찮아."

대답하지 않았다. 노려보았다.

"계속 그리 있을 테냐? 지난 배의 일지를 보니 고작 석 달간 항해했던데, 그다지 애틋해질 만한 시간은 아니지 않나."

"당신은 저를 어릿광대처럼 쓰고 있습니다. 사정을 설명해 주시기 전까지는, 이 이상으로 어떻게 해야 할지 모르겠습니다. 꾸며내기라도 할까요? 제게 뭘 바라시는 겁니까?"

탈란타우에가 희미하게 웃었다. 먹느라 살짝 기울어져 있던 상체를 바로 세웠다.

"안스카리우스."

"저는 '안스'라고 불립니다."

"안 되지. 사제왕의 귀한 도련님께서."

안스는 그가 무슨 말을 하는지 몰라 인상을 찌푸렸다. '사제왕'? '귀한 도련님'? 그러고 보니 '사제왕'이라는 단어는 베오메네스가 탈란타우에를 지칭할 때 썼던 것인데.

그러니까……. '탈란타우에 각하'의 지위였다.

안스는 눈을 느릿느릿 깜빡였다.

탈란타우에는 양손을 펼쳐 보였다.

"바를라암에는 아들이 넷, 딸이 하나 있다. 너는 사남四男이다. 아무도 신경 쓰지 않는 꼬맹이 말이다."

"……."

"바를라암 사제왕은 월계관을 상징으로 삼은 가문답게 아주 고집 세고 욕심 많은 아들들을 두었지. 오래전 스물넷의 장남이 여섯 살 막내를 에드스나로 쫓아 보냈네. 아, 에드스나. 아주 아름답고 재미없는 신의 콧물 같은 섬이지. 요새는 아무도 그런 촌스러운 짓을 하지 않는데 왜 그랬는지 몰라. 이제는 당사자가 죽었으니 물어볼 수도 없네."

"……."

"음……. 요약하자면, 사제왕 위는 명예와 고난과 짜증으로 가득한 노예 생활이므로 그다지 욕심낼 자리가 못 된다. 오히려 무책임한 자유를 누릴 수 있는 사제왕의 형제자매가 낫지. 그런데 바를라암의 삼형제 간에는 개인적인 불화가 상당했다. 어느 정도냐면, 마침내 재작년에 장남과 삼남이 칼부림을 벌여, 두 달을 사이에 두고 모두 세상을 떠났을 정도지. 그리고 놀랍게도 그 틈에 이남까지 누가 썼는지도 모를 독을 먹고 죽었네. 마치 세 마리의 뱀이 서로 꼬리를 먹고 목이 막혀 죽은 셈이야."

"……."

"석 달 사이에 생때같은 자식들 셋이 순서대로 묻혔다. 우리의 친애하는 사제왕 바를라암은 그제야 약간의 긴장이 똑똑한 아들들을 만든다는 논리에서 벗어났지만, 제정신을 차린 게 꽤 늦었다고 봐야지. 그건 십수 년 전에 장남이 막내를 바다로 떠내려 보냈을 때 알았어야지."

안스는 탁자 아래에서 주먹을 꽉 쥐었다. 무슨 감정인지는 스스로도 잘 몰랐다.

"그래. 네 번째 남자아이 이야기를 다시 해 보자. 나이 차를 고려하면 그 아이는 멍청한 삼형제와 배가 다를 것이다. 다만 어머니는 좋은 재보財寶와 함께 멀리 숨었고, 아이 홀로 입적되었으니 사제왕의 계보에 얼추 속한다고 볼 수 있겠다. 물론 바를라암에겐 멋진 정식 부인과 강건했던 젊은 시절, 보다 빛났던 명예를 추억하게 만드는 삼형제만이 인지되었다는 사실을 부정하지는 않겠다. 바로 그 때문에 장남이 보란 듯이 아이를 유배시켜도 상관없던 것이겠지. 항해에서 문제가 생겨도 말이야……."

"……."

"항해에선 문제가 생겼다."

"……."

"범선은 폭풍을 맞아 난파되었다. 다행히 비상용 배들이 있어 일부 살아남은 선원들이 근처 무인도에 상륙했지. 반년 뒤 근방을 항해하던 배가 그들을 구출했지만 아이의 행방을 아는 이는 아무도 없었다. '분명히 누군가 작은 배로 데려갔을 텐데.'라고 앵무새처럼 반복할 뿐. 그 와중에 몇몇 사람들은 아이가 서쪽으로 흘러 들어갔을 가능성을 제시했지. 물론 교국의 누구도 그곳까지 갈 생각은 없었다. 바를라암은 반년 만에 장례를 치렀고. 그런데……."

탈란타우에는 검지로 그를 가리켰다.

안스는 꿈쩍도 하지 않은 채 상대를 응시했다.

"너, 네 등의 문신이 무엇인지 아나?"

안스는 이 순간 내뱉을 단어를 얼마 가지고 있지 않았다. 주저하다가 대답했다.

"노예에게 새기는 문신입니다."

탈란타우에는 첫 구절을 듣는 순간부터 킬킬거렸다. 예상했던 반응이기에 실망하지 않았다. 총독이 혼자 웃길 멈추고 지금까지처럼 연설해 주길 기다렸다.

상대는 어깨를 들썩이며 입가를 가렸다.

"아, 내가 그 말을 수없이 들었지."

"……."

"우리가 마주두에 불시착했을 때 문신을 가진 노인이 말했네. 오로지 노예들만이 이름 문신을 새긴다고. 물론 그는 부실한 가짜를 지녔으나 궁금하여 물어보았다. '그래, 이 어리석은 늙은이야. 나 역시 고향에서 풍문을 들어 어렴풋이 알고 있다. 그러나 대체 왜 그런 풍습이 생겼다는 말인가? 일반인과 분리하기 위해서라면 인두로 지져도 충분한 것을.' 그는 대답했네. 백 년 전 동쪽에서 교국 표류자가 흘러 왔는데 그 사람 이름이 등에 문신으로 새겨져 있더라. 당시 세력이 컸던 해적 우두머리가 그것을 마음에 들어 하여 제 노예들에게 문신을 새겼고, 그들이 사방천지로 팔려 나갔다. 그러자 자기들 물건도 품질이 좋다는 것을 증명하고자 다른 해적들 또한 노예에게 문신을 새기기 시작했다. 그게 어느새 규칙으로 자리매김했다는 흥미로운 이야기지."

"……."

"백여 년 전 교국은 혼란스러운 시대를 겪고 있었다. 수많은 사람들이 죽었고 또한 위험에 처해 있었으며, 그것은 사제왕의 자손들도 예외는 아니었다. 때문에 일부 계승권이 낮은 사제왕의 핏줄들은 법황과의 싸움에서 벗어나고자 서쪽 군도로 향했지. 아까 말했듯 그곳은 재미없고 아름다운, 사람을 정치적으로 사망시키는 산골에 가깝다. 그 와중 험악한 해역에 견디지 못한 몇 척의 배가 이 빠지듯 사라졌지. 그들은 죽었거나, 더 서쪽으로 흘러 들어갔을 터."

"……."

잠깐 정적이 흘렀다. 탈란타우에는 대답을 기다리기라도 하는 듯 안스를 빤히 바라보았다. 그러나 그는 답하지 않았고, 결국 총독은 본인의 오른쪽 어깨에 손을 얹었다.

"백 년 전, 해적에게 흘러 들어간 표류자는 사제왕의 자손이다."

그의 손가락이 보이지 않는 뒤쪽을 조금씩 더듬거렸다. 안스는 제게도 똑같은 자리에, 그러니까 오른쪽 어깨 바로 아래에 이름이 새겨져 있다는 사실을 알아 불편한 기분이 되었다.

"바꿔 말하자면, 그 문신은 사제왕의 자손만이 가지고 있다."

탈란타우에가 어깨 옷자락을 구겼다. 안스는 홀린 듯이 바라보았다.

"법황이 교활하게 새긴 문신에선 공단과 같은 광택이 난다. 팔뚝만 한 갓난애일 때 새겨도 늙어 죽을 때까지 생생한 모서리를 가진다. 절대로, 썩은 바늘을 가지고 삐뚤게 쓴 모사품이 아니다."

내 문신이 어떻게 생겼더라? 기억도 안 났다. 등에 있는 그림을 신경 쓰기는 어려운 법이다.

"물론 법황이 사제왕을 부리기 위해 쓴 문신이므로 근본은 노예와 다르지 않다고 주장할 수 있겠군……."

탈란타우에는 혼자 중얼거리다가, 갑자기 주의를 돌리듯 '쾅' 하고 왼손을 식탁에 내리찍었다. 식기들이 놀라 발칵 성을 냈다. 유리잔이 차르르 울리다가 가라앉았다. 물론 안스는 그의 의도에 휩쓸리기 싫어 빳빳한 동상처럼 굳어 있었다.

곧, 총독은 장난이 심했다는 듯 양손을 들고 평온하게 말을 이었다.

"아무튼 사제왕 친족의 문신을 몰라볼 수는 없다. 그 뒤는 짐작하겠지? 내가 떠나기 전, 바를라암이 개인적으로 부탁했네. 혹시 문신을 가진 이를 보면 한 번씩 확인해 달라고 하더군. 이름은 안스카리우스. 안스카리우스 드라수스 바를라암."

안스는 설명을 목전에 두자 점점 더 의심스러워졌다. 설혹 탈란타우에의 말이 맞더라도 그 넷째가 살아 있을 확률, 살아 있더라도 넓은 시노드 신넬 중 이 구석진 마주두에서 발견될 확률을 고려하면 총독이 움켜쥔 행운은 믿기 힘든 수준이었다.

게다가 만일 안스카리우스라는 이름을 특정 지어 찾았다면 굳이 여기까지 뒤질 필요 없이, 이미 한참 전에 소조폴에서 자신을 아는 사람을 만났을 것이다…….

그는 순간적으로 진실을 포착했다.

탈란타우에를 노려보았다.

"왜 마주두에 왔습니까?"

탈란타우에는 웃었다.

"당신은 총독이자 사제왕이죠? 그렇게 지위가 높은 사람이, 처음에도 무가치하다고 느껴 공격하지 않았던 마주두 섬에 왜 굳이 행차했습니까?"

"꾸준히 명석하여 마음에 든다. 바를라암의 다섯 자식 중엔 네가 제일 나을 것이야."

"대답하세요."

그의 소리 없는 웃음이 더 커졌다. 안스는 저 얼굴이 징그럽게도 입이 귀밑까지 찢어진 괴수 같아 소름이 돋았고 더더욱 화가 났다.

거칠게 의자를 밀고 일어섰다.

"대답하지 않으면―"

"터르노보 우스페히."

안스는 이를 악물었다. 식탁 위로 한쪽 무릎을 올렸다. 밀려난 은식기들이 덜거덕거리며 양탄자 위에 뒹굴었다. 그는 당장에 음식을 뭉개고 기어가 탈란타우에의 멱살을 잡으려 했다.

"당신 다 알고―!"

"얘야. 그만, 그만. 혹시 내가 그자를 협박하여 정보를 알아냈다고 생각한다면 큰 오해다."

꽉 쥔 힘에 식탁이 부들부들 떨렸다. 지금까지 억눌려 있던 분노, 증오, 서러움, 원망, 후회. 모든 게 구역질 나는 한 덩어리가 되어 자신을 덮쳤다.

자신이 우스페히에게 승복해 소조폴을 떠났던 것, 그러고도 소조폴이 함락되었다는 소식을 들은 뒤 의연하지 못했던 것, 그가 성을 가지도록 권유했음에도 근본 없는 떠돌이로 돌아다니며 스스로를 해치기 시작했던 것, 그렇게 술과 노름과 위험한 일로 죽고 싶어 안달이었으면서 동시에 매 순간순간 적극적으로, 우스페히를 애도하길 거부한 것. 모든 것이 제 잘못이었다. 전부!

그리고 지금도……. 그는 탈란타우에게 거짓된 속삭임이라도 듣기 위해 멈추었다.

안스는 스스로를 더 이상 혐오하지 않았다. 증오했다.

탈란타우에는 그럴 줄 알았다는 듯 식탁을 가볍게 쥔 채, 고개만 앞으로 살짝 기울였다.

"안스카리우스, 나는 소조폴 유력 상인들에게 밀봉된 명령을 건넸다."

"……."

"'시노드 신넬 남부 최고 도시에 묻는다. 교국은 등에 '안스카리우스'라는 문신을 새긴 열아홉 살 소년을 찾는다. 그자의 행방을 알리는 이에게는 교국과 협력하여 도시를 재건할 기회를 주겠다.'"

목이 부르르 떨렸다. 손에, 등에, 아니, 온몸에서 한순간 식은땀이 훅 끼쳤다. 마치 죽기 직전에 온갖 끔찍한 액체를 흘리는 시체가 된 기분이었다.

"왜 그런 표정인가? 너에 대해 처음 알려 온 곳은 황금 돛 상단이었다. 등에 '안스카리우스'라는 문신을 새긴 소년이 지난 십이 년 동안 우스페히 상단에서 일했다고 하더군. 그리고 전투가 벌어졌던 날에도 소조폴에 있었다고 강조했다."

안스는 흥분을 가라앉히지 못하고 바보같이 팔을 휘둘렀다. 음식과 식기들이 사방으로 쏟아졌다. 냉정하게 생각할 수 없었다. 그날, 노래 부르며 들어갔던 운하. 황금 돛 상단의 벨리코브 씨. 단순한 환영 인사라고 생각했던 대화가 희미하게 떠올랐다.

"그 이야기를 듣고 내가 직접 우스페히 상에 방문했다. 터르노보 우스페히를 만나 너에 대해 아는 바가 있느냐고 물었지. 그는 너의 이후 행적에 대해선 모른다고 잡아뗐다……. 나는 결국 진실을 밝힐 수밖에 없었다. 그 소년은 내 조카에 가까운 존재고, 그의 아버지가 옛 땅에서 기다리고 있다고."

안스는 결국 참지 못했다.

"'조카', '아버지'? 좆같은 소리—!"

"'나는 교국을 다스리는 이십이 사제왕 중 하나다. 시노드 신넬과 감히 비교할 수 없을 정도로 발전된 나라를 단 스물두 명이 통치하며, 소년의 아버지와 내가 그에 속한다. 조선소 하나에 대양을 넘어온 배가 열 척씩 건조되고, 저 시계탑 두 배 높이의 성소가 즐비한 곳이지만, 호사를 누리는 것은 죄악으로 여겨지며 거지라곤 단 한 명도 없는 곳. 당신이 숨기는 소년은 평생토록 선조가 지킨 교국을 보지 못했잖은가.'"

"진짜 미친 개소리 좀 하지 마. 미친 새끼들. 머리 가죽 거꾸로 뒤집어쓴 정신 나간 인간들……."

"그리고 우스페히에게 숙고할 시간을 줬지. 당신이 알려 주지 않아도 곧 행적을 알게 될 테지만, 소년을 키워 준 시간을 존중하여 기다리는 거라고. 혹여 우리가 그 애를 해치리라곤 생각하지 않겠지? 설혹 핏줄에 원한을 품었더라도 기억도 없는 애를 귀찮게 왜 죽이겠나. 오로지 아버지가 오래전 잃어버린 아들을 그리워한 탓이다."

"뇌는 곁불에다가 태워 먹었는지, 자기가 먼저 바를라암이 멍청해서 후계자들을 다 죽였다고 욕해 놓고, 이젠 내가 '그냥' 그리워서, 보고 싶어 부르는 거라고?"

탈란타우에는 코웃음을 쳤다.

"이 친구야. 무슨 착각을 하는가 했다만, 설마 바를라암이 너를 후계자 삼기 위해 찾는다고 생각하는 건 아니지?"

"……."

"바를라암에게 정신병이 있긴 하지만 완전히 돌아 버린 건 아니네. 그에겐 수녀원을 오가며 잘 자란 딸이 있어. 그런데 이 쓰레기 구덩이 같은 곳에 익숙한 천출 서자를 얼굴도 안 보고 후계자로 삼아? 그럴 바엔 차라리 에예우 앞바다에 빠져 죽는 게 낫지. 그가 안 빠져 죽겠다면 내가 죽여 줄 용의가 있다."

"……."

"넌 정말 '네'가 '내'가 될 수 있다고 믿었느냐?"

안스는 그를 노려보았다. 그가 말하는 '나'란 어떤 의미인가? 안스에게 그는 단지 이천 명을 죽였는지, 천오백 명을 죽였는지 기억도 못 하는 인간일 뿐이었다. 절대 되고 싶지 않았다.

탈란타우에는 침묵을 다르게 해석했는지 눈썹을 까닥였다. 네 항복을 받아들이겠다는 투였다.

"'아판둔' 원정은, 그러니까 내가 이곳에 온 것은 백 년— 아니, 오백 년에 한 번 일어나기도 힘든 일이야. 바를라암이 이처럼 희귀한 기회를 놓치지 않고 부탁한 것은 당연하다. 본인의 무관심으로 고통받은 자식이니, 혹시 살아 있다면 얼굴이라도 한번 보고 싶은 것이지."

안스는 여전히 의심에 파묻힌 채—

"우스페히는 꼬박 하루를 고민한 뒤 내게 사람을 보냈다. '찾고 있는 사람은 도이도흐로 떠났습니다.'"

—말도 안 된다! 누군가 제 속에서 필사적으로 부정했다. 마지막으로 우스페히를 만났던 날, 그는 자신에게 새로운 성을 찾으라고, 네 인생을 개척하라고 말했다. 그게 진짜로, 그의 마지막 말이었다. 우리의 마지막 대화였단 말이다…….

"그래서 나는 감사 인사와 함께 직접 안전을 보장하기 위해 우스페히 상관으로 갔다. 그런데 도착하니 본인 사무실에서 자살해 있더군. 난 아직까지 잘 이해가 안 간다. 네게 어떻게 설명해야 할지 고민했는데, 결국 이 순간까지 애매하게 부고訃告를 전할 수밖에 없게 되었군."

안스는 눈을 꽉 감았다.

"궁금증은 다 풀렸나? 그러면 식사를 좀 하지."

탈란타우에는 앞이 엉망진창인 상대를 신경 쓰지 않은 채 다시 음식을 들기 시작했다. 정적 속에서 품위 있고 조용한 아침 식사를 이어 갔다.

안스는 한 손으로 얼굴을 짚은 채 주춤주춤 바닥에 웅크려 앉았다. 생각할 시간이 필요했다.

탈란타우에가 얼마나 나쁜 놈인지 파악하려 했지만 아직 그를 잘 몰랐다. 제 인생의 두 배 이상 산 사람을 가늠하기란 정말 까마득히 어려운 일이다. 그렇다고 그를 파악하기 전에 제 행동을 결정할 수도 없는 노릇이었다.

그러면, 탈출할까?

"소조폴에 돌아가면 네 손으로 터르노보 우스페히의 장례를 치를 수 있도록 해 주지. 그의 주검을 잘 보존해 두었다."

안스는 탈출을 시도하지도 못한 채 붙잡혔다.

"여전히 그 바닥에 뭉개고 있는 이유는, 내가 사람을 죽여서? 그래. 소조폴 상주들과 보호 귀족들을 모조리 죽였지. 내 명령이었다. 하나 무슨 말을 해야 할지 모르겠다. 넌 전쟁에 무지하군. 단 오천 명으로 대륙을 넘어왔다면, 모든 것이 우리를 위협한다고 간주할 수밖에 없다."

"……."

"애초에 왜 소조폴을 공격했느냐고 나를 원망할 수는 있으나, 전투에서 사람을 죽였다고 화를 내면 안 되지."

안스는 바보처럼 들릴 것을 알면서도 입을 열었다.

"왜 소조폴이었는데?"

사실, 누구한테 '묻고' 싶은 질문인지도 잘 몰랐다. 탈란타우에가 완벽하게 설명한들 제가 위로받을 리 없으니까.

"마주두 섬을 통해 도착했으면…… 상식적으로 더 부유하고 더 가까운 이즈버르에 가야 하는데……."

"너는 여전히 전쟁을 모른다. 낯선 곳에서 포위당하기 싫다면 남쪽이든 북쪽이든 끄트머리부터 짚어 가는 것이 순리다. 그리고 억울해할 필요 없다. 우리는 이미 도이도흐도 점령했으니까."

눈을 깜박였다. 갑자기 잔뜩 긴장하는 바람에 바닥 양탄자의 가장 가는 올까지 보일 지경이었다.

생각하는 것보다 먼저 목소리가 나갔다.

"언제……?"

"일주일 전. 마주두로 오는데 후방에 적을 남겨 둘 수는 없지. 순서는 명확했다."

"……."

"도이도흐에 사역관과 몇몇 군사를 남겨 둔 뒤 소조폴로 돌아간다. 이제는 한 걸음 더 나아가 이즈버르 침공을 준비해야 한다. 모두 대답이 되었지? 교국은 시노드 신넬 남부부터 천천히 점령해 갈 생각이다. 소조폴은 단지 처음이었을 뿐이다."

"……교국이 발전되고 좋은 곳이면…… 대체 왜 이곳에, 이렇게까지……."

대답이 떨어지지 않았다. 식사를 이어 가는 소리만 잠시 들렸다.

"……."

"……."

안스는 바닥을 움켜쥐며 몸을 일으켰다. 식탁의 지평선 너머로 탈란타우에가 입을 닦는 모습이 보였다. 그와 눈이 마주쳤다. 그는 귀찮은 개를 쫓아내듯 손을 흔들어 보였다.

"오늘은 이 정도면 충분한 것 같군."

"……."

"오늘 들은 이야기를 잘 생각해 보게. 소조폴에 도착하기까지 며칠 안 남았지. 너를 키워 준 후견인의 장례를 치르고, 그 뒤 무엇이라도 해야 할 것 아닌가."

"……그래서 살인자들을 따라가라고?"

“적어도 나는 터르노보 우스페히를 살리려 한 사람이다. 개인적인 원한은 없잖느냐? 너를 설득하기 위해 그자가 살아 있었어야 하는데, 천추의 한이로군.”

“…….”

“소조폴로 돌아가면 그가 내게 남긴 마지막 편지를 주마. 필요하다면 말이지.”

“필요합니다.”

“그래. 찬찬히 생각해라. 나가 보고.”

그의 말투는 대화를 시작할 때와 마찬가지로 여전히 친한 젊은이를 다루듯 했다. 안스는 그가 진력나게 싫으면서도 조금씩 혼란스러워졌다.

허탈하게 일어섰다. 탈란타우에의 손짓에 따라 문을 열었다. 계단 아래, 복도 너머에서 베오메네스가 대기하고 있었다. 그는 군인처럼 성큼성큼 다가왔다.

“명하신 대로 안내하겠습니다.”

“그래, 백인대장. 그리고 저자에겐 음식을 따로 가져다주어라. 문은 잠그지 말고.”

베오메네스는 질문하지 않고 복종했다. 문을 닫은 뒤 말없이 앞장섰다.

다시 한참 아래의 장교 선실로 돌아가는가 했는데, 계단 아래에서 우뚝 멈추었다. 장식이 화려해 또 다른 지배자를 위한 방으로 생각되는 곳이었다. 포로를 놓아둘 만한 곳은 아닌 것이다.

그러나 베오메네스는 안으로 들어가라는 시늉을 하더니 말도 없이 문을 닫고 사라졌다.

그는 의심스러운 시선으로 문고리를 돌렸다. 몹시 잘 열렸다.

안스는 다시 방을 닫아건 뒤 주변을 둘러보았다. 선장실처럼 한 벽이 온통 유리창으로 뒤덮여 있었다. 책이 잔뜩 꽂힌 책상, 드넓은 침대, 술과 찻잎이 놓인 수납장, 무채색 옷으로 가득 찬 마호가니 옷장, 거대한 안락의자가 한방에 있었다. 분명 배가 움직이고 있는데 진동이 거의 느껴지지 않았다.

안스는 패배한 기분이 들었다. 천천히 걸어가 침대 위에 주저앉았다.

그는 별로 욕망이 없는 사람이었다. 그가 바라는 것은 굶어 죽지 않는 일자리 정도였다. 그 이상으로는 단지 티티라와 우스페히였는데…… 이젠 아무것도 없었다.

교국은 유성 같았다. 하늘에서 난데없이 떨어져 제 터전을 부수었다. 하지만 자신이 아끼는 둘이 유성의 충격으로 사라진 것은 아니었다. 상실감을 느껴 보려 했으나 티티라는 스스로 떠났고, 우스페히는 자살했다. 모두가 적극적으로 제 길을 찾아 떠나는 가운데 저만 둔해 빠져 혼자 남았다.

안스는 두 사람을 이해할 수 없었다. 그것이 그를 너무 큰 고통에 빠뜨렸다.

그는 곧장 잠들었다. 평소보다 수십 배 긴장한 탓에 너무도 피곤했다.

"너는 나중에 뭘 할 거야?"

티티라는 다듬어지지 않은 소조폴의 외딴 해변에 누워 물었다.

안스는 대답하지 않은 채 그녀의 얼굴을 바라보았다. 낮에 눈을 감을 때 느껴지는 수많은 빛들. 그에게 그녀는 항상 그런 존재였다. 항상 맹렬하게 빛나 사랑할 수밖에 없는 친구 말이다.

"잘 모르겠는데."

티티라는 탓하듯 그를 돌아보았다.

"그런 대답이 어디 있어?"
"우스페히의 상비나 하겠지. 그 이상, 뭐?"
"넌 머리도 나쁘지 않은데 왜 대충 사는 거야?"

안스는 반대로, 그녀가 왜 그렇게 악착같이 사는지 알고 싶었다. 티티라는 항상 사선死線에 선 것처럼 날카롭게 굴었고, 또 그만큼 노력했다. 그녀를 보는 것만으로도 가끔은 지칠 지경이었다.

"티, 난 그냥……. 더 많은 걸 보고 싶을 뿐이야. 그건 성공하는 것과는 별로 상관없어."
"노력하지 않으면 더 많이 보지도 못할걸?"
"아니. 오히려 욕심을 버려야 돌아다니기 쉽지. 집착하면 지킬 게 많아지잖아."

티티라는 고개를 마구 저었다.

"안스, 넌 정말 근사해. 그런데 그냥 칠레팔레 돌아다니다가 죽겠다고?"
"난 그런 말 한 적 없는데."
"안스."

그녀가 갑작스레 손으로 제 얼굴을 짚었다. 작은 손바닥이 뺨에 달라붙자 불에 덴 듯 아팠다. 그러나 그 불길에 타 죽어도 좋았다. 그녀는 제 작은 태양이었다.

"넌 정말 그거면 돼?"

안스는 정말 '그거'면 되었다. 주변에 선 모든 사람들을, 그러니까 친구들까지 억척스럽게 의심하며 살고 싶지 않았다. 자신이 아는 우스페히는 가장 가까운 사환들은커녕 반평생을 함께한 블리조에게마저 의지하지 않았다. 결단코 그렇게 되고 싶지—
안스는 갑자기 두려워졌다. 티티라가 그렇게 되면 어쩌나?

"티."
"응?"
"넌 내가 '별게' 아니면, 필요 없다고 할 거야?"

티티라는 한 바퀴 굴러 제 위로 올라탔다. 안스는 가끔 그녀가 환상처럼 느껴지기도 했다. 평생을 같이 지내 놓고도, 이렇게 뜨끈하고 부드러운 살로 느껴질 때와 고래 심줄 같은 성정의 아귀를 맞출 수 없었다.

"네가 별게 아니어도 나한테 필요해, 안스."

그는 그 말을 잘 이해하지 못했다. 하지만 저 애가 자신을 필요로 한다는 사실에 놀라고 말았다.
바보같이 되물었다.

"왜?"
"네가 내 이유가 될 테니까. 친구가 모질지 못하면, 대신 내가 날뛰게 될 거야. 나는 널 위해 무슨 짓이든 할 거야."

안스는 약간 흥분했다.

"내가 너한테……."
"넌 내 전부야."

그는 순간적으로 그녀를 껴안으려다 멈칫했다. 티티라는 씩 웃고 있었다. 그 표정이 신이 되어 어마어마한 둑을 뚝딱 쌓았다.
자신이 십 년을 보고 자란, 어린 이가 빠져 있던 표정과, 그 자리에 작고 흰 이가 돋아 자랑스러워하던 표정과, 마침내 뼈와 살이 자라 어른인 양 굴던 소녀의 표정.
안스는 그녀가 노출하는 조각들을 볼 때마다 그 단면을 함께했던 모든 시간을 함께 목격하곤 했다.

"안스."

티티라는 한숨을 푹 쉬며 그의 가슴팍에 고개를 묻었다. 누가 봐도 애정은 온데간데없었고, 단지 기가 막혀 힘이 빠진다는 태도였다.

안스는 한심하게도 몸을 비틀어 빼냈다. 제 마음을 들킬까 두려웠다.

"티, 하지 마."

"혼자 어른인 척."

"그런 거 아냐."

"끽해야 세 살 더 먹어 놓고 맨날 '엣헴', '엣헴'."

"아니라니까."

그는 짜증스레 그녀를 밀쳐냈다. 티티라는 콧방귀를 뀌며 벌떡 일어섰다. 그녀의 그림자가 제 위에 드리웠다. 그녀는 바닷바람을 정면으로 받는 당당한 석상처럼 두 팔을 벌리고 섰다.

"아! 배고파!"

안스는 픽 웃었다.

"티."

"뭐?"

"내가 만일 욕심을 부리면 어쩔 거야?"

"그러면 정말 좋을 텐데!"

티티라는 반색했다. 그녀의 흥분한 표정과 바닷가의 빛이 어우러져 한데 뭉쳤다.

"그럼 우리가 모든 걸 같이할 수 있잖아!"
"너 방금, 내가 별게 아니어도 좋다면서? 왜 딴소리야?"
"난 다 좋아! 네가 날 긴장하게 만들어도 좋고, 내게 기대도 다 좋아. 다."
"그게 뭐냐? 하나만 골라 봐."

그녀는 힘차게 검지와 엄지를 벌려 턱 아래 얹었다. 그 모습은 꼭 맹렬히 고민하는 고슴도치 같았다.

"어, 굳이 고르자면……."
"……."
"안스, 난 네가 멋지고 훌륭한 걸 꿈꿨으면 좋겠어."
"지금은 아니라고?"
"야, 너 되는 대로 살잖아. 거짓말 칠 생각 마."
"……."
"난 네가 욕심을 부리는 모습을 보고 싶어."

안스는 그녀를 물끄러미 바라보았다. 그가 지금껏 진짜 원했던 것은 단 하나였는데, 이를 위해 욕심을 부려도 된다는 말인가? 도무지 가늠할 수 없었다. 티티라는 항상 영리했으니, 이번에도 아무것도 모르는 척하면서 나를 떠보는 건가?

"안스, 욕심을 내."

안스는 기억에서 깨어났다.

그는 잠시 동안 어리둥절한 채로 주변을 바라보았다. 누운 제 시야보다 높은 위치에 음식이 놓여 있었다. 음식? 그는 살짝 눈을 돌려 뻥 뚫린 망망대해를 바라보았다. 그 진한 바다를 보는 순간 현실로 돌아왔다.

안스는 팔다리를 벌린 채 누웠다.

그때, 자신은 그 애가 고백에 욕심을 내도 된다고 말한 줄 알았다. 스스로 이미 충분히 표현했기에 다 알고 대답한 줄로만 알았다.

물론 티티라는 마중 나온 부두에서, 시계탑에서 아무것도 몰랐다. 그녀는 정말로 자신이 '욕심'을 부리길 바랐던 것이다.

안스는 남의 욕망을 보듯이 단어를 관찰했다.

티티라가 나였다면, 어떻게 했을까? 무엇을 꿈꿨을까?

안스는 물 아래 잠긴 사람처럼 교국을 견뎠다. 그는 좋은 잠수부였기에 해저에서도 그럭저럭 살 만하다고 느꼈다. 가끔 혼자 있을 때만 숨을 들이켜고, 교국인들과 함께할 때에는 온갖 각오와 함께 볼을 부풀려야만 하는 그런 생활.

탈란타우에는 식사 자리마다 그를 불러 괴롭혔다. 장본인은 괴롭힌다는 생각이 없었을지 몰라도, 안스는 그와 음식을 나눌 때마다 체할 것만 같았다. 그가 첫날 이후로는 기괴한 풍습을 강요하지 않았다는 것이 그나마 다행이었다.

탈란타우에는 항상 칼을 보여 주며 친절한 사람인 양 굴었다. 두 가지 얼굴을 번갈아 들이미는 행동이 재미있다고 생각하는 듯했다.

보통이라면 나이 먹고 한심하다고 읊조렸겠지만, 상대에게는 그럴 만한 권력이 있었다. 안스는 최대한 조심스레 그의 의도에 이끌려 갔다. 너무 고분고분하면 의심할 테고, 지나치게 반항하면 불쾌해할 테니까, 그의 꼭두각시처럼 적절히 재롱을 피웠다.

그러면 탈란타우에는 연극에 합격점을 주듯 이야기를 풀어냈다. 교국에 대해 단 하나도 숨기지 않았다.

안스는 이제 교국이 시노드 신넬보다 큰 국가라는 사실을 알게 되었다. 교국이 차지한 땅은 북동쪽이 산맥으로 막힌, 어마어마한 크기의 반도였다. 동쪽 해안선에 간혹 인간의 흔적이 떠내려와 누군가 저 너머에 살고 있다는 사실을 알지만, 부동항이 없기에 그뿐이라고 했다.

즉, 그들은 시노드 신넬보다도 닫힌 세계에 살았다. 적어도 시노드 신넬은 제 곁의 중소 국가들이 촘촘하게 직조되어 끊임없이 이어지고 있다는 사실을 알았다.

그러나 교국은 단 하나. 그렇게 사방이 닫힌 곳에 단 하나의 국가라니, 어떤 삶일까?

아마 한 명의 신과 스물두 명의 하수인들이 다스려도 이상한 줄도 모르고 아무 불만도 없는 삶일 것이다.

한 명의 신은 경악스러울 정도로 많은 권위와 명예, 금을 누린다. 하수인들은 그 부스러기를 주워 먹으며 정력적으로 일한다. 신민들은 신을 사랑하고 곁에 있는 하수인들을 경원시하며, 평등하게 과업에 종사하는 무채색 삶을 산다. 절대 굶지 않겠지만, 그들의 음식에 향신료는 없을 것이다.

조금 더 배운 사제왕들이 화를 내기 시작한 것은 어찌 보면 당연한 일이다. 그들은 열심히 노력하여 단지 법황의 영광에 일조하는 데 진력이 났다. 애쓴 만큼의 대가를 바랐으나 대답조차 없이 무시당했다.

법황은 갓난아이 적부터 사제왕의 평생을 구속한다. 왜 노예에게 귀를 기울이겠는가?

"백 년 전의 법황 아르히고. 그는 유독 욕심이 많은 편이었지."

안스는 이제 익숙한 탈란타우에의 식기를 바라보았다. 식기의 밝은 부분 위로 사제왕의 얼굴이 비쳤다.

"기본적으로 신민의 공경과 애정은 적절한 수준의 착취를 바탕으로 하는데, 그는 정도를 넘었다. 결국 북부 일부에서 '이단' 반란이 일어났다. 아니, 그때는 반란이라 칭하기도 무엇했지. 곡괭이를 든 어수선한 화적 떼들이 적절한 단어일 것이야. 그들의 요구는 '공납량을 줄여 줄 것'뿐이었다."

"……."

"당시 그 지역을 담당하고 있던 사제왕은 탈란타우에였어. 아, 물론, 나, '안디프 오모스 탈란타우에'가 아니라 '발레디아스 알렉시스 탈란타우에'였지."

그는 눈을 찡긋했다. 안스는 인상을 찌푸렸다.

"탈란타우에는 법황에게 보고한 뒤 적절한 수준의 타협을 제안했네. 애초에 정도를 넘어선 착취였으니까. 그러나 법황은 귓등으로도 듣지 않았지. 역사상 처음으로 일어난 반역에 분노하여 주동자를 죽이고 율령律令대로 진행할 것을 명했다. 탈란타우에는 따랐다. 따라야지 어쩌겠어? 안 그러면 등 뒤 문신이 불타오를 텐데."

안스는 시선을 홱 돌려 그를 바라보았다. 처음 듣는 이야기였다. 문신이 뭐 어쩌고 저째?

탈란타우에는 빙그레 웃었다.

"아, 이건 처음 이야기하던가? 하나 내가 일전에 문신을 노예의 상징이라 칭했을 터인데, 그러면 짐작을 했어야지."

"……."

"네 등의 문신은 족쇄다. 법황의 명령을 어기면 곧장 끔찍한 고통, 차라리 죽는 게 나을 정도의 고통을 겪는다. 비슷하게 체험해보려면 법황의 말을 대리한 '사제왕의 맹세'를 하면 된다. 네가 아픈 걸 좋아하는 취향이라면 추천할 만하지."

안스는 제대로 이해하지 못했다.

"무슨 소립니까? 법황이란 사람이 지금 당장 나한테 물에 뛰어들라고 하면 따라야 해요?"

"문신이 있는 한 그게 덜 고통스럽게 죽는 방법이다."

"말도 안 돼. 순 사기꾼 같은 소리만 하네."

"마음대로 생각해라. 내 말은 진실이니. 사제왕들은 그 때문에 사백 년 동안 단 한 번도 반항하지 못했다. 자식이 태어나면 열흘 내로 법황에게 보내 문신을 새겨야 한다. 반항하면 죽는다. 도리 없지."

"……."

"아무튼 알렉시스 탈란타우에는 주동자를 다 죽여 법황의 명령을 이행했다. 그러나 들불은 더 넓게 퍼졌지. 한 마을에서 일어났던 반란이 여섯 개 마을로 번졌다. 사실상 하나의 부府가 법황에게 반역한 것이야. 법황 아르히고는 펄펄 날뛰며 수만 군사를 이관시켜 탈란타우에의 손에 쥐여 주었다. 그리고 반역자든, 반역자의 가족이든, 한 살짜리 아기든 상관하지 않고 모두 죽이도록, 그 여섯 개 마을을 풀 한 포기 자라지 않는 동토凍土로 만들 것을 명령했다."

안스는 경청했다. 탈란타우에는 교국에 대해 이야기할 때 절대 헛소리를 하는 법이 없었다.

"알렉시스 탈란타우에는 아주 평범한 이였노라 묘사된다. 그는 다음 세대와 다르게 법황을 향한 공경심을 간직한 사람이었기에 '그 일'에 대해 자랑스럽게, 상세하게 회고하지 않았다. 피가 섞였어도 시간은 뛰어넘을 수 없지. 그의 성정조차 모른다면 그가 '결정'을 내릴 때 어떤 심정이었는지는 더더욱 알 길이 없을 것이다."

안스는 듣지 않는 척하면서 엄청나게 집중했다. '그 일'? '결정'? 무슨 일이 있었지?

"그는 반역 주동자를 모두 놓아주었다. 신민들은 부리나케 도망갔지. 그는 제게 떨어질 고통을 상상하며 공포에 미쳤다. 정말 미쳤던 것 같지. 알렉시스 탈란타우에는 명령을 어긴 뒤 곧장 성으로 돌아가 제 문신을 불로 지졌다."

평생 신경 쓰지 않았던 등 뒤의 문신이 쑤셔 왔다.

"그는 기절하지도 않았다. 진물이 흐르는 맨몸으로 다 꺼진 홰를 노려보며 밤을 보냈다."

"……."

"그리고 놀랍게도, 아무 일도 일어나지 않았다."

"그야 마술 걸린 문신이니, 뭐니 헛소리니까요."

그는 자못 당당하게 말했지만, 탈란타우에가 갑작스레 자리에서 일어서자 흠칫 놀랐다. 시선이 따라 올라갔다. 탈란타우에는 곧장 단단히 잠긴 목 아래 단추를 풀어냈다.

안스는 당황하여 몸을 뒤로 젖혔다. 설마 내가 생각하는 그런 일을 하려고 하는 건가?

품이 넉넉해지자, 탈란타우에는 뒤돌아 상의를 말아 올렸다.

안스는 입을 꽉 다물었다.

정적이 흘렀다.

탈란타우에의 오른쪽 등에는 끔찍한 화상 자국이 남아 있었다.

아…… 프

'안디프 오모스 탈란타우에'. '안디프'.

불이 모든 글자를 지우지는 못했다. 그의 문신은 드문드문 일그러져 마치 구정물이 튄 종이처럼 변해 있었다.

안스가 멍하니 있는 사이, 탈란타우에가 옷자락을 내린 뒤 단추를 잠갔다. 안스는 입을 열었다가 텅 빈 숨만 내쉬고는 꾹 닫았다. 제 어깨가 엄청나게 거치적거리기 시작했다.

마침내 사제왕이 돌아보았다. 그는 아무 일도 없었다는 듯 다시 털썩 의자에 앉았다. 차를 홀짝 마셨다.

"……."

"……."

안스는 견디지 못하고 침묵을 깼다.

"그 상처는…… 일부러 불에 지진 겁니까?"
"당연하지."
"왜……?"
"발레디아스 알렉시스 탈란타우에."
그는 선언하듯 옛 선조의 이름을 불렀다. 안스는 잠자코 다음 말을 기다렸다.
"그자는 법황의 명령을 거역하는 데에서 멈추지 않고 문신까지 망쳤다. 그러나 전혀 고통받지 않았다. 무려 법황이 직접 내린 명령을 어기고도 멀쩡하게 살아남았단 말이다. 사백 년 동안 누구도 두려워 어기지 못했던 금제를 스스로에게 시험하여 성공했다."
"……."
"평범했던, 혹은 심약했던 그는 물론 법황과 정면으로 대적하겠다는 생각보다는, 단지 처형당할 노인과 어린아이들이 불쌍해 놓아주었던 것일 터다. 후일 입을 꽉 다물어 버린 그를 보면 그가 가진 감정이 자랑스러움이라기보단 수치심과 모욕감에 가깝다는 사실을 알 수 있다. 그토록 체제 영합적이던 인간이 대체 무슨 정신으로 목숨이 걸린 상황에서 신민을 우선시했는지는 모르나, 덕분에 나아가게 된 우리가 할 말은 아니겠지. 결국 그는 얼떨결에 법황의 명령을 어길 수 있는 방법을 찾아냈다. '당장 네 등에 있는 노예의 사슬을 불에 태울 것.'"
"……."
"사실을 알게 된 사제왕들이 어떻게 했을까?"
안스는 탈란타우에를 물끄러미 바라보았다. 그는 소리 없이 웃으며 본인의 어깨를 툭툭 두드렸다.

"법황령에 쌓인 불만으로 당장이라도 폭발할 지경이었던 데다, 가장 위력적이었던 바를라암이 먼저 등을 지졌다. 탈란타우에의 엉망인 등과 명령 불복종 단 두 개만 보고, 진실인지 아닌지도 모르는데 아주 미친놈이지. 그는 맨정신에 문신을 지운 뒤, 시험하겠답시고 법황의 본산에 공물을 보내지 않았다. 그리고 역시 살아남았다. 모두가 정말 정신 나간 사람처럼 기뻐했다. 법황은 주변의 제어책이 없는 상황에서 절대적으로 부패하고 있었고, 사제왕들은 그간 그 욕심을 지탱하기가 정말 힘들었기 때문이다."

"……."

"마침내 대부분의 사제왕들이 문신을 일그러뜨렸다. 그들은 자유롭게 법황을 거역했고, 당장 본인들이 맡은 땅을 수탈했다. 법황 아르히고는 초유의 사태에 사제왕을 옥죌 단 하나의 무기를 잃었다는 생각에 엄청난 좌절감을 겪게 된다. 그는 당해 겨울, 병에 걸려 죽었다."

말도 안 되는 이야기였다. 일단 문신으로 사람을 제어한다는 이야기조차 너무 허황되어 믿을 수가 없었다. 그러나 저것이 진실이 아니라면 —탈란타우에가 자해에 취미를 가지지 않은 이상— 왜 본인의 등을 불에 태웠겠는가?

안스는 갈팡질팡했다. 터무니없는 이야기를 뿌리치는 시노드 신넬의 이성과 눈앞의 상흔이, 창칼을 들고 맹렬하게 싸웠다.

"그런데…… 아주 이상한 일이 일어났지. 가장 활발하게 '가문의 재산을 축적하던' 사나릭이 어느 날, 십수 일을 고통 속에 시달리다 죽었다. 그 뒤를 이어 싱게크라메나, 하밀라, 비아스무, 에페미니, 밀론다스, 도솔립이 죽었다. 단 한 달 만에 이십이 사제왕의 삼분지 일이 넘게 죽은 거지. 모두가 끔찍한 고통을 호소했고, 솔직히 고통을 표현할 만큼 제정신인 채로 하루 이상 가지도 못했다. 그들은 침을 질질 흘리며 짐승처럼 죽었다."

"……."

"그들에게는 공통점이 있었다. 법황 아르히고와 똑같은 짓을 했다."

"무슨……?"

안스는 반사적으로 되묻고는 얼굴을 돌렸다. 자신이 이야기에 온통 집중해 있다는 사실을 들킨 것만 같았다.

탈란타우에는 다행히도 웃거나 조롱하지 않았다.

"죽은 이들은 특별히 신민들을 쥐어짰어. 많이도 죽였다. 역설적이게도 제약이 풀리자마자, 알렉시스 탈란타우에가 목숨 걸고 막아 낸 영아 살해를 밥 먹듯이 저질렀다. 어쩌면 지금까지 수백 년 동안 법황에게 눌려 있었다는 분노가 그들의 행동을 부채질했을 수는 있겠으나…… 변명은 안 된다. 죽은 일곱 명은 순전히 사리사욕을 위해 행동했다."

"……."

"법황 아르히고를 계승한 법황 포손이 그제야 일어섰다. 저자들이 신의 말씀을 어긴 죄로 벌을 받게 되었노라 분연히 역설했다. 그때까지 멀쩡했던 사제왕들은 '우리는 이미 문신을 지웠'고, '당신 말에 따르지 않아도 자유롭다'고 주장했지. 물론 법황은 그 위치에 있을 만큼 충분히 야비한 인간이었다. 그는 말했다. '전대 법황이 한순간 눈이 어두워 신의 말씀을 어겼으니, 그 불순한 명령을 따르지 않았던 것은 죄가 아니다. 그러나 나는 온전히 신의 뜻에 따르기에 내 명령을 거역하면 저 일곱 명과 똑같이 죽을 줄 알라.'"

"……."

"당시 사제왕들은 각자 목숨을 걸고 여러 실험을 했다. 다른 사제왕들이 왜 죽었지? 내가 얻은 것은 진정한 자유가 아니었던가? 의심, 초조감, 분노. 그러나 후회는 없었다. 그들은 십수 년 동안 죽음을 무릅쓴 뒤에야 자신들에게 주어진 제한적인 자유를 깨달았다. 몹시도 혼란하던 시대였지."

"……."

"결국 무엇을 알았느냐 하면, '사제왕은 문신을 지워도 개인의 영달을 위해 살아갈 수 없다'는 것. 사제왕이 하는 모든 행동은 어떻게든 교국과, 특히 신민의 행복에 보탬이 되어야 했다. 절대로 교국이란 국가를 혼란하게 해서는 안 되었다. 죽은 일곱 명의 사제왕들은, 또 그 뒤로 죽은 여러 사제왕들은 법황이 아니라 교국이라는 우리의 터전을 해쳤지. 그건 용납되지 않는단 말이야. 이를 우리는 보통 '약속'이라고 에둘러 칭하지. 사제왕이라면 모두가 아는 '약속'."

안스는 기가 막혀 중얼거렸다.

"그러면 맨살을 불에 지진 게 무슨 소용입니까?"

"이 친구야, 엄청난 차이가 있지. 사제왕들에겐 이제 법황이 잘못된 명령을 할 때 정당하게 거부할 수 있는 권한이 생겼다. 그 전에는 갓난애를 죽이래도 죽여야 했단 말이지."

식기를 내려놓은 채 뒤로 몸을 파묻었다. 곰곰이 고민했다. 법황의 노예는 싫고, 교국의 노예는 괜찮다 이건가? 안스는 그들의 사고방식이 희한했다.

물론 법황은 고작해야 인간이므로 인간의 하인이 되는 것은 그다지 유쾌하지 않은 경험이겠지. 하지만 끝내 교국이라는 나라에 얽

매여야 한다면 대체 뭐가 낫다는 건가? 시노드 신넬인은 교국 놈들을 도무지 이해할 수가 없었다.

"처음부터 문신을 아예 안 새기면 안 됩니까?"

……라고 등 뒤에 문신을 새긴 사람이 말하고 있었다. 안스는 이를 깨닫고 짜증스레 어깨를 흔들었다. 저자의 말이 모두 진실이라면, 제 등에 노예의 사슬을 새긴 아버지인지 뭔지 하는 새똥 같은 자식이 혐오스러웠다.

"핏줄에 제약이 있는 것으로 드러났으니, 문신을 새기든 새기지 않든 지금 우리가 두려워하는 약속에는 영향이 없다. 문신은 오로지 법황의 명령에 따르도록 만들어진 도구였다."

"네. 그러면 불에 지져지는 고통이라도 없도록 그냥 문신을 안 새기면 안 되냐고 물어보는 겁니다. 그거 엄청 아플 텐데요."

"어렵다. 우리는 한때 반역을 일으켰으나, 목자의 인도에 따라 돌아온 양 떼다. 신민들은 신의 말씀을 완전히 신뢰한다. 법황 아르히고가 어떤 명령을 내렸는지, 알렉시스 탈란타우에가 어떻게 반역했는지 사제왕들을 제하면 아무도 모른다."

"……."

"법황 포손은 아주 영리했지. 그는 일곱 명의 사제왕들이 온몸에서 피를 뿜으며 미쳐 죽었다는 사실만을 모두에게 끊임없이 되새겨 주었다. '잠깐의 혼란이 있었으나, 사제왕들은 신께 지은 죄를 깨닫고 법황청 앞에 무릎 꿇어 반성하였다. 나, 법황 포손은 그들을 용서했노라.'"

"……."

"이런 상황이라면 신민의 눈에 보이는 것들을 바꿀 수는 없지.

사제왕의 아이들은 태어나는 즉시 수많은 신민들의 축복을 받으며 큰길을 따라 법황청에 보내진다. 법황은 조롱하듯 문신을 새기고, 아이들은 커서 문신을 지운다."

안스는 천천히 제 어깨를 감쌌다.

그 기색을 본 탈란타우에가 소리 내어 웃었다.

"이 시대엔 본인의 사리사욕을 위해 움직이기가 아주 어렵게 되었다. 법황 이디이—그러니까 지금의 법황—는 평시 군권을 쥔 사제왕들이 문신을 지운다는 사실을 알기에 언사를 주의한다. 사제왕들은 욕심을 부렸다간 치욕과 고통 속에 죽을 수 있으므로 칼날 위에 선 것처럼 행동한다. 죽음이 두려워 신민을 위한다고 거듭 되새기면, 내가 정말 그런 인간인지, 아니면 세뇌당한 것인지 한참 고민하게 된다."

안스는 이제야 탈란타우에가 왜 제게 교국과 사제왕에 대한 이야기를 솔직하게 해 줬는지 알게 되었다. 저것은 같은 전선에 선 사람이 아니라면 입 밖에 낼 수 없는 이야기였기 때문이다. 아주 작은 집단만이 공유한 운명이었다. 남들에게 말하면 스스로가 위험해지지만, 토로하지 않았다간 억울해 미칠 수도 있었다.

안스는 한숨과 함께 말했다.

"시노드 신넬에 온 것은 법황의 명령입니까? 아니면 교국이라는 터전을 위한 행동입니까?"

탈란타우에는 아주 좋은 질문을 받았다는 듯 박수를 짝 쳤다. 비틀어 마주 잡았다. 그의 눈빛이 형형하게 빛났다.

"나는 법황 이디이가 제일 증오하는 인간이다."

"……."

"그러니 나를 순순히 이곳에 보내 주었을 리 없다. 나는 법황이 나를 보낼 수밖에 없도록, 신민들이 입을 모아 신을 위해 출항해야 한다고 외치도록 노력했다. 법황은 마침내 패배하여 제한적으로 허락했다. '내가 신의 말씀을 전할 때까지, 마음껏 네 가능성을 시험하라.' 하, '마음껏'."

안스는 천천히 깨달았다. 제 눈앞에 있는 이는 도박에 목숨을 건 사람이었다.

"법황은 물론 점령이 성공적으로 이뤄지길 바라지 않았을 것이다. 내심 저 죽이고 싶은 놈이 바다를 넘어가는 행위가 교국을 불안정하게 하는 짓이길 바랐을 것이다. 그래서 내가 대해를 넘어가자마자 미쳐 죽길 바랐을 것이다."

그는 양팔을 들었다. 팔팔하게 살아 있는 것이 어떤 승리라도 된 듯이 당당했다.

"나는 살아 있다."

안스는 질린 표정으로 그를 바라보았다. 그는 살짝 턱을 아래로 한 채 위를 노려보고 있었는데, 마치 제 앞에 달려오는 짐승을 부릴 수 있다는 듯 자신감에 찬 투우사 같았다.

그의 목소리는 속삭이듯 낮았다.

"내가 왜 짚단 같은 소조폴의 성벽을 무너뜨리고도 들어가지 않았는 줄 아느냐?"

안스는 자신이 보았던 압도적인 광경을 떠올렸다. 소조폴의 성벽은 불을 뿜는 거인에게 단숨에 밟혀 죽었다. 어마어마하게 큰 배들이 무의미한 포격을 퍼붓고 있었다. 우스페히와 자신은, 그들이 적은 병사로 들어오기 전에 기선 제압을 하고 있다고 생각했다.

그러나…….

"난 내가 어느 시점에 죽을지 몰랐다."

"……."

"대해를 넘어오는 것조차 매 순간 절벽 같았다. 마주두에선 고민하다 실패했다. 마침내 소조폴에 다다라 포격을 시작했을 때…… 나는 이 선장실에 있었다. 포격이 한창인 와중 두려워하는 모습을 보여 주기도, 갑자기 고꾸라져 군인들에게 경원시당하기도 싫었다."

안스는 그제야 왜 교국이 처음 도달한 마주두 제일섬을 무시하고 소조폴까지 달려왔는지, 그 '진짜' 이유를 알게 되었다.

물론 포위를 막기 위해 남쪽부터 올라간다는 전략적인 이유 또한 틀리지는 않겠으나, 그보다…… 함대의 지도자가 주저했던 것이다. 포화를 뿜게 되면 제 머리가 터져 나갈까 두려웠던 것이다.

"나는 마치 다른 이유가 있는 척 지체했다. 그러나 만 하루가 지나자 더 늦출 수 없었다. 결국 처음으로 시노드 신넬에 발을 내디뎠다. 나는 여전히 건강했다. 여러 사람을 잡아 죽였다. 여전히 건강했다. 그 뒤로 안도하여 소조폴을 장악한 뒤 도이도흐를 점령했다. 어떤 것도 시노드 신넬에서의 나를 구속하지 않았다."

안스는 자신이 무슨 표정을 하고 있는지 몰랐다. 소조폴에서 수많은 사람을 죽인 이를 증오해야 하는데, 당장 제 눈앞에 긴장과 희열이 기묘하게 뒤섞여 뻣뻣하게 앉은 인간을 바라보자면 힘을 잃었다.

탈란타우에는 다시 느긋하게 의자 뒤로 몸을 눕혔다.

"만일 내가 점령에 실패했으면 죽었을지도 모르지. 아, 모를 일이야."

“…….”

“소조폴, 도이도흐, 이제 그 위로는 마주두와 이즈버르겠군. 물론 마주두는 쓰레기밖에 없는 화산섬이니 필요 없다. 하지만 등 뒤에 남겨 둘 수는 없지…….”

안스는 며칠 전 그를 만났을 때 물었던 질문을 다시 꺼내 들었다.

“교국이 발전된 곳이고, 당신이 교국을 위한 삶을 사는 데 이견이 없다면 왜 굳이 시노드 신넬까지 왔습니까? 문신을 지웠으면 이제 법황과 싸울 무기도 갖춘 거잖아요.”

탈란타우에는 등받이에 기댄 채 고개를 기울였다. 그의 희끗희끗한 머리칼이 천에 붙어 우스꽝스레 떠 있었다.

“우리는 안주할 수 없다. 그 작은 곳에서 법황 말에 고개 숙이는 머저리 신민들과 동행할 수 없어. 그들을 사랑하지 않는 것은 아니지만, 좀 더 넓은 곳을 볼 필요가 있다. 배부르고 멍청해서 한 줌 반란도 제대로 못 일으키는 우리 신민들.”

“…….”

“한때는 나도 한자리에 맴도는 덜떨어진 이들을 탓했지. 매번 똑같이 반항하는 불신자들을 자비 없이 진압했어. 그 긴긴 갈등의 시간을 견딘 내 손에도 피가 묻어 있을 터. 하지만 모르는 것은 죄가 아니고, 내 분노도 정당하지는 않았네. 해결책은, 이처럼 아주 멀리 있었지.”

안스는 이 배의 모든 선진적인 문물들을 생각하며 혼란스러운 심정이 되었다. 사회의 발달 없이 기술만 발전된 국가가 가능한가?

시노드 신넬은 호국경이 신년사에서 한 치 혀만 잘못 놀려도 득달같이 달려간 보호 귀족들과 멱살 잡고 싸워야 하는 나라였다. 그

보호 귀족들은 고향으로 돌아와 다시 돈줄을 쥔 상인들에게 멱살을 잡힌다. 상인들은 다시 서로의 멱살을 잡고, 그 와중에 재판소와 세리들도 한 목소리 보태겠다며 펄펄 날뛰고, 보통 사람들은 아등바등 살다가 죽거나, 나아가거나…….

어쨌든 우스페히나 티티라가 나타날 수 있는 곳이었다. 구정물이었지만 적어도 바다와 이어진 펄의 구정물이었을까.

탈란타우에는 조용히 말했다.

"나는 시노드 신넬이 좋다."

이른 아침 햇살이 새어 들어왔다.

"나는 멍청하지 않은 사람들에게 우리 방식으로 풍요를 안겨 줄 수 있다."

"……."

"문 바깥의 백인대장은 사실 너를 경멸하지. 시노드 신넬의 더러운 불신자라 믿을 것이다. 하지만 너는 이 배에 있는 누구보다 명석하다. 아니, 어떤 시노드 신넬인을 데려와도 각양각색으로 낫겠지. 나는 이곳에 와서 정신 나간 상인들을 볼 때마다 즐겁다. 우리 친애하는 신민들의 눈알 속 비어 버린 동공을 되찾은 것 같다."

안스는 궁금하다는 듯이 물었다.

"신을 믿습니까?"

탈란타우에는 희한한 질문을 듣는다는 듯 눈썹을 치켜올렸다.

"아니."

그 뒤로 여러 번의 식사가 이어졌으나 자신도, 탈란타우에도 같은 주제를 꺼내지는 않았다. 안스에게는 그때의 대담을 되새길 시간이 필요했다. 천천히 곱씹어 저런 인간들이 같은 세상에 살고 있다는 사실을 스스로에게 납득시켜야 했다.

그것은 문신을 불로 지진 사제왕과 성경 구절을 중얼거리는 베오메네스 백인대장을 매일같이 보면서도 쉽지 않은 일이었다. 그는 그들을 관찰할 때마다 마치 동물의 세계를 구경하는 듯 이상한 감정이 치밀어 올랐다.

저렇게 멀쩡한 인간들이 세정신이 아니라고? 동시에 기이한 희망이 솟기도 했다. 저렇게 제정신이 아닌 인간들도 알고 보면 꽤 멀쩡하구나!

그는 주변 사람들과, 방 안에 꽂혀 있던 수많은 책들로 텅 빈 이해를 채워 나갔다. 어쨌든 시노드 신넬에도 신을 믿는 사람들은 있었으니 신앙심이라는 감정을 모를 것은 아니었다.

덧없는 삶 위 더 높은 경지에 고양감을 느끼고 그에 따르는 것. 아마 내가 수평선을 보며 느끼는 감정이겠지. 나로부터 세상이 시작되는 감각이 아니라, 이 넓은 세계의 빈 공간으로 스스로를 인지하게 되는 감각을 그는 정말 잘 알고 있었다.

또한 그들의 사회 역시 조금씩 이해해 갔다. 교국에는 굶는 이가 없다. 떠돌이 거지도 존재하지 않았다. 모두에게 집과 양식이 제공되었다. 그러나 도시를 이동하거나, 자유롭게 떠들 수는 없었다. 저 두 가지를 막았기에 자연스레 돈을 벌 자유 역시 제한되었다.

교국인 한 명의 세계는 하나의 마을이나 도시가 전부였다. 그처럼 인구 관리가 편리하니 각지에 머무는 사제들로 인해 기초 교육도 나쁘지 않았다. 똑똑한 인간들은 교읍지로, 학회로 보내졌다. 별다른 기술 없이 고향을 벗어나고 싶다면 군에 지원하면 되었다.

모든 인간들이 대충 효율적으로 각자의 위치를 찾아갔다.

안스는 깃펜으로 종이를 툭툭 두드렸다.

교국을 알게 될수록 시노드 신넬과 교국의 차이가 고작해야 이 정도에 그친 것이 신기할 정도였다. 시노드 신넬은 가장 아름답게 수식해 봐야 거지, 똥통, 난장판이었다.

그런데도 교국과의 기술적인 격차는 기껏해야 한 세기 정도였다. 물론 그 또한 엄청나지만, 돼지죽처럼 돌아가는 시노드 신넬은 기능성으로 따지면 교국의 발치도 못 쳐다봐야 정상 아닌가.

교국은 정말 이상했다. 그런데 웃기게도 실제로 한번 발 디뎌 보고 싶기도 했다. 옛날에는 겉핥기로 익힐 수밖에 없었던 정보를 확실히 알게 되자 약간 목이 말랐다.

저 모든 것을 선지자 한 명이 만들었다니.

그랬다. 그들은 서쪽에서 온 선지자가 교국의 기틀을 잡았노라 믿었다. 신의 말씀을 기록한 선지자는 단 한 명의 제자와 함께 대륙에 건너왔다. 그 뒤 갓 태어난 땅에 진리를 설파하여 스물두 명의 추종자를 만들었다.

선지자가 영면에 들 때, 그는 제자에게 이 터전을 잘 이끌 것을 맹세시켰다. 나머지 추종자들에게는 제자를 따라 신의 뜻을 구현할 것을 명했다. 그리고 오랫동안 함께했던 제자만을 신뢰했던지, 새로운 추종자들에게 직접 문신을 새기고 떠났다. '이것은 너희의 자랑스러운 증표가 될 것이다.'

안스는 제 등 뒤를 살짝 만졌다. 그러다 화들짝 놀라, 마치 그러지 않았다는 양 목을 우두둑거리며 이곳저곳 두리번거렸다. 제기랄, 짜증스러운 버릇이 새로 생겼다.

선지자가 대지 아래 묻힐 때 수많은 애도의 물결에 지평선 끝이 보이지 않았다고 한다. 유일한 제자, 그러니까 '법황'은 선지자가 남긴 조각을 이용하여 나라를 구축했다. 지방 토호[12]에 가까웠으나 개심하여 신앙을 품은 추종자들은 이제 '사제왕'이 되었다.

그들은 신의 뜻을 ―시노드 신넬인인 안스의 눈에는 단지 선지자라는 개인의 이상을― 구현하기 위해 뼈를 깎아 낼 정도로 노력했고, 성공했다.

그들이 서로 멀어지기 시작한 계기가 특별히 존재하는 것은 아니었다. 그저 체제는 안정되었고 삶은 지루하고 세상에는 좋은 게 너무 많고……. 떨어지는 물에 바위가 뚫리듯 결별한 것이다. 점차 서로를 진저리 나는 주인과 불만 가득한 하인으로 여기기 시작할 때 즈음, 아무래도 권력을 더 쥔 법황이 상대를 밀어붙이다 사달이 났겠지.

그는 꾸역꾸역 배운 것을 소화시켰다. 어차피 도망갈 수도 없는 배 안에서 이게 자신이 할 수 있는 최선이었다. 덕분에 점차 탈란타우에와 '진짜' 대화를 나눌 수 있게 되었다.

상대는 스스로의 열등한 처지에 짜증이 난 지배 계층으로, 시노드 신넬에 진출함으로써 새로운 권력과 재보의 원천을 만들고자 했다. 그렇기에 그에게도 이 땅은 정말 소중한 곳이었다. 표현하면서도 구역질났지만, 진실이 그랬다. 그는 장난이나 재미로, 혹은 단순히 착취할 농장으로 시노드 신넬을 선택한 것이 아니었다.

탈란타우에도 목숨을 걸었다.

안스는 전쟁이 일어난 이유를 깨닫고 조금 위로받았다.

12) 지방에 웅거하여 세력을 떨치던 호족.

덕분에 자신이 자란 해변, 해안가 절벽에 뚫린 동굴, 작은 곶, 청록색 바다가 들뜬 고향으로 돌아왔을 때에도 담담할 수 있었다.

그는 멍하니 의자에 앉아 창밖을 바라보았다. 너무 익숙한 광경을 아주 생소한 자리에서 지켜보고 있었다. 소조폴을 사랑하진 않았으나, 이상하게도 잘금잘금 따뜻한 반가움 같은 것이 흘러내렸다.

고개를 흔들었다. 녹록해지면 안 된다. 집중하기 위해 벽에 칼을 맞추던 습관을 다시 끌어냈다. 고작해야 빵을 자르는 칼이었지만, 바로 그렇기에 한자리에 고정시키는 것은 상당한 정도의 주의를 요하는 일이었다.

그가 세 번쯤 같은 자리에 칼을 명중시켰을 때, 누군가 문을 두드렸다.

바닥에 칼을 던지곤 잽싸게 말했다.

"들어와."

베오메네스가 나타났다.

"하선 완료되었습니다. 나오셔도 됩니다."

안스는 일어섰다. 짐은 없었다.

"바로 사역관으로 가실 겁니다. 그리고 이 모자를 쓰세요. 절대 얼굴을 보이시면 안 됩니다."

그는 군소리하지 않고 챙 넓은 모자를 받아 썼다. 모자와 더불어 교국 차림과 함께하면 이제 아무도 자신을 알아보지 못할 것이다.

안스는 거의 처음으로 교국과 이해관계가 일치했다. 그는 조용히 묻히고 싶었다. 탈란타우에가 그를 놓아줄 생각이 없으니 불필요하게 주의를 끌어 비참한 모습을 보이기 싫었다. 어차피 자신과 친한 사람들은 이 자리에 하나도 없을 텐데 구태여 왜 알리냔 말이다.

물론…… 그는 소란을 피워 훗날의 티티라에게 소식을 전하는 것은 어떨까 하는 고민을 마지막까지 버리지 못했다. 그러지 않은 이유는 단 하나였다.

그 애는…… 전혀 동요하지 않을 테니까. 언젠가 돌아와 스스로 말을 전해야 잘 들어 줄 친구였다. 여기서 외치는 것은 욕심이다. 미련이다. 단지 저 혼자 아쉬울 뿐이다. 의미가 없었다.

안스는 우울하게 실이있니.

그에게 소조폴은 티티라였다. 그 애가 없어도 마찬가지였다. 시선이 닿는 모든 곳에서 티티라를 찾을 수 있었다. 이 부두 구역은 티티라와 경주하던 길이었다. 저 밧줄 더미는 그 애가 자신을 기다리며 잠들던 임시 휴게소였다. 앞에 선 창고 구석진 곳에는 사환들을 위한 방이 있었다. 역시 그들이 수없이 드나든 자리였다…….

안스는 터덜터덜 내려와 베오메네스를 따라갔다. 거무스름한 챙 사이로 점령된 도시를 뜯어보았다.

배에서 보았듯 옛 성벽은 완전히 무너져 흔적이 없었다. 그러나 그 외에는 바뀐 게—

무언가 허전했다.

안스는 한순간 깨닫곤 질겁하여 베오메네스의 어깨를 잡았다.

"시계탑은?"

베오메네스는 짜증스럽게 손을 잡아 내렸다.

"무너뜨렸습니다."

"왜……?"

"이교도의 상징이니까요. 그 자리에 새로운 사역관을 세울 겁니다."

기가 막혀 그를 바라보았다. 그의 신앙심이 싫다는 사실을 알아도 가끔은 정말 이상하게 느껴졌다. '우리 시계탑에는 시간을 알려주는 것 외 아무 가치가 없다.'고 덧붙이려 했지만, 이미 무너진 탑을 가지고 싸우기 귀찮았다. 안스는 진력이 났다.

양옆으로 점점이 호위를 선 교국군을 제하면 아무도 없는 대로를 걸어갔다. 건물 창문이 모두 닫혀 있어 끔찍이도 조용했다.

그는 주춧돌만 남은 시계탑 광장에 가까이 가지 않기를 바랐다. 아직까진, 안 되었다. 우리의 어린 시절을, 그 높은 곳에서 보던 광경, 티티라가 사랑하던 도시와, 입맞춤을 분지를 수가 없었다.

우스페히 상관도 안 된다. 우스페히가 제 손으로 죽음을 선택했어도, 자신이 그가 죽은 자리에서 제정신을 유지할 수 있을지 잘 몰랐기 때문이다.

안스는 소조폴에 돌아오자마자 연약한 인간이 되었다. 도시가 진압당한 것은 괴롭지 않았으나, 추억을 건드린 변화들이 그를 흔들었다. 무엇이라도 제게 닿으면 당장 상처 입을 수 있을 것 같았다. 베오메네스가 '이곳에서 자라셨느냐.' 한마디만 해도 갑자기 울지 몰랐다.

다행히 베오메네스는 침묵 속에서 그를 건물로 안내했다. 기존에 보호 귀족들의 회의장으로 쓰이던 건물이었기에 눈에 익었다.

안스는 그와 함께 건물의 작은 방으로 들어갔다.

창 바깥의 소조폴을 바라보며 모자를 던졌다. 안락의자에 푹 잠겼다.

"그럼—"

"이제 와서 막는다고!"

안스는 옆방에서 고래고래 외치는 목소리에 눈을 크게 떴다. 그

소리가 얼마나 컸던지 제 방의 벽이 부르르 떨릴 지경이었다.

어리둥절한 채 베오메네스를 돌아보았다.

"날 가둬 두라 한 게 아니면, 가 봐도 되나?"

백인대장은 어깨를 으쓱이곤 몸을 틀어 주었다.

"제가 받은 명령은 당신을 이 건물에 모시라는 것뿐이었습니다. 나가시면 난처하지만, 옆방이라면."

안스는 작게 웃었다.

"당신, 저게 누구 목소린지는 알지? 뻔뻔하게 상관없다네."

베오메네스는 눈썹을 치켜올렸다.

"저는 제가 받은 명령만 수행합니다."

안스는 그가 탈란타우에의 명령을 따를 뿐, 경애심이라곤 없다는 점을 기억해 두었다. 보아하니 신을 진지하게 믿을수록 사제왕을 고귀한 '하인' 정도로 여기는 경향이 있었는데, 어떤 방향으로 보든 주인을 대하는 태도는 아니었다.

안스는 평생 밴 습관으로 상대에게 고개를 숙이곤 —바로 후회했다.— 방을 나갔다.

곧장 문틈이 조금 열린 옆방으로 향했다.

"수중에는 작은 도시 두 개뿐입니다! 석 달! 오천 명! 저들이 언제 돌아와 물량전을 시작할지 알 수 없단 말입니다!"

발끝으로 문을 툭 밀었다.

얼굴이 벌겋게 달아오른 탈란타우에가 그를 흘끗 바라보았다. 그러나 제지하지 않았다. 오히려 그 앞에 서 있던 흰 옷의 남성이 그를 돌아보았다.

"무엇이냐?"

"내 시종입니다. 들어와서 문 닫아. 신경 쓰지 말고 내 이야기나 경청하세요. 나는 용납할 수 없습니다. 오늘 저녁에 법황 성하와 다시 말씀을 나눠요."

"성하께선 두 번 명하지 않으시네. 그분의 말씀은 곧 신의 말씀이지. 내 자네의 용맹함을 긍휼히 여겨, 부디 마찰이 없기를 바라고 있네. 내가 '복종하라'고 하기 전에 제발 합의점을 찾아보세. 나도 명령으로 자네를 제압하기는 싫어."

안스는 문을 닫은 뒤, 착해 보이는 광신자 뒤에 섰다. 흥미로웠다. '시종'? 내 정체를 감추겠다고? 어쩐지, 방 안에만 가둬 두더라.

"고작해야 두 개 도시입니다! 한 해가 넘도록 항로를 개척하며 몇 척의 배가 사라졌는지 압니까? 그 희생을 생각한다면 최소한 중부 해안선까진 진압해 두어야 후회가 없을 겁니다! 여기서 멈출 수는 없어요!"

"그러나 법황 성하께서는 전열을 가다듬기를 바라시네. 말마따나 그렇게 적은 병력으로 어찌 해안선의 질서를 지킨다는 말인가? 이번 달 안에 추가 병력을 출항시킬 테니 기다리게."

"그러면 다시 육 개월을 기다려야 합니다!"

"자네들이 발견한 항로가 있으니 그보다는 덜 걸리겠지."

"용납할 수 없습니다! 휘하 장병들을—"

"사제왕 탈란타우에, 복종하시오."

탈란타우에가 인상을 찌푸렸다.

다음 순간, 천천히 무릎을 꿇었다. 안스는 기겁하여 몸을 뒤로 젖혔다. 사제왕은 더 나아가 바닥에 이마를 찧었다.

흰 옷의 남자는 한숨 쉬며 뒤돌았다. 아주 잠깐, 자신과 눈이 마주쳤으나 그뿐이었다. 그는 벌레를 보듯 무의미한 시선으로 지나쳤다.

그는 마지막으로 엎드린 탈란타우에를 돌아보며 말했다.

"앞일을 생각하게. 사제왕 탈란타우에."

그리고 떠났다.

탈란타우에는 한참 동안 미동도 없이, 딱정벌레처럼 바닥에 붙어 있었다. 안스는 잘못된 자리에 찾아왔다는 생각을 하며 초조하게 벽에 붙었다.

양탄자 위에서 흰 입김이 새어 나오는 듯했다. 상대는 쥐어뜯듯 주먹을 쥐고 있었다. 그 분노는 웅크린 몸에서만 삭일 수 있는 종류 같았다. 그가 일어서지 않는 이유가, 멀리 있는 자신조차 이해될 정도로 강한 증오심이었다.

안스는 호기심만으로 여기까지 온 것을 조금 후회했다. 이프루이우호에 있을 적, 무엇이든 허락해 주었던 탈란타우에에게 너무 익숙해진 모양이었다. 단순히 휘하 군사에게 화를 내나 싶었지, 이렇게 곤란한 상황일 줄은 짐작도 못 했는데.

낮은 곳에서 탈란타우에의 한숨 소리가 들렸다.

가까스로 세상에 돌아온 양, 그가 일어섰다.

"보라고 세워 뒀더니 눈을 피하는 꼴하고는."

"……."

탈란타우에는 옷자락을 털다가, 대체 이 모든 것에 무슨 소용이 있느냐는 듯 소파에 몸을 던졌다. 사제왕은 고개만 돌려 안스를 바라보았다.

"방금 나간 자는 '법황의 대리인'이다."

"'법황의 대리인'……?"

"일부러 도이도흐 원정에 데려가지 않았는데 돌아오자마자 지랄을 하는군."

"저도 들었습니다. 저 사람이 더 이상 시노드 신넬의 항구를 점령하지 말라고 명령한 거죠?"

안스는 참된 시노드 신넬인으로서 고소하다는 기색을 비치지 않기 위해 노력했다.

탈란타우에는 잠깐 그의 얼굴을 응시하더니, 어이가 없다는 듯 웃었다.

"나는 대해에서 배를 열 척, 오천 명 가까이 잃었다. 즉, 내가 이끈 함대의 절반을 잃었다는 소리지."

"……."

"소조폴과 도이도흐를 점령하자마자 '지배자들에게만' 적절한 조치를 취하고 시민회를 조직하여 향후 도시 개발에 대해 논의 중이다. 너도 알 텐데, 고작해야 오천 명으로 공포 정치를 했다간 등에 칼이 꽂힌다."

"……."

"그런데 이 모든 노력을 뒤로한 채 당장 멈추라고? 성소聖所에서 등 따뜻하고 배부르게 누워선 지껄이는 꼴하곤. 미친년."

안스는 탈란타우에에게 공감하는 아주 티끌만 한 마음을 발견하곤 경악했다. 맙소사. 정말 단 한 순간이라도, 아주 쥐방울만한 마음이라도, 공감했다고? 교국이 영역을 넓히지 못한다면 무조건 잘된 일이지, 대체 저 침략자의 입장을 알아줄 필요가 어디 있나?

탈란타우에는 마른세수를 몇 번 했다. 그림자 사이로 깊은 한숨이 새어 나왔다. 무엇인지는 몰라도 그를 무릎 꿇게 만든 권력이 또한 그를 멈추게 만들 것임을 알았다. 탈란타우에는 고민할 수조차 없었다. 이 자리에서, 당장, 멈춰야 했다.

안스는 흥미롭다는 듯 물었다.

"무릎은 왜 꿇은 겁니까?"

탈란타우에는 숙인 머리 위로 양손을 살짝 펼쳤다. 안스는 이제 그 버릇에 익숙해졌다. 기다려야 했다. 긴 손가락이 하나하나 접히더니 다시 툭 떨어졌다.

"꿇어야지."

"왜요?"

"꿇어야 하니까."

"그게 대답이 된다고 생각합니까? 어차피 문신도 없다면서요."

"법황을 사랑하는 신민 덕에 우리는 군사가 있어도 포위당할 수 있는 처지다. 미친 사람들은 총포를 쏜다고 두려워 물러나지 않지. 개미 떼는 죽여도 죽여도 내 몸에 난 구멍으로 들어온다."

"비유를 해도……."

탈란타우에의 얼굴은 아직 보이지 않았다. 그는 깊이 생각하는 사람처럼 품속의 동굴에 갇혀 있었다.

안스는 그가 정말로 괴로워하는 것인지, 대책을 생각하는 것인지, 언제부터 자신이 저자의 토로를 들을 정도로 친해졌는지, 어떻게 교국을 싫어하고 사제왕을 혐오하면서도 개인의 이야기에는 귀 기울일 수 있는지, 제 호기심이 마음속 모든 괴물을 물리칠 정도로 강력한 것인지, 대체 자신과 저 사제왕의 관계는 무엇인지…… 를 떠올렸다.

탈란타우에의 한쪽 손이 다시 머리 위로 올라왔다. 그 손은 꼭 대화의 시작을 찾는 더듬이 같았다.

"그리고 교국에는 내 딸이 있네."

순간적으로, 자식을 포로 삼는 법황에 대한 역겨움이 치밀어 올랐다.

안스는 마침내 진심으로 결론지었다. 그는 이 사제왕과 지나치게 친해졌다. 징그럽게 생긴 곤충에 아주 가까이 다가갔다. 절대 의리를 지닌 것은 아니었지만, 소설 속 인물을 보듯 그라는 인간과 그를 빚어낸 배경이 궁금했다.

안스는 조심스레 물었다.

"딸의 어깨에 문신이 있습니까?"

탈란타우에의 시선이 마치 등불처럼 올라왔다. 어쩌면 웃는 것 같기도 했다.

"아니. 열네 살 때 불에 지졌다."

한숨을 쉬려는 찰나—

"내가 지졌어."

안스는 소름이 끼쳐 입술을 깨물었다.

"그러나 문신과 무관하게, 내가 멀리 있는 상황에서 법황이 내 딸에게 직접 위해를 가하지 않으리라는 보장은 없다. 가문의 일을 '탈란타우에'가 처리해야 하므로 숨을 수도 없고. 여러모로 어려운 상황이다. 물론 이런 제어 장치들이 없었더라면 애초부터 나를 내보내지 않았을 테니 어찌 보면 비슷비슷하게 칼을 들이댄 셈이라고 할 수 있겠군."

탈란타우에는 그를 조금 이해했다고 생각한 순간마다 사람을 질리게 만들었다. 친절하게 아침 식사에 들여놓고선 생 짐승을 먹이고, 부당하게 굴복하는 상황에 동정심을 가지게 만들곤 어린아이의 등에 인두를 지지는 모습을 상기시켰다. 아무리 '멀쩡하지만 미친 사람'이라 생각하려 해도, 자꾸 '멀쩡함'에 속는 것이다.

탈란타우에가 갑자기 일어섰다.

안스는 물러나지 않으려 엄청나게 노력했다.

"네 후견인의 관으로 안내해 주지. 혼자 들어갈 수 있도록 조치하겠네."

그가 저벅저벅 걸어와 자신을 스쳐 지나갔다. 문을 열었다. 저 계단 아래를 손짓하고, 자신이 지체하자 손을 뻗어 당기기까지 했다.

안스는 묵묵히 밀려 나갔다. 그를 뿌리친 뒤 한 번에 여러 걸음으로 계단을 내려섰다.

뒤에서 부드러운 목소리가 들렸다.

"신경 써 모셨네."

안스는 무시했다. 연달아 당했다. 딸의 처지를 안타까워하자마자 인두에 손을 뎄고, 곧장 우스페히의 시체를 받아 안아야 했다. 탈란타우에는 어디로 튈지 모르는 미친 떠돌이 선지자 같았다.

화를 삭이며 일 층에 내려섰다. 자신이 분노에 휩싸여서, 온전히 우스페히를 애도하지 못하는 것까지 너무너무 화가 났다.

"오른쪽으로."

그는 아무도 없는 자리로 몸을 돌렸다. 이 회관에는 정말 벌레 새끼 한 마리도 보이지 않았다. 지금까지 본 인간이라곤 베오메네스, 그리고 법황의 대리인이 전부였다. 문득 이상하다는 생각이 치밀었지만, 당장 눈앞에 뻥 뚫린 지하 길이 보이자 모든 것을 잊었다.

"……."

"뭐 하나? 들어가."

안스는 그를 흘끗 돌아본 뒤 걸음을 뗐다.

탈란타우에는 본격적으로 벽에 기대어 언제 들고 왔는지 모를 책을 꺼냈다. 되물으려는 순간, 책장 사이에서 종이가 뚝 떨어졌다. 사제왕은 혀를 차더니 종이를 주워 다가왔다.

"깜빡할 뻔했군."

"……뭡니까?"

"터르노보 우스페히가 내게 보낸 편지."

얼굴이 일그러졌다. 편지를 확 낚아채다가, 한순간 종이가 찢어질까 두려워 움츠러들었다.

탈란타우에는 책과 함께 양손을 들며 물러났다.

"긴장하지 마라."

"……."

"내려가 봐. 터르노보 우스페히의 사인死因은 말디비 독이다. 주검은 최고로 보존했다."

안스는 대답하지 않고 편지를 품에 넣었다.

도망치듯 아래로 달려 내려갔다.

한 번도 방문한 적 없는 귀족 회관의 지하실이었으나, 이 한길에서는 도저히 헤맬 수 없었다. 바로 이어지는 웅장한 석실이 보였다. 점차 가까워졌다. 면과 면이 만나는 모든 모서리에 인간과 동식물이 엉킨 채 양각되어 있었다.

안스는 마침내 밑바닥에 닿았다.

처마에서 떨어지는 물처럼 걸어갔다.

석실 중앙의 관은 열려 있었다. 이미 그의 얼굴을 본 것 같기도 했다. 아니, 분명히, 이 자리로 내려오면서, 해가 뜨는 위치에서 땅을 내려다보듯 비스듬히 발견했다. '분명히'? '아마' 그랬던 것 같다. 그는 오락가락했다. 더 가까이 가서, 숨이 닿는 거리에서 확인하지 않으면 난 도저히 믿을 수가…….

안스는 마침내 우스페히 곁에 섰다.

어두운 나무로 만들어진 관이었다. 부느럽세 마감된 회색 공단이 보였다. 그것은 우스페히의 크지도 작지도 않은 몸에 딱 맞아, 언뜻 관이 아니라 또 다른 옷처럼 보이기도 했다.

우스페히는 살아 있는 시체인 듯 멀쩡한 채 색을 잃어버렸다. 차분하게 감긴 눈, 내려간 입매, 반듯이 모인 손, 그 위에 얹힌 회중시계, 안경 통, 상인의 정장과 양가죽 신발. 누군가 그를 아는 사람이 참견한 듯 너무도 평소의 우스페히 같은 모습이었다.

고통스러웠다. 손을 뻗어 그의 뺨을 만졌다. 물 밖에 나온 물고기처럼 숨만 꿈뻑거렸다. 자신은 애도의 말조차 잃고 헤매는데, 그 홀로 평온을 찾은 듯했다.

안스는 한참 동안 멍하니 서 있었다. 지하로 쑥 꺼졌다가, 조금씩 조금씩 솟아오르는 기분이었다.

그래. 우스페히 씨가 말디비 독을 먹고 자살했다고. '자살했다고, 했다고, 했다고…….' 메아리처럼 울렸다. 시체의 귀밑이 작게 부풀어 오른 것으로 보아 거짓말이 아닌 듯했다.

아, 진짜다. 십 년을 함께했던 후견인은 저를 위협했던 독으로 죽었다. 마지막으로 만났을 때는 자신을 소조폴 바깥으로 쫓아내기 위해 독을 들었는데, 도대체 무엇 때문에 목구멍으로 넘기고 말았을까…….

물론 답은 명백했다. 우스페히는 결단코 교국의 턱 밑에 붙어 살 생각이 없었을 것이다. 특히 탈란타우에가 그를 제외한 모든 소조폴 상주들을 죽이겠다고 선언했다면, 피후견인의 소재를 밝히고 목숨을 구했다는 평판은 상상할 수 있는 최악이었을 것이 분명했다. 우스페히의 마지막 자존심을 생각한다면 자살은 전혀 이상한 일이 아니었다.

끝끝내 제 정체성에 대해 캐묻던 사람이다. 네가 태어난 곳이 전혀 궁금하지 않느냐고 물었다. 그래서 십 년을 기른 소년이 교국의 귀한 손이었다는 사실을 알게 된 뒤, 도저히 모른 채 둘 수 없었던 걸까?

그러나, 아무리 그래도, 우스페히 씨, 그날 밤 우리는 발밑에 붙은 먼지까지 털어 내지 않았습니까? 저는 절대로 교국인이 아닙니다. 분명 말씀드렸습니다. 제게 성을 직접 지으라 하셨잖아요. 그렇게 단언하시고도 마음 깊은 곳에서 미련을 버리지 못하시다니요. 제가 언제 '진짜' 고향에 돌아가고 싶다거나, 높은 자리를 바라는 기색을 보였습니까? 손톱만큼이라도? 참 어리석은—

—제 소재를 밝힐 생각이었으면, 살아 있기라도 하셨어야죠.

안스는 조용히 고개를 숙였다. 이상하게도 눈물이 나지 않았다. 교국이 소조폴이 든 바구니를 뒤집는 순간 어차피 우스페히의 운명은 정해진 것이나 다름없었기에, 단지 두 번, 세 번, 수십 번 우스페히의 죽음을 확인받는 것 같아 그 거듭된 칼자국만이 쓰라릴 뿐이었다.

자신은 마주두에서 미쳐 있던 여러 달 동안 우스페히의 장례를 치른 셈이었다. 그때 제 머릿속엔 부푼 바다 공기 외에는 아무것도 없었는데, 자신도 모르는 새 후견인의 죽음이 스며든 것 같았다. 그가 더 이상 세상에 없음을, 그날 밤 우리가 마주했던 방에서 삶이 매듭지어졌음을 체득한 듯했다.

안스는 끝내 품에 넣었던 종이를 꺼냈다. 탈란타우에가 건넨 편지였다.

편지를 펼쳤다.

[당신이 찾는 자는 소조폴이 함락되던 날 밤, 도이도흐로 떠났다. 우스페히 상단의 주, 터르노보 우스페히.]

허탈할 정도로 짧았다. 문장에서 어떤 뜻을 읽어 낼 수조차 없었다.

안스는 우스페히답지 않게 격식을 차린 수식어를 바라보았다. 그는 보통 문서의 마지막에 이름만 쓰고 끝내곤 했는데 조금 희한했다……. 물론 그런 소탈함은 모두가 그를 알던 소조폴에서나 통용될 테고, 교국을 상대로는 어려웠을 것이다. 특히 이것이 일종의 유언이라면 더욱더…….

편지를 뚫어져라 응시했다. 글씨가 살아 움직이길 바라는 것처럼.

그러나 문장은 단 하나였고, 완전히 죽어 있었다. 글이 단단하고도 잔인하여 가슴이 아팠다.

안스는 몸을 숙였다.

우스페히의 평온한 얼굴이 가까워졌다.

용기를 냈다. 속삭였다.

“왜 저를 교국에 파셨습니까?”

왜 제가 가지 않은 길을 아쉬워할 거라 생각했죠? 교국이니, 사제왕이니 그깟 게 뭐라고? 당신이 제게 선사한 모든 것에 그렇게 자신이 없었습니까? 내가 성을 이미 지었어도, 아무래도 상관없었다는 건가? 저보다 티를 더 마음에 두고 있어서, 오로지 티만을 저 위로 보내 줄 생각이었기에, 혹시 그에서 기인한 죄책감입니까? 제 진정한 보금자리는 이곳이 아니니 어딜 가서든 빛을 찾길 바랐습니까?

안스는 이 사태에 이르러서야 자신이 우스페히에 대해 아는 것이 거의 없다는 사실을 깨달았다.

소조폴이 함락되던 날 밤, 어쩌면 자신들은 그때 유일하게 애정을 나누었던 것 같다. 적어도 안스는 그렇게 생각했다. 그런데 우스페히는 갈팡질팡하다 저를 설득했던 마지막 선언마저 놓쳐 버렸다.

종장終章처럼 인상 깊던 말.

"안스, 그렇다면 이제 네게도 성이 필요하겠구나."

"……."

"마침내 홀로 결정한 삶은 귀중하니, 너 스스로 지어야겠다."

그때 그 말은 제 가슴팍에 화살처럼 박혔다. 그러나 날붙이는 아니었다. 부드럽고 따뜻한, 약간은 부끄러운 충격이었다. 마침내 연한 화살촉만이 제 살 속에 남아, 우스페히의 죽음을 듣고도 버틸 수 있는 원동력이 되어 주었다.

비록 자신이 부족하여 마음을 다잡지 못했지만, 교국에 붙잡히지 않았더라면 언젠가는 후견인의 말을 되새겼을 것이다. 그렇게 새로 지은 성이 방황을 정리하는 단어가 되었을지도 몰랐다. 이제는 알 수 없지만…….

터르노보 우스페히. 이렇게 자살로 끝나도 결단코 패배로 여겨지지 않을 정도로 굳건히 인생의 키를 쥐고 있던 사람. 자신도 그 놀라운 삶의 일부로 존재했다고 생각했다. 자신도 그의 밑바탕 중 하나였다고 믿었다.

그런데 왜 나를 '팔았'을까?

그는 자해하는 사람처럼 되새겼다.

왜 나를 교국으로 떠밀었을까?

어쩌면 제게는 이 질문이 가장 고통스러운지도 몰랐다. 자신과 가장 가까웠던 두 사람 모두가 명백하게 선언한 것이다.

저 친구는 욕심이 없어. 세상에 아랑곳하지 않아. 바닷물에 떠밀린 해초처럼 항상 눈뜨면 어딘가에 있다는 사실에 놀라는 삶을 살겠지. 어떻게든 나아져야 할 텐데, 참 한심하다.

안스, 너 정말 나만 따라다닐 거야? 내가 네 전부야? 너도 네 삶을 살아야지. 나는 너와 별개야. 벌써 봐. 네가 날 좋아해 엉겨 붙으려 하자 못 견디고 떠났잖아. 그게 우리가 여러 해 동안 절대 못 만나야 하는, 진짜로 어마어마한 이유라도 되는 듯이 단호하게 등 돌렸잖아. 네가 나만 바라보는 게 안타까워서 친구를 아끼는 마음으로 가르쳐 줬는데, 거기서도 도무지 배우질 못해 우스페히 씨까지 충고하게 만들어?

떠난 티티라가, 제 눈앞의 우스페히가, 조용히 읊조렸다.

너도 이제 그만 어려야지.

우스페히의 감긴 눈을 빤히 바라보았다. 언뜻 보면 그가 제 머릿속 생각에 동조하고 있는 것 같기도 했다.

안스는 자기 보호를 위해 여러 걸음 물러났다. 가까스로 도망갔다고 생각했지만, 발끝에는 아직도 관의 그림자가 드리워 있었다.

내가 정말 멍청하게 살고 있었나?

뭔가, '해야' 하나?

누군가 제 뿌리 주변을 살살 파내고 있었다. 자신을 고꾸라뜨리려는 시도였다. 그것을 뻔히 지켜보면서도 막을 수가 없었다. 두 사람의 말을 부정하느니 차라리 제 뿌리가 파여 죽는 게 나았다.

맙소사. 나는 정말 구제불능이구나. 두 사람이 나를 죽이는데도 부정할 수 없다고—

—물론 나는 뿌리째 잘못되었을 수도 있다. 뿌리째 잘못되어 이제야 바른 방향으로 갈 수 있는 거다. 이미 한차례 경험했듯, 덜떨어진 낯짝으로 살다간 평생 마주두에 있던 쓰레기 선원 꼴을 못 벗어날 거다.

티와 우스페히 씨가 길을 닦아 주었으니, 그들의 조언을 따르는 것이 내게 옳은 길이겠지. 한 사람은 나를 벗으로 사랑하면서도 끊어 냈고, 한 사람은 죽음으로 말했는데, 내가 가진 건 뭐지? 내 인생에 대한 신념이 그들만큼 강했던가?

아니.

안스는 점차 확신을 가지게 된 사람처럼 몸을 곧추세웠다.

제 삶이 연장이라면, 티는 창이었다.

더 멀리, 더 강하게, 더 좁은 한 점으로.

자신도 그렇게 벼려야 할 때가 왔다.

안스는 손을 뻗어 관의 뚜껑을 잡았다.

마지막으로 우스페히의 깊이 잠긴 얼굴을 바라보았다. 평생토록 찌푸렸던 흔적이 느긋하게 이완되어 있었다. 한 번도 그가 이토록 평화로웠던 모습을 본 적이 없었다.

죽음은 물론 슬펐지만, 그가 선택했기에 받아들여야 할 것 같았다. 누군가에게 떠밀린 자살도 아니었다. 오로지 그가 선택했다.

안스는 나지막이 말했다.

"조언 주신 대로 하겠습니다."

문득 무언가 부족하다는 생각을 해 덧붙였다.

"저도 티처럼 할게요."

천천히, 관을 닫았다.

그는 몸을 돌려 지상으로 떠났다.

그날, 안스는 제 진정한 고향에 돌아왔다. 밤은 칠흑과 같았으나 자신은 눈을 감고도 어디로 가야 할지 알 수 있었다.

손안의 불을 붙인 채 등이 있는 위치를 찾아다녔다. 한 점, 한 점 밝혔다. 캄캄했던 곳이 어둑해지고, 불그스름해지고, 마침내 환해졌다.

안스는 우스페히 상관의 홀을 바라보았다.

소조폴이 점령당한 직후 계엄령이 떨어졌기에, 약탈당하기는커녕 모든 물건들이 제자리에 가지런히 놓여 있었다. 정말이지 단 하나도 도둑맞지 않았다. 단지 물건 위에 뽀얗게 먼지가 쌓여 있다는 사실만이 그를 가슴 아프게 했다. 한때 영화로웠던 옛 왕국을 보는 듯했다.

그는 고통스럽게, 느릿느릿 옛 티끌을 쓸었다. 계단 난간 위는 유독 기억이 두터웠다. 걸어 올라갔다. 뛰었다. 스스로 일으키는 먼지에 기침이 나올 정도로 요란하게.

양손으로 집무실의 문고리를 붙잡고 호흡을 가다듬었다. 부끄러움을 감추려는 듯한 태도로 열어젖혔다. 마치 '그날'로 돌아간 양 거칠게 뛰어들었다.

자신은 분명 우스페히 집무실의 모든 것을 외우고 있었다. 이곳 또한 홀처럼 그대로였다. 아……. 서류의 모양새 하나 흐트러지지 않았다. 이제는 기밀 따위 하나도 없겠지. 사람은 모두 죽었고, 재산은 같은 무게의 조개껍데기가 되었으니까.

그는 우스페히의 책상 안쪽으로 돌아갔다. 책상 서랍은 모두 잠겨 있었다.

안스는 들고 온 등짐을 풀어 헤쳐 손도끼를 꺼냈다.

무슨 짓을 저지르기 전, 도끼를 들지 않은 손으로 책상 위 서류를 빠르게 훑었다. 황금 돛과의 화물 거래 증서였다. 황금 돛이 자신을 교국에 고자질했다는 사실을 잊는다면 지루할 정도로 평범한 내용이었다. 물론 그 사실을 잊지 않는대도 달라지는 건 없었다. 어쨌든 저쪽도 모두 죽었으니까.

서류의 마지막 장이 뚝 떨어졌다.

내가 지금 여기서 뭘 하고 있는 거지? 멍하니 생각했다. 그에 누군가가 똑똑히 말해 주겠노라 신이 나서 끼어들었다.

내 가족들, 지인들, 느슨한 적과 동료들을 모두 죽인 편에 붙어, 홀로 계엄이 떨어진 밤거리를 누빌 수 있는 기회를 얻었지. 혼자 배신하여 아무도 들어갈 수 없는 상관의 출입 허가를 받는 어마어마한 특혜를 입었단 말이지.

그 사실을 인지하는 순간, 도낏자루를 꽉 쥐었다.

그는 온 힘을 다해 서랍을 내려쳤다.

첫 시도엔 홈이 파였다. 두 번째 시도엔 움푹 찌그러졌다. 세 번째에 드디어 나무가 어그러졌다. 어찌나 힘을 주고 있었는지 어깨가 다 시큰거렸다.

그는 몇 번 더 휘둘러 드러난 틈을 있는 힘껏 벌렸다. 책상은 포기한 듯 쓰러졌다. 안스는 부서진 조각을 발치에 내던졌다.

서랍은 텅 비어 있었다.

안스는 주저앉았다.

유언이 있으리라 기대했다. 아니, 기대하지 않았다. 무슨 소리야? 기대했다. 너는 수치심도 없지. 기대하지 않았다.

맥빠진 손길로 남은 서랍 부스러기를 뜯어내 바닥에 던졌다. 그 아래 서랍도 비어 있기는 매한가지였다. 그는 다시 한번 도끼로 서랍을 쪼개었다. 다시 비어 있고, 또 비어 있었다. 뻥 뚫린 바닥 아래 카펫을 보고 나서야 자신이 아무것도 없는 서랍을 끝장냈음을 깨달았다.

우스페히는 그간 이 서랍들을 자주 사용해 왔다. 죽은 사람 물건은 조금도 건드리지 않았다는 교국 놈들의 말을 믿어야 할지, 우스페히의 평소 습관을 믿어야 할지 잠시 갈등이 되었다.

그러나, 자살이 평범한 일상은 아닐 것이다. 따라서 우스페히가 신변을 정리하고 떠났다 해도 이상할 일은 아니었다. 또한 무엇이 남아 있더라도 제 나약한 마음 외에 무엇이 아쉽겠는가.

그는 우스페히의 의자에 망나니처럼 앉았다. 다리를 쭉 뻗은 채 어두컴컴한 천장을 바라보았다.

무언가 있길 바란 스스로가 안되었지만, 이편이 나을지도 몰랐다. 티처럼 하겠다고 다짐하고도 혹시나, 혹시나 해서 마지막 글 조각을 찾아온 것이니까. 무른 마음가짐을 닫을 수 있어 차라리 다행이었다.

벌떡 일어섰다.

가까스로 작은 손도끼를 양손으로 쥐었다. 단 한 번, 팔이 꺾일 정도로 멍청하게 휘둘러 의자 머리에 도끼날을 박아 넣었다.

그리고 도낏자루를 놓고 물러섰다.

주인처럼 죽은 의자를 보며 정신없이 중얼거렸다.

"내가 짓지 않은 성이 생겼네."

떨어뜨리고 보니 각오였다.

뒷걸음질 쳤다. 책상은 앙상한 겨울나무처럼 해체되었다. 폭력에 놀란 옛 서류들은 사방에 흩날렸다. 도끼는 주인을 쪼갠 이와 같이 언뜻 두려운 듯 당당하게 박혀 있었다.

이 을씨년스러운 광경. 마치 자신이 두고 떠나야 하는 과거를 보는 듯했다. 길고 긴 어린 시절 무언가 해냈다고 생각했던 제게 '너는 한 겹 아래에선 아무것도 아니었다.'고 외치고 있었다.

교국 아래 붙은들 스스로 바뀌지 않으면 모든 것이 똑같을 것이다. 그는 어떻게든 변화해야 했다. 다른 색으로 생을 칠할 줄 알아야 했다.

한숨을 쉬었다.

무엇을 할지는 차차 생각해 보자. 모두가 입 모아 더 나은 길이라고 했으니.

약간의 배신은, 용납될 것이다.

'세상이 변했나 보오, 겨울 곁에.
우리가 헤엄쳤던 파도, 흔적이 없노라.'

사실 티는 처음부터 얼어붙은 겨울 바다에서 태어난 존재 같았다. 어쩌면 여태껏 헤엄을 치던 이는 다른 땅에서 건너온 자신뿐이었는지도 몰랐다. 티는 똑바로 걷는 와중 나만 허우적거린 것이다.

사람은 물고기가 될 수 없는데 말이다.

그는 두 다리로 일어서서 떠났다.

티티라는 눈을 뜨자마자 벽에 파인 자국을 발견했다. 오래전, 정체 모를 이가 둔탁한 칼로 집요하게 긁은 모양이었다.

자신과 같은 자리에 갇혀, 자신처럼 끈질겼던 수인囚人[13]이 있었을까? 교국이 또 누군가를 가뒀다니 전혀 놀랍지 않았다.

그녀는 벌떡 일어서 선실의 출구를 찾아갔다. 고작해야 넓게 열린 공간 하나인데도 미로를 헤매는 듯했다. 문고리를 잡아 돌렸다.

천장 아래 공간은 텅 비어 있었다. 그녀는 이를 악문 채 희미한 빛이 들어오는 바깥으로 향했다. 무슨 일이 있어도 디아세를 찾을 작정이었다. 그를 만나 이야기를 할 것이다. 어떻게든…….

갑판은 군인 한둘을 제하곤 텅 비어 있었다.

그녀는 당장에 군인을 한 명 붙잡고 물었다.

"므니모니오 디아세— 디아세는 어디 있지?"

그는 난처한 기색으로 동료 군인을 바라보다가 몸을 뒤로 뺐다.

13) 옥에 갇힌 사람.

"대대장께선 어젯밤에 안 들어오셨다."

"축하연이 성대했으니, 오히려 배에 남아 있는 것들이 불쌍하지."

옆에서 픽 웃으며 말을 받았다.

티티라는 알아듣기 힘든 말로 대답한 후 곧장 배를 내려갔다. 두리번거리다 지난 밤의 등불 걸이를 보곤 얼어붙었다. 시체가 걸려 있었다는 흔적조차 없이 평소처럼 깔끔했다. 부두 역시 축하연으로 인해 비교적 군인이 적은 것을 제하면 완전히 똑같았다.

이 나이를 먹고 제 세계만 까무러치듯 변하는 감각을 모를 수는 없었다. 모두가 어제와 같은 일상을 누리는데 나만 혼절하는 귀신 같은 세계 말이다. 그러나 그 감각을 알아도, 매번 다르게 고통받는다는 사실만 뼈저리게 깨달을 뿐이었다. 단련되지 못했다. 너무 너무 아팠다.

그녀는 계획도 없이 성큼성큼 돌아다니며 이프루이우호의 표지를 단 군인들을 붙잡았다. 같은 배에 머물렀던 이들은 그녀의 얼굴을 알았기 때문에, 짜증을 내면서도 디아세의 행방에 대해 대답해 주었다. 물론 하나같이 모른다는 답뿐이었지만.

그녀는 그를 분실했다. 십수 명이 넘도록 질문을 던지고 다니자 서서히 미친 여자를 보듯 그녀를 피하는 원이 생겼다.

티티라는 더 이상 아무도 제게 붙잡히지 않자 자리에 우뚝 섰다. 바닷바람이 머리칼을 잔뜩 흔들었다.

그때 갑자기 누군가 제 손목을 잡았다.

그녀는 반사적으로 몸을 틀어 상대를 제압했다. 바닥에 내리꽂고 목을 졸랐다.

'군인이라면 이렇게 쉽게 당하진 않았을 텐데.' 생각하는 순간,

상대의 얼굴이 눈에 들어왔다. 자기보다도 어린, 밀짚색 금발의 청년이었다. 기억이 났다. 그녀는 고통에 일그러진 상대의 눈을 보며 혼란스레 중얼거렸다.

"파르훈 오피오?"

티티라는 그가 헐떡이자 놓아주었다. 청년은 제 손으로 목을 잡고 거칠게 기침을 해 댔다.

"무슨 일이야?"

"콜록, 콜록! 크, 흑!"

그가 맥없이 상체만 일으켜 몸을 가다듬을 때 즈음 되자, 잠시 그녀에게 몰렸던 시선이 다시 흩어지기 시작했다. 티티라는 또 한 번 무관심의 대상이 되었다.

그녀는 파르훈이 일어나는 속도에 맞춰 함께 일어섰다.

"왜?"

"따라오십시오."

티티라는 군말 없이 고개를 끄덕였다.

그는 그녀를 도심으로 안내했다. 골목 사이사이를 뚫고 어딘지 모를 건물을 찾았다. 그들은 그리 오래 이동하지 않았다. 마침내 파르훈이 어떤 문을 열고 들어갔다.

천장이 높고 단아한 곳이었다. 양쪽으로 올라가는 계단이 있었지만 그리 거창한 것치곤 고작해야 단 두 개 층이었다. 작은 홀의 중앙에는 제 키보다 큰 풍경화가 걸려 있었으며, 얼룩 한 점 없는 고상한 벽지와 흑감 나무 마감이 이 자리를 여러 번 돌아보게 했다.

무슨 장소지?

파르훈은 멈추지 않고 계단을 올라갔다. 어떤 방문 앞에 선 뒤에야 조용히 두드렸다.

"들어와."

티티라는 당연히 그 목소리를 알았다.

파르훈은 방에 들어가지 않은 채 자신에게만 턱짓했다.

그녀는 파르훈뿐만 아니라 방 안의 두 사람을 모두 무시했다.

곧장 성큼성큼 걸어가선 모든 인간을 밀쳤다. 굴러떨어지듯 넘어져 바닥의 관을 부여잡았다. 힘을 주자 관 뚜껑이 부드럽게 밀려 올라갔으며, 그 안은…… 어제와 달리 악취가 나지 않았다.

그녀는 감긴 라요나의 눈을 멍하니 바라보았다. 보랏빛에 가까운 피부보다 그녀의 눈 안쪽 동전이 더 깊이 죽음을 증명했다.

마침내 티티라가 말했다.

"솜씨가 좋군, 파르훈 오피오. 바깥에 서너 시간은 있던 시체일 텐데."

일주일 넘도록 폐렴을 치료해 놓고 결국 제 손으로 염하는 것은 대체 무슨 기분일까? 티티라는 한순간 의사의 기분이 궁금해졌다.

하지만 그는 대답하지 않았다. 대신 문 닫는 소리가 들렸다. 뒤를 돌아보았을 때, 그는 이미 없었다.

티티라는 지금까지 무시해 왔던 사람들을 올려다보았다.

"어떡할 거야, 요?"

말투를 감추는 데 그다지 성의를 보이지도 않았다.

"디아세, 너, 이즈버르 지리를 잘 모르지. 내가 묘지를 몇 알긴 한다만 교국군이 묘지를 빌린다고 하면 쓸데없는 소문이 날 수 있어. 하지만 정식으로 매장하지 않는다면 넌 내 손에 죽어."

디아세는 꿈쩍도 하지 않았다.

"디아세."

그녀가 재촉했지만, 다른 이가 말을 받았다.

"내 휘하가 이즈버르인으로 위장하여 묘지기를 매수했다."

"너희들 생김새에 잘 먹힐지는 모르겠네요. 묘지기 놈에게 들키면 교국이 사람을 죽였다고 떠들고 다닐 테지만, 아무렴 어때요. 저는 상관없죠."

"나도 그렇게 생각한다. 그래서 묘지기는 죽일 생각이었다."

티티라는 대범한 사람처럼 받아치다 확 굳어 상대를 노려보았다.

"죽여요?"

안스카리우스는 물끄러미 그녀를 바라보았다.

"그리할 예정이었으나, 디아세 대대장이 반대하여 내륙으로 보낸다. 다시 돌아올 시 처형할 것이다."

그녀는 그가 디아세만도 못하다는 사실에 소름이 끼쳤다. 그가 어떤 식으로 자신에게 흥미를 가졌든, 그래서 얼마나 호의를 베풀든 이렇게 허탈하게 돌아보게 되는 순간이 있었다. 시노드 신넬이 전부 하수구에 있는 것처럼 무시하면서 나를 특별하게 여길 수는 없는 것이다.

"……매장은 언제입니까?"

"오늘 밤. 대대장이 알아서 한다."

"저도 가겠습니다."

"안 돼."

"갈 겁니다."

"네게 관의 행방을 알려 주지 않을 수도 있었다. 마지막 인사를 할 수 있도록 불렀으니 여기서 마무리해라."

"당신이 뭐라고—"

"사제왕 탈란타우에가 오늘 아침에 공개적으로 말했다. '교국군과 시노드 신넬인 사이의 불순한 관계를 발견하여 처벌했으니, 처신 똑바로 하라.' 그리고 내게 웃으면서 하마터면 그 여종의 주인인 줄 착각할 뻔했다고 하더군."

티티라는 반쯤 일어섰다가…… 천천히 주저앉았다. 탈란타우에가 자신을 위협했기 때문이 아니라, 저 대신 죄를 뒤집어쓴 사람 때문이었다.

디아세를 바라보았다. 그는 아무 표정도, 말도 없었다. 아니, 어쩌면 지금껏 한 번도 움직이지 않았던 것 같았다.

티티라는 라요나가 자기 때문에 죽었다고 확신했다. 탈란타우에는 광견병 걸린 잡종이다. 그러니 자신에게 안스에 대한 사실을 발설하지 말라며, 자칫하면 너도 이 꼴이 된다며 경고하고 간 것이다.

그러나 또 대외적으로는 교국군의 기강을 잡기 위해 채찍을 휘두른 셈이었다. 시노드 신넬인들과 추잡한 애정사를 만들지 마라.

그렇게 생각하면 '죄인' 라요나를 관 안에 넣은 건 안스카리우스의 힘이 미친 지점이라고 볼 수 있었다. 탈란타우에는 묘지는커녕 시체를 공개적으로 내걸길 원했을 테니까.

티티라는 한 번에 여러 수를 쓰는 살인범에게 진력이 나면서, 동시에 안스카리우스에게 반항하려던 힘을 잃어버렸다.

진실을 말해 줄 수 없는 상황에서, 온 죄를 떠맡은 디아세에게 상념을 더하고 싶지 않았다. 그는 라요나가 자기 때문에 죽었다고 생각하느라 남을 챙길 여유가 없을 터였다.

그녀는 현실적인 사람이었다. 자신이 라요나를 배웅 나간다면 그건 오로지 제 마음 빚을 위한 것일 뿐이었다. 라요나는 이미 죽었다. 내가 여기서 작별 인사를 한들, 오밤중 관 위에 뿌려지는 흙을 보며 작별인사를 한들 라요나는 알 도리가 없을 것이다. 그처럼 내 욕심뿐이라면 보는 것만으로도 짓눌릴 정도인 타인의 죄책감에 양보해야겠지.

티티라는 몸을 숙여 라요나의 이마에 입을 맞추었다.

"미안해. 나는 너처럼 못 할 것 같아."

한참 동안이나 일어나지 않았다.

라요나는 평온하게 누워 있었다. 목에 보랏빛으로 멍든 자국이 그래도 단순하여 빠르게 떠났으리라 마음을 다잡았다. 이렇게 위안하는 자신이 역겨웠지만, 이미 숨이 멎었다면 최소한 고통이라도 없었어야 하지 않겠는가.

그녀는 복수를 맹세할 수 없었다. 탈란타우에를 증오했으나, 아직 그가 필요했으며 당장의 제게는 그럴 능력도 없었다.

탈란타우에가 나와 단둘이 만나 줄까? 단둘이 만나면 그 노친네의 목 정도는 찢을 수 있을 텐데, 그 뱀처럼 교활한 놈이 과연 용납할까?

대신 속삭였다.

"내게는 기억이지만 네겐 삶일 테니, 값을 치러야지."

티티라는 관 뚜껑을 닫고 일어섰다.

그리고 인사도 없이 방을 나갔다. 뒤에서 안스카리우스가 쫓는 듯한 발걸음이 이어졌다. 티티라는 더 빨리 계단을 걸어 내려갔지만 마지막 단을 돌기 전에 어깨를 붙잡혔다.

그녀는 그를 쳐 냈다.

"왜요?"

"두하 언덕 방면으로 돌아가라. 탈란타우에에게 불필요한 의심을 안기지 말고."

"그 개자식은 대체 나한테 왜 이렇게 관심이 많아—"

"이유는 네가 더 잘 알겠지."

티티라는 눈을 부라렸다.

"협박하지 마세요. 정말 아무것도 없으니까요."

"내 선실에 가 있어라."

"제가 왜요?"

"이미 말해 준 위험은 무시하겠지. 그러면 너, 라요나가 있던 곳에 머무를 수는 있나?"

이미 어젯밤을 지냈노라 이를 드러낼 수도 있었다. 그러나 기억도 없이 기절했던 밤과, 멍하니 빈 공간을 바라보는 한낮은 달랐다…….

그녀는 더 생각하지 않고 그를 밀쳐 냈다.

"충분히요. 제가 알아서 합니다."

티티라는 저택을 떠났다.

티티라는 선실로 돌아왔다. 단정한 방에 어젯밤 자신이 밀고 넘어뜨린 흔적만 남아 있었다.

그녀는 주섬주섬 방을 치웠다. 라요나의 소지품을 정리했다. 옷을 개키고 장신구를 모아 담았다. 어디서 가져왔는지 모를 닻 모양 청동상, 유리알이 작고 둥그스름하여 어여쁜 등잔, 말린 데이지 꽃, 손거울, 청색 문양의 도자기, 빨간 모자 난쟁이들이 새겨진 조각보.

티티라는 마침내 단 두 권 놓여 있던 책에 손을 얹었다. 한 권은 '항해술 입문'이었고, 다른 한 권은 '자수 도안–첫 단계'였다.

갑자기 눈가가 뜨거워졌다. 라요나가 열심히 모아 둔 여러 취향보다 그녀가 배워 가려 했던 세계가 자신을 슬프게 했다.

한 사람이 죽는다는 건 정말 너무도 큰일이다.

한참 동안이나…… 얻어맞은 것처럼 주저앉아 있었다.

다 때려치우고 바다에 빠져 죽고 싶었다.

그래. 정말 그런 생각을 했다. 쇠지레가 제 목구멍을 억지로 벌렸다. 기형적으로 벌어진 아귀에 허탈감이 꾸역꾸역 들어와 위장을 가득 채웠다. 그녀는 숨이 막혀 꺽꺽거렸다.

제 성취는 의심하는 눈초리에 먹혀 사라졌고, 제게 희망을 안긴 26구 언덕의 해후는 완전히 무너졌으며, 겨우 다음 세대라고 생각했던 착한 아이는 땅에 묻혔다.

아, 이제 그만 나도 바보 천치가 되었으면 좋겠다.

티티라는 라요나의 물건을 담은 궤짝을 책상 아래에 밀어 둔 뒤 자리에서 일어섰다. 걸어 나갔다. 아직도 어제 연회의 후폭풍에 시달리는지, 이프루이우호의 갑판에는 사람이 거의 없었다. 한 층을 내려갔다. 상부 포갑판과 장교 선실은 더더욱 썰렁했다. 쥐새끼들조차 모조리 도망간 것 같았다.

티티라는 장교 선실 가장자리에 나 있는 작은 바깥 갑판으로 나왔다. 유일한 쓸모라곤 바다 아래로 똥을 떨어뜨리는 것 정도인, 한 사람이나 겨우 설 수 있을 만큼 좁은 노대露臺[14].

셔츠와 바지, 장화를 나란히 벗어 두었다. 그녀에게는 이제 맥없

---

14) 배 바깥으로 돌출된 부분.

이 늘어진 얇은 속옷뿐이었다.

티티라는 조용히 바다로 들어갔다.

'첨벙' 소리조차 거의 들리지 않았다. 그녀는 잠시 물 먹은 시체처럼 꼿꼿이 서서 수평선을 바라보았다. 남부의 해가 중천에 떠서 지글지글 끓는 봄의 한가운데. 수평선이 울며 웃는 듯하다가 흐물흐물 무너졌다. 그토록 바랐던 대로 아무 생각도 들지 않았다.

마침내 몸을 숙여 부드럽게 헤엄치기 시작했다. 거추장스러운 옷을 벗었기에 몹시도 자유로웠다. 발가락 사이사이로 지나가는 물결이 강렬했다. 물속에 잠기자 지금껏 얼버무렸던 사지가 똑똑히 느껴졌다.

파도는 가고자 하는 곳의 반대 방향으로 불어 그녀를 못살게 굴었다. 당연하다. 자신이 수평선을 목표로 한 것도, 바다가 저를 방해하는 것도 자연스러운 순리였다. 삶은 원래 버둥대는 거니까.

견디면 다시 오고, 흘려보내면 더 강해지고, 마침내 큰 하나를 무찌르면 파도가 아닌 듯 속살거리며 나를 속여 고꾸라뜨리고.

티티라는 그럼에도 조류潮流를 하나하나 넘어갔다. 교국이 점령한 앞바다에는 이제 고기잡이배조차 없었기에, 이젠 명랑한 허공뿐이었다. 다시 물 아래로 깊이 들어갔다. 눈을 떴지만 바닥이 잘 보이지 않았다. 그 속에서 물고기처럼 십수 미터를 밀고 들어간 뒤, 인간처럼 급하게 물 바깥으로 고개를 내밀었다.

뒤를 돌아보자 이제 이프루이우호는 꽤나 멀리에 있었다. 자신은 파도에 흔들거리는 야자 열매인 양 외롭게 떠 있었다. 그녀는 킥킥웃다가 파도를 먹고는 캑캑거렸다. 기침을 터뜨렸다. 그 바람에 어쩔 수 없이 눈을 감았다 떴는데— 아, 익사할 놈들.

이프루이우호에서 작은 배가 내려오고 있었다.

티티라는 뒤돌아보지 않고 다시 대양으로 헤엄쳤다. 어디까지 갈 건가 하면, 적어도 헐레벌떡 뛰어오는 배들이 제 평온을 침범하지 않는 곳이었으면 했다.

지금까지와는 다르게 온 힘으로 헤엄을 쳤다.

첫 헤엄은 안스가 하는 모양새를 보고 궁금하여 배웠다. 즐기진 않았다. 그러나 남부를 놀아다니면서, 또 여러 배를 타면서 몸을 다루지 못하기란 불가능한 일이었다. 그녀는 제 몸을 믿고 있었다.

정말 바다로 뚝 떨어지자 이제 알 수 있었다. 그녀는 '다 때려치우고 죽고 싶은' 게 아니라, 조용히 생각할 수 있는 방이 필요했던 것이다.

이 순간만큼은 바다가 그녀의 방이었다. 저 채집된 도시의 어떤 물건보다도 제 곁의 짠물이 익숙했다. 적어도 이 물은 소조폴 앞바다에 흐르는 것과 같겠지. 십 년 전, 지금, 이즈버르, 소조폴…… 다 똑같았다.

티티라는 죽도록 헤엄쳤다. 그렇기에 처음보다 빠르게 힘이 빠졌다. 부두에서 멀어지자 파도가 점차로 거세어진 것도 한몫했을 것이다.

흘끔 뒤돌자 순식간에 도망친 거리의 절반을 따라잡은 배가 보였다. 그녀는 위기감 속에 다시 파도를 헤쳐 나갔다. 실수로 물을 한 번 먹고는 돌아보았다. 이제 배 위에 앉은 험악한 얼굴들을 알아볼 수 있을 정도였다.

티티라는 숨을 들이켠 뒤 물속으로 쑥 들어갔다. 불청객들을 내쫓는 주인의 태도였다. 마구잡이로 아래를 향했다. 흙과 해초들,

뿌연 생물들이 눈을 가렸다.

그러다 마침내 바닥에 발을 디딜 수 있었다. 기우뚱 몸이 흔들리며 제 맨발에 밟힌 큰 조개껍데기가 밀려났다. 한 발, 다른 한 발.

그녀는 단단한 타일 위에서 생각했다.

네가 그리울 거야. 추억할 것을 만들어 두어야겠지.

사람의 머리통은 어때?

티티라의 짧은 머리카락들이 웅성거리며 선서를 증언했다.

그녀는 희미하게 웃었다.

나는—

다음 순간, 진저리치는 듯한 힘에 어깨를 붙잡혔다. 고개를 들자 뺨을 맞았는데, 물속이라 그다지 아프진 않았다. 한 사람 정도야. 그녀는 우습게 보곤 몸을 당기려 했지만, 곧장 다른 쪽을 잡혔다. 욕설을 내뱉으며 흔들었다. 그러나, 위로, 위로, 위로.

순식간에 파도 위로 얼굴이 올라왔다. 여기까지 뛰쳐나온 뒤에도 붙들려야 한다니, 머리끝까지 짜증이 치솟았다. 그렇게 생각하는 순간 한 대를 더 맞았다. 누군가 제 머리채와 목을 함께 틀어쥐어, 바닷속에 있을 때보다 숨이 막혔다.

"코퀸! 코퀴나!"

오르락내리락 물에 잠기는 귀에 이상한 단어들이 들렸다. 누군가의 이름인가 싶었지만, 말을 듣자 하니 지난번 이즈버르 침공 당시와 비슷한 '공격어'들 같았다.

누군가 기우뚱거리는 배에 먼저 올라 제 겨드랑이 아래를 잡아 던졌다. 티티라는 넓적한 나무 밑바닥에 얼굴을 박곤 신음을 터뜨렸다. 코뼈가 부러졌을지도 몰라. 벌떡 일어섰지만 곧장 여러 개의 손에 머리를 짓눌렸다.

배 안쪽 사람들이 반대편 무게 추가 되는 동안, 물속 군인들이 한 사람씩 올라왔다. 배가 노련하게도 안정을 되찾았을 때, 그녀는 더 이상 바다로 도망갈 수 없음을 깨달았다.

젖은 이들이 투덜대며 양옆으로 노를 말아 쥐는 모양이 보였다. 티티라는 나머지 손이 자유로운 군인들이 모두 자신을 제압하는 역할이라는 사실을 깨닫고는 조금 아연해졌다.

물론 군인이 둘이나 붙지 않았더라면 그녀는 당장에 한 놈을 고꾸라뜨리고 바다로 뛰어들었을 테지만, 그 사실을 아는 사람이 그리 많지는 않을 것 같았다.

그래서 티티라는 이프루이우호에 다다랐을 때, 뱃전에 기대어 있는 익숙한 얼굴에 놀라지 않았다.

그녀는 축축한 채로 이프루이우호의 갑판에 섰다. 떠날 때와 마찬가지로 갑판 위에는 사람이 적었다. 자신을 데려온 군인들마저 경례한 후 빠르게 사라졌다. 티티라는 두리번거리다, 갑자기 제 위로 덮이는 큰 천에 깜짝 놀라 앞을 바라보았다.

"뭐예요?"

안스카리우스는 바로 떨어지지 않았다. 아주 가까운 곳에서, 몹시도 인상을 찌푸린 채 노려보았다.

"자살할 인간이라고는 생각 안 했는데."

티티라는 한쪽 눈썹만 일그러뜨렸다.

"제가 왜 자살해요?"

안스카리우스의 동공은 자신과 그의 그림자에 먹혀 어두웠다. 어스름 지는 방 안, 또렷한 한 점 같았다. 그러자 갑자기 바보 멍청이처럼 마음이 흐려져서 그의 눈을 엄지로 파 버리고 싶었다.

"자살할 생각이 없는데 맨몸으로 먼바다에 나가?"

"먼바다라니, 암초 등대까지 가지도 못했는데요."

"거기까지 갔다면 네가 살아 있는 동안 데려오지도 못했겠지."

"아, 무슨, 말도 안 되는 소리예요. 저 수영하는 거 못 봤어요? 그만합시다."

티티라는 그를 뿌리치고 여러 걸음 물러났다. 제 생각보다 더 물러난 것 같기도 했다. 그녀는 그가 덮어 준 천을 급하게 벗어 건넸다. 그에게 신세 지고 싶지 않았다.

안스카리우스가 망토를 받아 들었다. 그녀는 이제 이야기가 잘되었거니 생각하고 걸어 나가려 했다.

그러나 다음 순간, 그녀는 올가미처럼 망토에 둘러싸였다. 상대가 어떻게 움직였는지 보지도 못했다. 벗어나려고 몸을 트는 순간 '헉' 소리와 함께 걸음을 헛디뎠다. 천이 너무 강하게 조여들었다. 어깨는 옴짝달싹 못 한 채 망토에 끼었다. 그녀의 얼굴만 망망대해에 불뚝 솟은 표지처럼 튀어나와 안스카리우스를 노려볼 뿐이었다.

그녀는 반대편으로 잡아당기려 했다. 그러자 이제는 팔뚝까지 꽉 끼었다. 상대의 힘에 질려 쏘아보았지만, 그래 봤자 강보에 싸인 아기 같은 낯짝일 것이다.

"제가 무슨 잘못이라도 했습니까?"

"따라와."

"제가 왜—"

그는 더 말을 잇지 않고 망토 끝을 잡아당겼다. 티티라는 홱 고꾸라져 그를 향해 몇 걸음 옮겼다. 반항하려 했으나 지금 꼴이 무지막지하게 우스워 여의치 않았다. 상황을 모면하기 위해서라면 무슨 짓이라도 할 만큼 무안했다.

안스카리우스는 아무 힘도 쓰지 않은 듯 자연스레 선실 복도로 들어왔다. 한 번도 멈추지 않았다. 심지어 으르렁대는 티티라를 넘어서 복도 문을 닫기까지 했다.

“어디에 가두기라도 하실 겁니까?”

그는 여전히 대답하지 않았다. 다시 그녀를 질질 끌어 부선장실에 밀어 넣었다.

“야—”

“옷 입고 나와. 탈란타우에가 저녁 식사를 함께하고 싶어 한다.”

문틀을 사이에 둔 채 천천히 멈추었다.

망토를 꽉 쥐었다.

“아프다고 해요.”

“…….”

“이거, 자살하려던 거냐고 물었죠? 사실 맞아요. 맞으니까, 자살 시도 때문에 아프다 해요. 지금은 그놈을 절대로 볼 생각이 없습니다. 내가 그를 만나고 있을 때 디아세가 라요나를 묻고 있으면 아주 개판으로 완벽하겠네.”

그때 갑자기, 안스카리우스가 몸을 숙였다. 바다 비린내 나는 자신에게 확 가까워졌다.

티티라는 물러서려 했지만 불가능했다. 그녀는 항상 저 눈에 패배하곤 했다.

“왜요?”

속이 쿵쿵 뛰었다. 그는 여전히 침묵하고 있었다. 그녀는 억지로 침묵을 깨우려 똑같은 말만 반복했다.
“야, 왜냐고 묻잖아—”
“내가 ‘안스’처럼 보이려면 어떻게 해야 하지?”
“헛소리하지 마.”
티티라는 한순간도 쉬지 않고 주르륵 대답했다. 그러나 상대는 물러서는 기색을 보이긴커녕 여전히 손가락 한 뼘 거리에 있었다.
그의 고개가 살짝 기울었다. 덕분에 몇 가닥, 외따로 흐느적거리는 머리칼이 따라 흘렀다. 신이 불쾌하게도 우연을 내려 그렇게 뚝 떨어진 곳만 햇살을 받았다. 빛이 났다.
그 빛을 바라보는 사이…… 그가 말했다.
“티, 아프지 마.”
티티라는 겁먹은 사람처럼 후다닥 뒤로 물러났다. 얼마나 거칠게 도망갔는지 침대에 떨어져선, 하마터면 뒤구르기까지 할 뻔했다.
나무 천장 사이사이로 그가 다가오는 소리가 들렸다. 그녀는 괴물에 쫓겨 막다른 길에 다다른 듯 이불을 꽉 움켜쥐었다.
불쑥, 그가 시야에 나타났다.
“네가 죽는 게 싫어.”
등줄기로 식은땀이 흘렀다. 가슴이 크게 오르락내리락했다. 아냐. 억양이 달라. 안스는 저따위로 교국인 같은 높낮이를 가지지 않았어.
그러나 그 역시 경청한 뒤 실수를 교정했다.
“라요나 때문에 힘들어?”
더더욱 안스를 닮은 목소리에 하마터면 그렇다고 대답할 뻔했다. 아니, 저 정도쯤은 괜찮지 않아? 그녀는 인어 노래에 홀린 사람처럼 덜컥 반응했다. 변명거리가 나오자마자 달라붙었다.

"응."

침대 한쪽이 눌렸다. 티티라는 속는 걸 알면서도 인어가 있는 방향으로 기어갔다.

"바다엔 왜 들어갔어?"

"생각을 정리해야 했어."

"그걸 위험하게 깊은 곳에서 해야 했어? 다칠 수도 있었어."

"교국 놈들 배에선 될 것도 안 돼. 그리고 여긴 라요나가 죽은 자리잖아. 이즈버르도 싫어. 쓸모없는 무능력자들."

"티."

티티라는 한숨을 쉬며 그의 허벅지에 이마를 묻었다.

"그래도 내가 어떻게든 해야지……."

목소리가 흐려졌다.

"도와줄 사람은 없어?"

"필요 없어."

"나도?"

그녀는 문득 정신을 차린 것처럼 부르르 떨었다. 양손으로 침대를 짚고 튕겨 오르듯 상체를 일으켰다.

"헛짓거리하지 마. 속아 주는 것도 한계가 있어."

그는 미동도 없이 무표정하게 그녀를 바라보고 있었다. 그 얼굴로, 그러니까 안스카리우스의 얼굴로 말했다.

"'속아 준' 거야?"

티티라는 이불로 고꾸라졌다. 머리가 어지럽고 가슴이 쿵쾅쿵쾅 뛰었다. 티티라는 이 감각에 익숙했다. 하찮은 병마가 또다시 자신을 괴롭히고 있었다. 냉정을 찾아야 부끄럽지 않을 것이다. 지금보다 더 추한 꼴을 보일 수는 없지. 더듬거리며, 최대한 깊게 숨을 내쉬었다.

그러다 그에게 허리를 껴안겼다. 이미 숨이 밭아져 별달리 반항하지도 못했다. 힘은 명치 아래를 꽉 죄어들었다. 목구멍에 걸린 돌을 토하듯 마침내 기침을 터뜨렸다.

"크흑, 컥!"

티티라는 긴 한숨과 함께 고개를 숙였다.

그는 여전히 제 허리를 껴안고 있었다.

천천히…… 관자놀이에 뜨끈한 숨이 느껴졌다.

어쩌면 숨이 아니라…….

등 뒤의 무게가 느껴졌다. 티티라는 그를 알아차리고도 옴짝달싹 못 했다.

이상했다. 만일 안스였더라면 오히려 경계하는 마음이 들었을 것이다. 그는 우리의 소중하고 오래된 관계를 부수려 안달이었으니까.

한데 이 인간과는 아무것도 쌓은 기억이 없어 차라리 더 깨끗하고 자유로웠다. 공백 아래서 감정을 생각할 기회가 있었다.

티티라는 천천히 그를 풀어냈다.

"당신은 그래선 안 돼."

"무엇을?"

"시노드 신넬 묘지기를 그렇게 쉽게 죽인다 말하면서, 나는 별개의 인간인 척하면 안 돼. 라요나의 죽음에 조금도 감정이 없으면서 내 빈틈을 노려서도 안 돼. 정당하지 않아."

"묘지기 건은 결국 디아세의 부탁을 받아들였지."

"처음엔 죽이려 했잖아."
"나는 내 군인들도 처형한다."
"위안이 될 거라 생각하는 거야?"
"만일 '시노드 신넬'이 그리 중요하다면."
"다 똑같아. 너는 라요나를 나보다 오래 알았을 텐데, 옷자락에 얼룩이 생긴 만큼도 신경 쓰지 않았지."
"고향에선."
그는 잠시 침묵했다. 티티라는 그의 '고향'이 교국임을 믿어 의심치 않았다.
"이런 건 너무도 사소한 문제다."
"사람 목숨이 사소해?"
"탈란타우에는 이곳에 오기까지 바다에서 오천 명을 잃었다."
"당신들 욕심이었잖아. 내 앞에서 살인을 변명하는 거야?"
"그러니까 그런 것들이 교국에선 매우 사소한 문제고, 나는 그 틀에서 자랐다는 거다. 달리 생각하는 법을 모르겠다. 목숨 하나하나에 아쉬워해야 하나? 우리의 항해는 유희거리가 아니야."
"그러는 당신도 당신 몸뚱이가 위험에 처하면 그제야 발등에 불붙은 듯 목숨을 구걸할걸?"
"내겐 그다지 살겠다는 열망이 없다. 내가 왜 너를 보고 '마침내 성취했을 때 느끼는 허탈감'을 설명했을까? 삶에 열정적인 사람이 그런 상실감에 신경 쓸 여력이 있나?"
티티라는 기억했다. 그는 26구 언덕에서 그녀를 발견하곤 아주 조금 허탈했다고 말했다. 오랜 노력의 결실이 드러났을 때의 기묘한 공허감.

"내가 가진 유일한 바람이라면 고통받지 않은 채 죽고 싶다는 것뿐이다. 이런 사제왕들은 누가 죽었다고 슬픔에 미어지진 않는다."

아니, 교국의 사제왕치고는 기가 막힌 희망이지 않은가.

티티라는 들으라는 듯 코웃음을 쳤다.

"네가 고통받으며 죽을 일이 뭐가 있어? 선실 하나도 이렇게 호사스럽게 쓰는 주제에."

"너는 교국을 모른다. 사제왕들은 모두 조금씩 자포자기한 채로 살지. 어쩌면 그만큼 미쳐 있는지도 모르고. 유일한 탈출구는 시노드 신넬뿐으로, 이곳은 목숨 줄이다. 우리는 무척 진지하다."

"궤변은 됐어. 난 어떤 죽음에도 눈 깜짝 안 하면서 나를 위로하겠다는 모습이 더 가증스러워. 이야기 끝이야."

그러나 여전히 품은 단단했다.

티티라는 솔직히 그가 원하는 게 무엇인지 모르겠다고 생각했다. 기억 잃은 자의 미련일까 싶다가도, 그저 호기심뿐이라면 이를 드러내는 방법이 이토록 적나라할 리 없다고 생각했다.

하지만 안스의 애정을 너무 늦게 알아차렸던 고통이 얼룩처럼 남아 있었고, 또한 그보다 더 오래 살아오며 감정이 단순히 한 단어로 정의되지 않는다는 사실을 알고 있었다.

안스카리우스의 목소리는 그녀의 혼란 사이를 지그시 누르는 듯했다.

"죽음에 눈 깜짝 안 하면서 너를 위로하지 못할 이유라도 있나?"

티티라는 고개를 저었다. 그 과정에서 머리가 살짝 들리자 마침내 시선이 마주쳤다. 그의 숨이 거꾸로 내려왔다. 머리칼에, 이마에……. 티티라는 눈썹 위에 입술이 닿는 순간 다시 한번 거칠게 고개를 저었다. 지분거리지 못하도록 목을 홱 젖혔다.

"당신하고 나는 아무 사이도……."

그녀는 말을 뚝 멈췄다. 속눈썹 너머 그의 눈은 잘 직조된 피륙 같았다. 그 사이사이로 빛이 스며들었다.

티티라는 자신이 멍청하게 행동하고 있다는 사실을 알았다.

넌 방금 전까지 라요나를 부낸 뒤 바다 끝까지 헤엄쳐 가려던 인간이다. 쿵쿵 뛰는 갈비뼈 아래가 냉정할 리 없어. 온통 답답할 뿐이니 새로운 것을 시도해 보고 싶은, 예컨대 흰 도장에 손바닥을 찍고 싶은 불가해한 인간의 욕망일 것이다. 맨손으로 상단을 꾸린 어른이 청산유수처럼 지껄였다.

하지만 시험해 보기 전까진 모르잖아? 게다가 잃을 것도 없지. 안스와의 입맞춤은 조금 이상했다고 쳐. 하지만 륩린에서의 물기 어린 포옹, 꽉 껴안은 한밤이 정말로 아무것도 아니었니? 그녀 안의 열일곱짜리가 재잘거렸다.

결국 티티라가 손을 내밀었다. 그의 살짝 거친 뺨이 과일처럼 손아귀에 들어왔다. 처음엔 잎사귀를 내밀고 그다음에야 가지가 뻗듯 몸을 점차 곧추세웠다.

상대를 노려보느라 한껏 내리깐 속눈썹들이 서로의 턱선에 부딪혔다. 거꾸로 비껴 났다가, 마침내 눈금이 맞은 듯 마주한 자리에서 따뜻한 입김이 느껴졌다. 정말로, 둘이었다. 제 숨이 그의 숨과 부딪혀 아지랑이처럼 휘돌았다.

티티라는 안스카리우스에게 입 맞추었다.

입술이 마주하는 순간 두 사람 모두에게서 숨이 터져 나왔다. 어린아이들 같은 행동이 평소라면 가소로웠을 텐데, 지금은 도저히 웃음이 나오지 않았다. 자신도, 그도 무시무시하게 긴장해 있어서 누가 먼저 더듬지도 못했다.

그들은 서로의 눈을 볼 수 없었다. 입가는 단지 따뜻한 물에 담근 듯 모호하고, 오히려 오르락내리락하는 어깨가 더 선명했다. 속도와 높낮이가 다르다가도…… 느릿느릿 음이 맞았다.

어깨를 넘어 제 등을 밀어내는 그의 폐부에 온몸이 긴장했다. 언덕에서 숨이 멈출까 싶다가도 그는 차오르기까지 저보다 한참이나 더 걸렸다. 그러면 티티라는 숨을 멈춘 채 기다리고, 다시 천천히 뱉고…….

그녀는 입술을 뗐다.

손을 떨구고, 허리를 천천히 가라앉혔다.

마침내 바닥을 딛고 일어서선 한숨을 쉬었다. 손등으로 입술을 마구 비볐다. 이게 다 무슨 짓인지 모르겠다. 미안하다고 사과할까 했지만 애초에 그가 먼저 시험하려 했으니 필요 없을 것 같았다.

티티라는 안스카리우스를 향해 손짓했다.

"그만 나가요. 탈란타우에한테 변명해 주면 좋고, 안 되면 약속 시간이나 전해 주세요. 어쩔 수 있나. 가서 몇 마디라도 꾸며 내야죠."

그 역시 침상에서 일어섰다. 천천히 걸어와 제 앞에 멈추었다. 그녀는 의아하다는 듯 고개를 들었다.

한순간 큰 손이 내려와 뺨을 감쌌다. 무슨 말을 하려 했지만 손아귀에 넌지시 힘이 들어왔고, 곧장 입가에 온기가 느껴졌다.

그가 다시 입을 맞추었다. 이번에는 눈을 마주한 채.

그의 혀끝이 살짝 들어와 아랫입술을 핥았다. 물러서려는 듯하다가도 다시 부드럽게 베어 물었다.

안스카리우스는 티티라가 소리를 지르려는 사이 떨어져 나갔다. 그러나 사라진 것은 입맞춤뿐, 제 목을 감싼 손아귀는 그대로였다. 헐떡였다.

상대의 시선은 제 입술에 있었다. 고개는 살짝 기울인 채, 거친 손아귀가 목덜미를 쓰다듬었다. 아니, 그것을 뭉뚱그려 손이라고 표현할 수는 없다. 두꺼운 엄지손가락만이 턱선 아래에서 쇄골까지 소름 끼치게 미끄러져 내려갔다. 안스카리우스의 보기 좋게 단정한 입술이 한 마디만큼 벌어져 있었다. 수면처럼 얕아졌다가도 불어 오르는.

그러다 모든 것이 그의 울긋불긋한 눈과 함께 다물렸다. 말이 아니라 입맞춤을 꽉 깨물어 참는 듯했다.

“탈란타우에는…….”

안스카리우스가 낮은 목소리로 말했다.

“이미 저녁에 선장실로 오겠노라 예고했다. 내가 언질을 보내겠지만 녹록지 않을 거다.”

“…….”

“그러나 그가 단둘이 식사하길 원하더라도 자리를 떠나지 않겠다. 옷은…….”

티티라는 새삼스레 제 차림을 되돌아보았다. 축 늘어진 속옷이었다. 언뜻 보면 바닷가 소년 같았지만, 옷이 물을 먹어 몸을 가리지 못했다.

안스카리우스가 시선을 피했다.

“교국식으로 입어라. 그편이 나을 거다.”

그는 뒤돌아 문을 닫고 나갔다. 티티라는 잊은 걸 겨우 떠올린 사람처럼 '어' 하고 손을 뻗었다.

두 번째 입맞춤은 뭐였지?

꽉 닫힌 문을 의심스레 노려보았다.

티티라에게는 다시 질문할 기회가 없었다. 안스카리우스는 곧장 이프루이우호 밖으로 사라졌고, 해는 벌써 뉘엿뉘엿 져서 저녁에 가까웠기 때문이다.

두 번째 입맞춤이 이상하다고는 생각했지만, 사실 첫 번째와 함께 뭉개져 별일 아니라 느껴지기도 했다. 망친 종이를 구겨 던진 뒤 잊은 느낌이었다. 우리가 서로를 지분거린 지도 꽤 오래되었으니 이 또한 지나가리라, 확신했다.

그녀는 교국식 옷을 빼입고 끼익 우는 의자에 앉았다. 반드시 지킬 것들을 되새겼다.

탈란타우에 앞에서 안스카리우스와 '친밀하다'는 기색을 내비치면 안 된다. 티티라는 작게 읊조리곤 소름이 돋아 몸을 부르르 떨었다. 그와 친밀하다고 생각해서 기겁했는지, 아니면 탈란타우에에게 들키는 장면을 떠올려 놀랐는지는 확신하기 어려웠다.

안스카리우스가 염려하는 부분 또한 그들의 관계가 들통나는 것일 터다. 사제왕이 시노드 신녤인에게 관심을 드러낸다면 탈란타우에는 자신을 죽이겠다고 길길이 날뛸 것이 분명하고, 그렇다고 안스카리우스가 탈란타우에에게 반항해 일개 시노드 신녤 상주를 보호하기엔 명분이 없었다.

어쨌든 저놈들에겐 탈란타우에가 구국의 영웅이라지 않나. 영웅에게 맞서 노예를 구하는 모습이 그리 아름답지는 않을 것이다.

티티라는 모든 상황을 잘 받아들이고 있었다. 그토록 냉정하기에 더더욱 아까 전의 입맞춤은 어깨를 으쓱이며 넘어갈 사건 정도가 되었다.

그보다 자신은 라요나에게 탈란타우에의 머리통을 선물할 것을 맹세했다. 그 각오에 있어서 안스카리우스는 짐짝에 가까우며, 따라서 그가 얼핏 비치는 감정들은 논할 가치가 없다…….

티티라는 골똘히 상념에 잠겨 있다가, 벌컥 문이 열리자 깜짝 놀랐다. 반사적으로 일어섰다.

"아, 여기 있군."

한순간 철렁하여 탈란타우에를 바라보았다.

침묵이 흐르는 사이, 지붕 아래에서 쿵쿵쿵 누군가의 화난 걸음 소리가 들렸다.

티티라는 안스카리우스가 나타나기도 전에 그의 표정을 짐작할 수 있었다.

"선장실로 들어갑시다."

아니나 다를까, 무뚝뚝한 얼굴 위로 다소 급한 문장이 튀어나왔다.

탈란타우에가 어깨를 으쓱이며 제게 팔락팔락 손짓했다.

"주인공이 오셔야지."

일그러지는 눈매가 느껴졌다. 그는 개를 다루듯 했다. 살얼음판 같은 긴장에 살갗이 아릴 정도였다.

죽이고 싶었다.

안스를 생각하면…….

티티라는 고개를 숙이곤 선실을 걸어 나갔다.

탈란타우에는 그녀가 굴복했다는 사실 하나만으로 마음이 풀린 듯 금세 관심을 돌렸다. 곧장 계단을 오르며 다시 안스카리우스에게 말을 걸었다.

"오늘은 에예우의 달걀 요리를 올렸습니까?"

"예. 항해 중 오랫동안 들지 못했으리라 생각합니다."

"아니. 닭이야 키웠지요. 맛이 모자랄 뿐."

"교읍지 출신 요리사가 직접 올렸으니 기대해도 좋을 겁니다."

티티라는 경멸하며 계단을 올라갔다. 열린 문 안으로 익숙하게 넓은 탁자가 보였으며, 그 위 휘황한 음식들이 아름다운 이즈버르의 석양을 받고 있었다.

그녀는 잠자코 서 있다가 안스카리우스가 주인석을, 탈란타우에가 다른 한쪽을 점령하자, 나머지 식기 앞에 앉았다. 제 모든 행동을 촘촘하게 지켜보고 있는 탈란타우에 탓에 바짝 긴장이 되었다.

"우리 상주께서는 이런 자리도 불편해하지 않을 만큼 대범하시군."

"……아닙니다. 왜 저를 청하셨는지는 모르나, 모자란 말솜씨로 각하께 실수를 저지를까 두렵습니다."

"내가 너를 왜 청했겠느냐."

"……."

"우리 법황 나리께 올릴 개전 사유를 누가 만들어 주었는지 확인하고, 어찌 대화라도 한번 나누고 싶어서지."

안스카리우스가 식탁을 두드렸다. 말을 조심하라는 표시였다.

티티라는 탈란타우에가 자신을 개로 여겨 전혀 기밀을 숨기지 않는단 사실을 깨달았다.

"내가 처음 시노드 신넬에 왔을 때에는 도이도흐에서 목이 졸렸지. 법황령 탓에 진군을 멈출 수밖에 없었어. 하지만 고인 물은 썩기 마련이고 십 년이면 모두들 많이 인내한 편이 아닌가. 물론 그럼에도 이즈버르 침공에는 결단이 필요했건만, 우리 존경하는 바를라암 총독께서—"
"사제왕 탈란타우에."
안스카리우스가 경고했다.
웃기는 놈. 몇 시간 전엔 제게 엉겨 붙어 입을 맞췄으면서.
"왜 그러십니까?"
"공개될 필요가 없는 내용입니다."
"동의하지 않습니다. 어차피 저자는 말을 퍼뜨리지 못합니다."
왜냐하면 저 살인자 사제왕 놈이 안스의 기억을 틀어쥐고 있기 때문이지.
그러나 궁금했다. 어떻게 안스와 내가 서로에게 목숨을 걸 만한 친구란 사실을 알게 되었을까? 알량한 기억 하나로 외부인인 자신에게 기밀을 털어놓는다? 웬만큼 믿지 않고서야 어림도 없는 일이 아닌가.
"탈란타우에, 당신이 어떻게 저자를 신뢰하는지는 모르나 지금 말씀은 교국군에도 공개하기 어려운 내용입니다."
"나를 믿으세요. 티티라 돔니니는 교국에 충성합니다. 내가 책임집니다."
안스카리우스는 '영웅'의 욕심을 더 말릴 수 없는지 침묵 속에서 나이프를 들었다. 고개를 숙인 채 불쾌한 듯 인상을 찌푸리는데 연기인지 진짜인지 통 알 수가 없었다.
"좌우간 돔니니, 바를라암 총독께서 복안을 내셨다. 어차피 법황령을 무시하고 점령전을 벌일 생각이라면 명분이 확실해야 한다고. 즉슨, 시노드 신넬 내부에서 요청이 있어야 했단 말이지. 그 역할을 우리 상주께서 잘해 주셨고. 고맙다."

"……."

티티라는 안스카리우스를 흘끔 바라보았다. 그는 가지를 포크로 찍고 있었다. 맥이 풀렸다.

"아닙니다, 사제왕 탈란타우에 각하. 제가 아니었어도 분명 이즈버르의 욕심에 불만을 품은 상주들이 있었을 겁니다."

"그래도 직접 일을 진행한 상주에게 고마운 마음을 가지는 것쯤은 죄가 아니겠지."

탈란타우에가 웃었다. 정말이지 비현실적이다. 정신 나간 새끼, 눈을 파 버리고 싶어— 안 돼. 살인은 정교하게 계획해야 한다. 첫 번째 살인처럼 대중없이 저지를 수는 없었다. 이 세상에는 나를 보호해 줄 후견인이 더 이상 존재하지 않으니까.

"그리 말씀하신다면…… 송구합니다."

"그래. 인사로 시간을 소모했군. 음식을 들지."

티티라는 꾸벅 고개를 숙이곤 입맛 없이 채소 몇 덩이를 덜어 왔다. 그런데, 갑자기 제 위로 그림자가 드리웠다. 그녀는 고개를 기울여 그림자를 피하려 시도했다.

"각하……?"

"에예우의 특선 요리야. 음미할 만한 가치가 있다."

티티라는 그림자와, 제 앞에 새로 놓인 달걀을 번갈아 보았다. 그림자는 안스카리우스의 개인 접시에도 달걀을 덜어 준 뒤 순식간에 사라졌다.

그들은 나란히 달걀을 앞에 두었다. 티티라는 달걀의 부서진 부분을 발견해 거리낌 없이 포크로 찍었다. 와그작 찌그러졌다. 뭐,

거지 같은 교국 음식을 어떻게 먹든 내 마음이지.

부서진 틈 사이로 아직 세상에 나지 못한 병아리가 흘러나왔다. 티티라는 턱 끝을 당겨 역겨움을 표현했다. 저놈들은 조리법을 몰라 미개하게도 원형 그대로의 음식을 먹는 모양이다.

껍데기를 무성의하게 걷어 냈다. 포크로 머리를 찍어 들어 올리자 즙과 양념이 뚝뚝 떨어졌다. 세상에서 제일 즐겁게 먹었다고는 할 수 없지만, 어쨌든 살인마가 먹길 원하니 한입에 넣었다. 씹히는 감각은 별로 좋지 않았다.

열심히 먹으며 주변을 둘러보자니 탈란타우에는 뚫어져라 자신을 바라보고 있고, 안스카리우스는 어린 소년처럼 고이고이 병아리를 숟가락에 담고 있었다. 그녀는 혀를 차려 했으나 음식이 입 안에 가득 찬 바람에 고개만 살짝 흔들었다.

"어떤가?"

"익숙하지 않지만 맛은 있습니다. 새로운 음식을 소개해 주셔서 제 견문이 넓어진 듯합니다."

탈란타우에가 웃음을 터뜨렸다. 그사이 안스카리우스는 씹지도 않고 새를 삼킨 듯 순식간에 홀쭉해진 입가를 손수건에 닦고 있었다.

"내 사람 보는 눈이 틀리지는 않았어. 확실히 담대하군."

"과찬이십니다."

"그리 담대하기에 총독과 개인적으로 알 수도 있는 것이고."

"예?"

티티라는 즙이 흐른 입가도 못 닦은 채 반문했다.

"바를라암 총독과 개인적으로 아는 사이 아니던가?"

"저는 공무를 제하고는 총독 각하를 따로 만나 뵌 적이 없습니다."

"하지만 이렇게 풍채가 훤한 청년을 오래도록 보면 사적으로 교류하고 싶은 마음이 안 드려야 안 들 수 있겠나."

"예? 무슨 말씀이신지 모르겠습니다."

티티라는 칼을 들고 요리조리 도망쳐 다녔다.

"내가 잘못 들었나? 소조폴 상단의 상주가 총독과 교통交通[15]하여 이즈버르 침공의 구실을 만들었다던데."

안스카리우스가 식기를 내려 두었다.

"탈란타우에, 점령지의 시민들은 내 얼굴조차 모릅니다. 이 자리에 소문을 올리도록 용납하지 마십시오. 그 또한 권력입니다."

"총독이 그리 말씀하신다면 어쩔 수 없군요. 사실 내 개인적인 호기심이 좀 일었던 건이니."

"당신은 어제 교국군과 시노드 신넬인과의 관계를 벌했습니다. 그런데 이 자리에서 나와 저자의 관계를 논한다는 것은, 교국에 협조한 인사에게 공연히 공포감을 심어 주는 듯하여 불쾌합니다."

탈란타우에가 양손을 들었다.

"그럴 의도는 아니었습니다. 생각해 보니 어제 처형으로 인해 충격을 많이 받았을 것 같아 미안하군요. 네게 사과한다, 티티라 돔니니."

티티라는 가까스로 무던히 있다가도 사과만큼은 제대로 다루지 못했다. 어떤 단어를 내뱉든 분노를 주체할 수 없을 것 같았다.

"……."

"아무튼, 고작해야 어제오늘이지만 교국군 치하에서 안정된 이즈버르의 모습을 보니 바를라암 총독께서 교읍지에 갓 도착하셨던

---

15) 남녀 사이에 서로 사귀거나 육체적 관계를 가짐.

시절이 생각나 일견 웃음이 나기도 합니다."

"탈란타우에."

"예?"

"불필요한 말씀입니다."

"외려 총독께서 이곳에 불필요하시지요."

탈란타우에는 마치 기다렸다는 듯이 공격했다.

티티라는 뺨에 묻은 양념을 슥슥 닦았다. 입 안이 바짝 말랐다.

"저는 티티라 돔니니와의 저녁 식사를 원한다고 분명히 말씀드렸습니다. 굳이 불청객으로 참석을 하셨다면 적어도 저희가 정답게 이야기를 나누도록 두어야 하지 않겠습니까?"

"상주는 내 권역하입니다. 따라서 어제 처음 저자를 만난 당신이 어떤 목적으로 사석에서의 약속을 원하는지 알 필요가 있습니다. 특히 사제왕이 시노드 신넬 상주 따위의 신용을 담보하기까지 한 작금의 상황에서, 나는 당신들 간에 어떤 관계가 있는지 오히려 의심이 가는 상황입니다."

"그러고 보니 이상한 듯한데요. 왜 이름을 안 부르십니까? '티티라 돔니니'입니다."

그녀는 시노드 신넬의 첫 점령자에게 그 휘장을 달 만한 자격이 있음을 깨달았다. 그는 무시무시하게 예리하고 공격적인 인간이었다.

안스카리우스가 제게 고개를 돌렸다. 티티라는 그가 화를 꾹 참고 있다는 것을 알아차렸다. 그가 곧장 무어라 명령할지도, 사실 알고 있었다…….

"소조폴 상주, 나가라. 사제왕 탈란타우에와 긴히 나눌 말씀이 있다."

티티라는 그를 한 번 바라보고, 다시 탈란타우에를 바라보았다. 탈란타우에는 무표정하게 손짓했다. 나가 봐. 여전히 개를 다루듯 했다.

그녀는 달걀의 잔해만 남은 제 접시를 흘겨보았다. 차라리 다행이었다.

티티라는 깊이 인사한 뒤 선장실을 떠났다.

베오메네스가 방에 들어오며 말했다.

"이제 더 이상 남은 책이 없습니다."

안스는 일어서다가 책 무더기를 와르르 엎어뜨렸다. 투덜대며 책상 아래로 들어갔다.

등 뒤로 베오메네스의 단호한 목소리가 들렸다.

"배에 남은 게 없다니까요."

"제대로 뒤진 거지?"

"예. 그게 끝입니다. 탈란타우에 각하의 허가를 얻어 항해 일지들까지 뒤졌으니 더 이상은 정말로 없습니다. 뭘 배우길 원하셨든 당장은 어렵습니다."

안스는 책을 끌어안고 기어 나왔다.

"그러면 별수 없군. 네가 알려 줘 봐."

베오메네스는 눈알만 굴렸다.

안스가 책상을 짚고 일어서며 말했다.

"그 배 위에서, 내가 왜 '역겨웠'던 거야? 그것부터 말해 보지."

베오메네스와 처음 만났던 마주두 남부에서 그가 그랬다. '역겹군.' 물론 아주 오래전 일처럼 느껴졌다. 때문에 마음에 품고 있지 않았지만, 조개처럼 입을 꾹 다문 군인을 구슬리기엔 적당해 보였다. 그가 무슨 말을 하든 그의 교국을 배울 수 있을 것이다.

"언제를 말씀하시는 겁니까? 잘 모르겠습니다."

말이 중언부언 길어지는 것을 보니 걸리는 부분이 있는 모양이었다. 안스는 웃으며 더했다.

"내 등을 칼로 눌렀지."

"……."

"그때 나는 장부를 가져다주었을 뿐인데 뭐가 그렇게 싫으셨나?"

"……."

베오메네스는 바닥을 내려다본 채 아무 말도 하지 않았다.

안스는 차근차근 책 모서리를 맞추며 한 번 더 설득했다.

"제대로 대답해 주면 내 담당에서 빼 달라고 할게. 보모 노릇도 지칠 테니까."

"불만 없습니다. 당신은 대하기 편한 사람입니다."

의외였다. 그는 고개를 돌려 베오메네스를 바라보았다.

"……그런가? 몇 달째, 하루 종일 누군지도 모르는 인간 시중을 들어야 하면 짜증 날 텐데."

"당신이 아니었어도 어차피 이 도시의 시중을 들어야 했을 겁니다. 저는 이곳을 좋아하지 않습니다."

"아, 그래서 나한테 역겹다고 했나? 시노드 신넬을 '좋아하지 않아'서?"

군인이 한숨을 쉬었다. 주제가 제자리로 돌아오자 자포자기한 듯 문가에 기대는 모습이 보였다.

"그때는 당신이 살아남기 위해 배의 정보를 모조리 팔아넘긴 줄 알았습니다. 화물 목록만 요구했는데 장부까지 주었잖습니까? 어차피 처형될 텐데 발버둥 치는 모습이 추했습니다."

안스는 솔직한 대답에 할 말을 잃어버렸다. 입을 몇 번 뻐끔대다가, 당황한 사람처럼 말했다.

"죽음을 앞두고 발버둥 치는 게 뭐 어때서?"

"같은 의미에서 소조폴인들을 싫어합니다. 이천 명 가까이 공개적으로 처형당했는데도 앞다투어 사역관을 지원하려는 행동은, 대체 뭡니까?"

"전력 차이가 명백한데 반항하면 그게 바보짓 아냐?"

베오메네스는 고개를 흔들었다.

"당신이 그렇게 생각한다면요."

안스는 그에게 화가 나지 않았다. 어차피 시간 낭비였다. 교국인들에게 시노드 신넬의 불신자들이 '조금' 죽은 일은 별 의미 없다는 사실을 배운 터였다.

어깨를 으쓱였다.

"소조폴인을 싫어하는데, 나는 대하기 편하다고?"

군인은 의아하다는 듯이 시선을 들었다.

"당신은 소조폴인이 아니잖습니까?"

불쑥 경계심이 솟았다. 물론 스스로 정체를 숨기고자 애쓴 것은 아니었지만, 자신과 달리 열심히 노력하는 탈란타우에를 생각하면 놀라운 일이었다.

마주두 제일섬 이후 몇 달간 사제왕은 제 정체가 알려지는 것을 단속해 왔다. 절대로 소조폴의 밝은 대낮을 즐길 수 없도록, 교국군이라는 작은 거품 안에서도 마주할 수 있는 인원은 베오메네스가 유일할 정도로 철저히 관리했던 것이다.

문득 베오메네스가 정말로 비밀을 알도록 '용납'된 것인지 궁금해졌다. 그러나…… 베일 아래 가려진 먼지를 드러낼 수 없어 실없는 질문이나 뱉어 냈다.

"여기 오기 전엔 무슨 일을 했지? 똑같이 군인이었나?"

"대답해야 합니까?"

"시노드 신넬 사람들을 불신자라고 혐오하려면, 원래는 무슨 신실한 사제라도 되었어야 내가 억울하지 않겠지."

"저는 그때도, 지금도 군인입니다. 반면, 당신은 시노드 신넬인이 아닙니다. 당신 어깨의 문신은 진짜입니다."

"그 문신이 무슨 뜻인지 아나?"

상대는 기가 막힌다는 듯 웃었다.

"제가 먼저 묻겠습니다. 교국에서 가장 큰 축제가 무엇인 줄 아십니까?"

"설명해 줘."

"예언의 날, 탄생의 날, 그리고 계약의 날입니다."

"예언의 날은 선지자가 그 말씀인지 뭔지를 들은 날일 거고, 탄생의 날은 선지자가 태어났는지 뭔지 한 날일 거고, 계약은 뭐냐?"

"……."

"뭐냐고."

"사제왕의 직계 자식이 법황청에서 문신을 받는 날입니다."

안스는 구역질 난다는 표정을 지었다. 아무리 생각해도 광신자들이었다.

“이십이 사제왕의 교읍지 저택은 법황청을 중심으로 자리해 있습니다. 계약의 날에는 많은 신민들이 지켜보는 가운데 요람을 실은 작은 마차 혼자 짧은 거리를 이동합니다. 문신을 새기는 데에는 채 반 시간이 걸리지 않기에 모두 길가에 서서 아이의 귀환을 기다리고, 마침내 아이가 다시 사제왕의 저택으로 들어가면 의례는 끝이 납니다.”

“으, 이런.”

“예?”

“아니야.”

“아무튼 그렇기 때문에 교국인이 문신을 모를 수는 없습니다. 비록 그 글자가 어느 가문의 자식을 의미하는지는 몰라도요.”

안스는 등이 따끔거리는 것을 느꼈다.

“그렇게 모두가 이 문신을 알면…… 그날 마주두 배에서 날 본 사람들도 당연히 알겠네? 그럼 내가 이프루이우호에 실려 왔다는 걸 본 교국군이 수많다는 건데…… 왜 아직까지 감추려 하지?”

베오메네스는 희한하다는 듯 그를 바라보았다. 바로 섰다가, 다시 기울었다. 어떻게 말해야 할지 고민하는 모양이었다.

결국 그는 한숨처럼 털어 냈다.

“당신을 목격한 사람들은 모두 다른 곳으로 ‘전출’되었습니다. 단 한 사람도 빠짐없이요.”

안스는 당황했다. 그 말 속에 담긴 함의를 한순간 이해했지만, 설마 하는 마음에 밀어냈다. 말도 안 된다.

베오메네스는 잠깐의 정적도 참지 못하겠는지 바로 끼어들었다.

"이해 못 하신 겁니까? 다 죽었다고요."

"……."

"저는 어쨌든…… 누군가는 당신 옆에 남아야 하니 살아 있는 겁니다. 제가 직접 당신을 이프루이우호로 데려온 게 얼마나 다행인지요."

충격에 빠지지 않은 체하려 했지만 여전히 받아들일 수 없었다. 마주두 남부에서 만났던 열댓 명의 공격자들, 이프루이우호로 올라온 뒤 제 목에 올가미를 씌웠던 책임자, 장교 선실 앞에서 노닥거리던 군인들……. 그 모든 이를 탈란타우에가 모조리 치웠다고?

……물론 이상할 일은 아니었다. 그 서늘한 인상의 사제왕은 본인과 어린 딸의 맨살을 불에 지진 사람이다. 눈 하나 깜짝하지 않고 소조폴의 유력자들 이천을 처형한 인간인 것이다.

"설마 몰랐다고는 하지 마십시오."

"난……. 그걸 내가 어떻게 알아? 탈란타우에의—"

"'탈란타우에 각하'의."

"탈란타우에의! 허가가 없으면 이 방에서도 못 나가는데. 게다가 굳이 나를 본 사람을 처리할 이유가 뭐야? 그게 몇 명의 목숨인지 알아? 내가 뭐라고?"

베오메네스는 이제 전혀 복종하는 군인처럼 보이지 않았다. 그는 찌푸린 얼굴로 머리를 마구 긁었다.

"당신은 사제왕의 아들이잖습니까."

누군가의 입에서 그런 단어를 듣자 기분이 너무 이상했다. 한순간 그 감각에 정신이 팔려, 속뜻을 눈치채지 못할 정도였다.

"문신과 각하의 대우를 생각하면 당신은 언젠가 표류했던 사제왕의 핏줄임이 분명합니다. 그런데 —제가 보고 들은 바로는— 실상은 이 소조폴에서 자랐죠. 각하께서 당신을 다시 고향에 데려갈 심산이시라면, 여기서 당신을 아는 모든 인원을 제거해야 이치에 맞습니다."

"……."

"당신은 실종된 동안 교국에서 병마와 싸우고 있었든, 에드스나 같은 군도에서 살아남았든, 좌우간 시노드 신넬에는 발끝도 대지 않았다는 평판이어야 유리합니다. 아마 탈란타우에 각하께서도 그렇게 생각하고 계신 것이 분명합니다."

"아니, 그러면……. 너도 도망가야 하지 않나?"

"어디로 말입니까?"

할 말을 잃었다. 베오메네스는 놀랍게도 별로 상처받거나 궁지에 몰린 기색이 아니었다. 벌써 한참 전부터 대비하고 있었던 것 같다는 의심이 불쑥 솟았다.

"저는 준비되어 있습니다. 또한 당신을 철저히, 잘 모실 예정입니다. 당신이 저를 보호할 수 있도록 말입니다."

"내가 왜?"

"보아하니 그런 사람이기도 하고……."

그는 고개를 흔들었다.

"교국에 갔을 때 당신을 아는 모든 사람을 죽인 탈란타우에 각하만을 믿으실 수는 없잖습니까."

상대는 생존을 위해 꽤나 오래 생각해 왔음이 분명했다. 자신 또한, 그의 말을 부정할 수 없었다.

자신은 탈란타우에에게 인간적임을 느꼈기 때문에, 즉 그에게 설득당했기 때문에 교국에 가려는 것이 아니었다. 그는 몇 달 전 우스페히의 죽음 앞에서 결심했다. 교국에 가서 제 핏줄의 끝장을 봐야겠다고. 스스로 무엇을 얻을 수 있는지 두 눈으로 똑똑히 보고, 움켜쥐어 보겠다고 마음먹었다. 어떤 일이 있어도 저 대양을 넘어갈 계획이었다.

그런 제 곁에, 가끔은 미쳤고 가끔은 친절한 살인자 하나만 있는 것은 아무래도 위험한 일이었다.

"당신이 저와 친밀해지길 원하신다면, 좋습니다. 저는 별로 숨길 게 없습니다. 대신 한 가지만 약속하십시오. 때가 왔을 때 저를 살리세요."

옛날의 자신이라면 당연히 그러겠다고 대답했을 것이다. 베오메네스는 제게 쥐꼬리만큼의 권력도 없던 처음부터 목의 올가미를 풀어 주던 인간이었다. 또한 조금 툴툴댈 뿐 대부분의 경우 담백하게 친절을 베풀던, 혹은 제게 복종해 온 군인이기도 했다.

게다가 처형되어야 하는 죄목이 '나를 목격했기 때문'이라면 자신 또한 그 살인에 어느 정도 기여했다고 생각했을 것이다.

그러니까 옛날의 자신이라면…….

안스는 침묵했다.

베오메네스는 소리 없이 웃었다.

"생각해 보세요. 당신 손짓 하나에 목숨이 달린 종을 하나 두는 것도 손해 보는 장사는 아닙니다."

그러나 그를 위해 탈란타우에와 대적해야 한다면 또 다른 일이다.

"한 가지만 여쭈어봐도 되겠습니까?"

"말해 봐."

"어느 가문이십니까?"

"바를라암."

베오메네스의 눈이 놀란 듯 크게 뜨이더니, 서서히 가라앉았다. 그는 다시 웃고는 저녁을 가져오겠다며 떠났다.

안스는 한참 동안이나 그의 말을 곱씹었다.

안스는 그날 밤, 오랜만에 우스페히 상관에 방문하기로 했다. 다른 말로 하자면 자신이 자랐던 오래된 나무 속으로 다시 들어가겠다는 뜻이다.

탈란타우에는 너 때문에 야간 경계를 세우는 것도 일이라며 짜증을 냈지만, 말뿐이었다. 사제왕은 새로운 바를라암의 일에 있어서 유해지는 경향이 있었는데 그 태도 변화란 대접을 받는 스스로조차 소름이 돋을 정도였다.

사실 낮에 베오메네스가 이야기해 준 것도 같은 맥락이었다. '안스카리우스'의 정체를 숨기기 위해 총독이 살인에 급급하다는 것. 처음 듣고는 기겁했지만 조금 지나고 보니 그 자식이 그랬다는 게 전혀 이상하지 않았다. 그럴 만했다.

안스는 이렇게 생각하고 조금 두려워졌다. 너, 정말로 그들이 죽어도 될 만했다고 생각하는 거야? 물론 아니다. 하지만, 탈란타우에의 논리상 죽을 만했다고 생각하는 정도는 가능하지 않아?

그게 첫 단계지.

안스는 언짢은 머릿속 속삭임에 우뚝 멈췄다.

퀴퀴하고 찡한 나무 냄새가 코를 찔렀다. 정신을 차리자 벌써 지붕 아래였다. 교국의 소조폴 점령 후 한 해 가까이 아무도 들어갈 수 없던 우스페히의 건물 안.

안스는 불쾌한 생각을 지우고 티티라의 방으로 향했다.

그는 한동안 제 방에 드물게 방문했다. 자신의 '진짜' 방은 마지막 한 해 동안 창고처럼 쓰여 지금에 이르러선 추억하기 어려운 구조가 되었기 때문이다. 떠나기 직전까지 썼던 제 '가짜' 방은, 이미 추억거리들을 잘 정돈하여 현재 거처에 옮겨 두었기에 쓸모가 없었다.

게다가 모든 것을 제치더라도 안스는 스스로의 과거를 반추할 생각이 조금도 들지 않았다.

안스는 지난번 잠그고 간 문에 열쇠를 쑤셔 넣었다. 그 혼자 오가는 건물에 이토록 엄중할 필요는 없지만, 그가 지키는 것이 단순한 방이 아니라 송두리째 뽑힌 기억이니 어쩔 수 없었다.

문이 열렸다.

그는 저벅저벅 걸어가 사방의 등불에 불을 붙였다.

남은 불을 치우곤, 잘 정돈된 침대를 손으로 쓸었다. 아침나절 햇살과…… 티티라의 머리맡이 머물던 자리를 짚었다. 제게 허락된 시간은 밤에 불과했기에 단지 머릿속에서 상상할 뿐이었다.

잠시 머물다 옷장으로 넘어갔다. 벌컥 열자 해진 바지와 셔츠, 스카프들이 주르륵 흘러나왔다. 사환 티티라 돔니니가 가진 드레스는 단 한 벌도 없었다. 이유는 단순했다. '움직이기 불편하니까.'

그나마 마린카 씨가 선물해 준 잠옷 치마를 귀신 망토처럼 두르고 다녔지만, 그것을 '드레스'라고는 부를 수는 없는 법이다. 게다가 그 낯짝을 볼 때마다 그녀가 한밤중 제 위로 뛰어들었던 기억이 나서 몹시 불쾌하기도 했다.

대신 질긴 바지를 입고, 뛰기 전 여러 방향으로 몸을 풀던 티티라를 기억했다. 열넷 이후로는 키가 크지도 않아서, 새 옷을 사는 이유는 오로지 거칠게 움직이다 바짓단을 절반 이상 찢어 먹었기 때문이다. 허벅지까지 덜렁덜렁 벌어져선 방으로 돌아오는 모습을 보고 몇 번이나 놀렸는지 모른다.

그는 발걸음을 돌렸다.

이제 손끝으로 책상 위에 꽂힌 책들을 훑기 시작했다. 이 자리부턴 티티라가 보관해 둔 개인 물품들이 많아졌다.

그동안 이 모든 걸 가져갈까 몹시 고민했지만, 자신이 소조폴에 있는 이상 그녀의 물건은 여기에 있는 게 맞을 것 같았다. 덕분에 이곳에는 그녀가 아직까지 머무르고 있는 듯 손때 묻은 필기구와 책들이 가득했다.

그는 손을 넣어 책을 한 권 빼냈다. 「귀족학 논고」. 티티라가 엉망진창으로 그은 줄과 단상들, 물음표와 느낌표가 오랜 표류 끝 물처럼 자신을 채웠다. 그는 침대에 앉아 중간 장章을 펼친 채 읽기 시작했다.

웅크린 채 그녀의 필기에 집중했다. 그녀의 목소리가 귓가에 울리는 듯했다.

[이렇게 표현한 놈은 진짜 돌았어. 너무 후하게 평가함.]
[보호 귀족들이 돈에 얼마나 관심이 많은데. 벌 줄을 모를 뿐.]
[아, 그, 이름 뭐였지?]

물음표 뒤에는 결국 이름을 기억하지 못한 듯 진한 잉크만 고여 있었다. 실패의 흔적마저 웃겼다.

그는 잠이 싹 달아날 정도로 열중했다. 눈이 빠져라 장을 넘기며 티티라가 친 줄과 글씨를 체포했고, 하나하나 외운 뒤에야 놓아주었다.

그렇게 책 한 권을 통으로 해치우고 나서야 티티라의 침대에 길게 누울 수 있었다. 그녀의 침대는 물론 제 발목에서 끊겼다. 발만 꼭두각시 인형처럼 침대 밖에서 흔들거렸다.

그는 문득 자신이 왜 이렇게 미쳤는지 돌아보게 되었다.

그러니까, 소중한 사람을 잃고, 인생을 쓰레기통에 던지고, 생명의 위협을 받고, 평생토록 몰랐던 제 출신을 알아차리고, 마침내 친절한 살인자와 생활하는 이 격동의 와중에도 굳이 티티라의 방에 와서 흔적을 살펴야 할 정도로 미친 이유 말이다.

언제부터였지? 티티라를 좋아하게 된 게?

물론 정신 나간 연인이 흔히 그렇듯 사랑에 빠진 장면을 꼽기란 당연히 불가능했다.

모든 기억들은 작은 못 같아서, 촘촘히 박아 넣었기에 가까이에선 무슨 뜻인지 전혀 알 수 없었다. 그 탓에 안스는 항상 여러 걸음 물러난 뒤에야 작은 못들이 어떤 도형을 이루고 있는지를 묘사할 수 있었다. 꽤나 버벅거리는 말투로.

그런데 골치 아픈 것은, 멀리 볼 때는 다시 가까운 기억들에 대한 갈증이 나고, 그래서 가까이 다가가면 반드시 좌표를 잃고…….

그러나 긴 생을 살면서 다들 최초의 기억 한 개쯤은 있듯, 그도 깊은 곳에 담은 과거가 있었다.

그들은 바로 이 방 안에 나란히 앉아 있었다. 티티라는 열두 살,

자신은 —이제 정확히 안 제 나이에 따르면— 열네 살.

정말이지 여상한 저녁이었다.

"안스, 아까 낮에 우스페히 씨가 널 왜 부른 거야?"

"네브니크에서 화물 목록이 이상하다나…… 상주가 항의해서 선장이랑 같이 봐 주고 왔어."

"그래? 알겠어."

"……궁금하지도 않으면서 왜 물어봐? 네가 오늘 뭘 했는지 말하고 싶어서지?"

티티라는 낄낄 웃으며 침대로 엎어졌다.

"들켰다."

안스는 그녀를 발로 밀어내며 반대편에 누웠다.

"이 형님이 들어 주마."

티티라는 신이 난 듯 침대를 발로 쾅쾅 내려찍었다.

"오늘 고디니 영감을 만났어."

"좀…… 웃긴 사람인데, 그거."

"알아. 오늘 부두에서 세드미차호를 기다리고 있는데, 옆에서 이상한 기구를 들고 돌아다니더라고. 내가 밧줄에 누워 있는 한 시간 동안 계속 앞뒤 좌우로 왔다 갔다 하지 뭐야?"

"괜히 소조폴의 유명 인사겠냐고."

"할 일도 없잖아? 그래서 말을 걸어 봤어. '뭐 하세요?' 하고."

"그랬더니?"

"별을 관찰하고 있대."

"낮에? 완전히 미쳤네."

"그래서 나도 '낮에 별을 보신다고요?' 하니까, 오랜만에 누군가가 자기 말을 들어 줘서 흥미가 붙었나 봐. '그래. 항해에서는 별이 중요하거든. 낮엔 안 보이는 듯하지만 어차피 기록되어 있다.' 하더라고."

안스는 콧방귀를 뀌었다.

"북극성으로 배의 방향을 잡는 건 소조폴 강아지도 해."

"나도 비슷하게 말했어. 그랬더니 그게 아니라 하더라고. 그건 소조폴에서 이즈버르로 갈 때에나 쓰는 방법이고, 소조폴에서 마주두로 가려면 이렇게."

티티라가 침대 위에서 벌떡 일어섰다. 그리고 자신을 가리키며 '소조폴', 베개를 가리키며 '이즈버르', 오른쪽 책상을 가리키며 '마주두'라고 선언했다. 안스는 눈썹을 치켜세웠다.

"내가 너한테서 베개로 가려면 위아래로만 왔다 갔다 하면 되잖아."

"그래, 위도."

"그런데 책상으로 가려면 오른쪽으로 가야 하지."

"어. 경도經度."

"그래, 그거. 까먹었어. '경도.' 그걸 정확히 재려 한댔어."

"난 또 뭐라고. 고디니 영감이 경도를 재려고 한 지 벌써 삼십 년이 넘었어. 말도 안 되는 기구들을 가져다가 이번엔 된다고 다섯 번은 지껄였을걸. 이제는 다들 아펭글로 때문에 헛바람이 들어서 그런 거라고 확신하잖아."

"그래……?"

"심지어 예전에 그 말을 믿고 소조폴에서 곧장 마주두로 간 배 한 척이 실종됐어. 살인자라고야 할 순 없겠지만, 그보다 못할 건 또 뭐냐."

티티라는 맥이 빠진 것처럼 침대 위로 털썩 주저앉았다.

"나한테 별의 고도를 계산하는 법을 알려 주었는데."

"내가 알려 줄 수도 있다. 그건 항해술 입문이야."

"됐어. 아, 됐어."

그 애는 언짢은 듯 거절했다. 안스는 미친 늙은이가 헛소리를 했다고 짚어 주는데 그녀가 왜 화가 났는지 몰라 어이가 없었다.

"왜 화를 내? 내가 틀린 말 했냐?"

티티라는 고개를 푹 숙인 채 있다가 엉금엉금 기어 왔다. 제 허리춤을 잡더니 곧장 가슴팍을 짚었다. 안스는 짜증스레 그 애를 쳐냈다.

"무거워. 떨어져서 얘기해."

"싫어."

"아, 이—"

티티라는 그가 밀치는 데도 불구하고 옷자락을 잡고 매달렸다. 안스는 손바닥으로 적의 뺨을 밀다가, 명치를 얻어맞곤 고통스럽게 허리를 숙였다.

그사이 티티라가 후다닥 배 위로 올라왔다. 다시 밀쳤다. 침대 아래로 잘 던졌나 했더니 또 목덜미가 붙잡혔다. 상대가 어찌나 악착같던지 순식간에 드잡이질을 하게 되었는데, 결국 자신이 먼저 지치고 말았다.

"아…… 넌 어디 가서, 투견한테, 매달려도 살겠다."

"나한테 이길 생각 하지 마."

"시끄러워."

그렇게 말하는 티티라도 헐떡이며 제 배를 깔고 앉아 있었다.

"내가 짜증을 낸 건 아쉬워서야."

"뭐가?"

그 애의 맑은 갈색 눈이 뚫어져라 자신을 바라보고 있었다. 평소와 다를 것 없는 시선이었는데…… 한순간 이상하게도 도망가고 싶다는 생각이 들었다.

티티라는 눈썹을 살짝 찡그렸다. 그 눈썹을 하나하나 보고 있는 자신이 미친 것 같았다. 왜?

"세상을 알아야 네가 어디서 왔는지 알 수 있을 테니까."

안스는 대답하지 못했다. 티티라는 여느 때처럼 제멋대로 내뱉는 말일 텐데. 아니, 그러니까, 내 말은, 저 애가 거짓말을 한다는 건 아니었다. 단지 속뜻을 조금도 감추지 않아 오히려 듣는 사람을 고민하게 만드는 친구라는 말이 더 옳을 것이다.

그는 잠시 뜸을 들인 뒤 물었다.

"그게 무슨 상관이냐?"

"너는 나를 다 아는데, 난 네가 어디서 왔는지도 모르잖아. 싸움에서 진 느낌이야."

"말도 안 돼."

"고디니 영감이 아무리 이상하더라도 바다 위에서 자유로워질 방법을 찾고 있단 것만큼은 확실해. 지금처럼 해안가와 마주두 제일섬 사이에 갇혀 있지 않고 종이 위 점처럼 돌아다니는 날이 올 거란 말이지."

"그게 왜 필요해?"

"내 말 못 들었어? 너도 어느 점에선가 왔을 거 아냐. 모든 곳을 돌아다니면 고향에서 기적같이 기억이 되살아날지 모른다고."

"난 살면서 지금까지 내 출신을 모른단 사실이 한 번도 거슬렸던 적 없어."

"거짓말하지 마. 가끔 고민하면서."

안스는 고개를 저었다.

"그런 적 없어."

"허풍 떨지 마."

"그런 적—"

티티라가 갑자기 이마를 꽝 찧어 왔다. 무시무시하게 아팠다. 아찔한 시선을 붙잡고 코앞의 그 애를 노려보았다. 머리를 흔들어 쫓아내려 했지만 이미 양 귀가 잡혀 있었다.

"미쳤냐?"

"내 눈 똑바로 보고 이야기해. 고민 안 해?"

안스는 티티라의 검은 동공을 빤히 응시했다. 더 이상 '노려본다'는 수식이 걸맞지 않았다. 기분이 이상했다.

"난……."

그는 그 애의 질문에 어떻게 답할까 고민하고 있지 않았다. 그보단 제 앞의 불꽃 같은 시선에 대해 고민하고 있었다.

맑은 물. 오래 우린 차 색. 그러나 작은 도자기 잔이 아니라 바다의 일부인 것만 같은 변화무쌍함. 바닷속 검은 산호처럼 도드라지는 동공. 어떤 폭풍우를 맞아도, 차라리 죽어도 그 자리에 그저 박혀 있을 것 같은 산호.

산호가 또르륵 움직였다.

"대답 못 하겠어?'

고민을 안 했기 때문에 대답이랄 것도 없네, 얼간아.

그러나 이미 정신 나간 칼 한 자루가 목덜미에 꽂혔다. 이해할 수가 없었다. 제 귀를 우스꽝스레 누르고 있는 인간은 다른 누구도 아닌 티티라 돔니니였다. 복잡한 상념이라고는 전혀 없어 보이는. 당장 내게 '고향이 궁금하다.'는 고백을 따내고 자기가 이겼다고 의기양양해할 뿐인.

심장이 쿵쿵 뛰었다.

반사적으로 대답했다.

"고민 안 해."

티티라는 바람 빠진 듯한 소리를 내고는 뒤로 엎어졌다. 그 와중 제 정강이뼈에 뒤통수를 박곤 투덜대는 소리가 들렸다. 꽤 먼 거리였다. 그러나 아직도 벌건 귓가에 와닿는 듯했다.

그 낯선 느낌이 그를 당황하게 했다. 바뀐 것은 하나도 없었다. 그러나 귓가부터 목덜미까지 얼룩처럼 남은 이 감각과…… 허공에 불을 지른 저 애의 시선.

모든 게 평소랑 똑같았는데…….

그날 티티라는 저녁으로 먹었던 닭고기 이야기를 더 하다 자신을 쫓아냈다.

안스는 얼룩지고 어두운 천장을 바라보며 기억을 더듬었다. 아직까지도 추억은 어리둥절한 채 스스로가 무엇을 뜻하는지도 잘 모르고 있었다. 단지 그녀는 친구에 대해 더 알고 싶어 했으며, 자신은 그 눈에 철렁 내려앉았다는 것뿐.

이제 그는 스물, 그녀는 열여덟이 되었다.

안스는 지난 육 년 동안 자주 행복했으나 종종 미칠 뻔했다.

티티라 돔니니를 좋아하지 않았더라면 그는 더 멋진 삶을 살 수 있었을 것이다.

한때는 의심했던 명제지만, 이제 확신했다. 그 애의 일거수일투족에 개의치 않고, 어딘가 부서진 돌멩이 같은 말에 상처받을 필요도 없으며, 오히려 더 담백하게 상대를 응원해 줄 수 있었을 것이다.

오트카저트 일에도 나는 덜 죽고 싶고, 그녀는 더 어른스럽게 위로받을 수 있었을 테지. '사마귀'라는 단어를 들을 때마다 상대를 두들겨 패진 않았을 것이고, 그로써 티 또한 모두가 지나가며 놀리는 광고판이 되지는 않았겠지.

마지막 여행에서도 티를 괴롭게 하지 않았을 거야. 그리고 교국이 닥쳤을 때 당연히 그녀를 따라 카르타타로 갈 수 있었겠지…….

말을 할수록 자신보다는 티티라를 위한 가정이 되어 웃겼다. 그게 허탈하거나 놀랍지는 않았다. 자신이 그녀를 사랑하는 것은 이젠 어쩔 수 없이 당연한 일이었다.

그때, 누군가 문가를 두드렸다. 숨을 들이켜며 몸을 일으켰다.

탈란타우에였다.

안스는 마치 제 사춘기 시절 방을 들킨 듯 사색이 되었다. 공연히 인상을 찌푸리며 바닥으로 내려왔다.

"무슨 일입니까?"

"너야말로 여기 무슨 일인가? 네 방이야?"

총독은 휘적휘적 들어와 한쪽 문이 열린 옷장을 들추었다. 안스는 무의식중에 손을 뻗어 그의 팔을 밀쳐 냈다.

"어린 소녀의 방인 듯한데."

안스는 구태여 그의 오해를 바로잡지 않았다. 그에게 이곳이 '여자' 방이라는 것을 들키기 싫었다. 어차피 저 둘이 평생 못 만날 사이라 해도 너무너무 싫었다.

"아하!"

물론 탈란타우에는 바다 괴물처럼 눈썰미가 빠른 사람이었다. 그는 바닥에 떨어진 종잇조각을 주워 올렸다. 방금 전 자신이 책을 펼칠 때 떨어진 듯한데, 무엇인지 도무지 짐작이 가지 않았다.

탈란타우에는 친절하게도 제 손바닥 크기의 종이를 뒤집어 보여주었다.

어느 여행객이 부두에서 굶아떨어진 티티라를 그려 건넨 흑연 초상화였다. 그녀는 기분이 나쁘다고 했지만 또 나름대로 신기하기도 했던 모양이다. 그걸 굳이 방까지 들고 와서 자신에게 보여 줬으니 말이다. 아니나 다를까, 책갈피로 쓰고 있었던 것 같다.

"어여쁜 친구군."

안스는 소름이 돋아 정신없이 그에게서 종이를 빼앗았다. 빼앗고 난 뒤 스스로도 당황하여 눈만 깜빡이다가, 가까스로 첫 마디를 내뱉었다.

"왜 오셨습니까?"

"용건은 있는데 잠시 미루지. 여긴 누구 방인가?"

"신경 쓰지 마세요."

"이봐, 난 당장 이 건물에 불을 지를 수 있어."

안스는 상대를 노려보았다.

"……제 사환 친구의 방입니다."

"네 방은 어디에 두고?"

"옆방이었는데 재작년에 옮겨서 창고로 쓰입니다. 이사 간 방은 어차피 새 곳이라 군이 찾아갈 필요가 없어요."

탈란타우에는 감상하듯 티티라의 방을 둘러보았다. 제 어린 시절 기억이 침범당하는 것 같아 역겨웠다.

"그림 한 장 걸어 두지 않다니, 여자애 방으로는 살벌하군."

"……."

"지금은 어디 있나?"

"떠났습니다. 돌아오지 않을 테니 아실 필요 없습니다."

"이름은?"

그는 침묵했다.

탈란타우에는 한숨처럼 웃으며 책상 구석을 톡톡 두드렸다. 달필로 그녀의 이름이 새겨져 있었다.

티티라 돔니니

안스는 그가 티티라의 이름과 얼굴을 모두 알게 되었다는 데 약간의 불안감을 느꼈다. 그러나 티티라는 '소조폴이 안전해질 때까지' 절대로 소조폴에 돌아오지 않을 것이고, 교국군은 법황령에 따라 소조폴과 도이도흐를 벗어날 수 없었다.

안스는 하나하나 주워 삼킨 뒤에야 가까스로 안도했다.

"이 여자애를 좋아하나?"

홱 고개를 들었다.

탈란타우에는 양손을 살짝 들었다.

"아니, 왜 이렇게 예민해?"

"……."

"너도 스무 살인데 좋아하는 여자 하나 없는 게 말이 안 되지."

"말도 안 되는 소리 하지 마세요. 그냥 동료입니다. 같은 처지의 사환이 드물어 알게 된 사이고요."

"이곳에 데려와 줄까?"

가볍게 수면 위로 오른 권력에 안스가 이를 드러냈다.

"하지 마세요. 어차피 내륙엔 들어가지도 못하면서 무슨 힘이 있다고."

"왜, 바를라암의 아드님께서 명하면 우리가 못 할 일이 무엇이라고."

"거꾸로죠. 제가 할 수 있는 게 무엇이 있다고 그런 대접을 해 주려 하십니까?"

탈란타우에는 티티라가 매양 앉아 있던 의자의 등받이에 손을 짚었다. 비스듬하게 기대었다.

"이번 달 안에 출항하기로 결정했다. 나고 자란 곳을 떠나는데 동반자를 챙긴다고 탓할 이는 아무도 없어."

안스는 떠난다는 소식에 놀라지 않았다. 탈란타우에는 도이도흐에 군이 묶였을 때부터 법황에게 직접 항의하겠다며 화를 냈기 때문이다. 그것이 벌써 수개월이나 되었으니, 오히려 출발이 이토록 늦은 것이 신기할 지경이었다.

그렇기에 그는 그보다, 처음 들은 사람을 당장이라도 이 자리에 끌고 올 수 있다고 말하는 총독의 뻔뻔한 권력에 구역질이 났다.

"필요 없다고 말씀드렸습니다."

"왜? 좋아하잖아."

진짜, 신물 나게 싫었다. 그럼에도 대답하면 패배한다는 사실을 깨닫곤 입을 꽉 다물었다.

“네가 교국에서 누릴 수 있는 것은 이 작은 상관 이상의 부다. 동반자로 데려간다면 저 친구는 평생 손 하나 까닥 않고 살 수 있지.”

“그 애는 그딴 거 바라지도 않아요.”

“하지만 네가 바라잖아.”

“아니요. 저도 바라지 않습니다.”

그는 상대를 경멸했지만, 사실 대답하며 스스로도 확신이 생겼다. 탈란타우에가 제 가장 어두운 희망을 끄집어내자 갑자기 번뜩 현실감이 든 것이다. 나는 적어도 저런 인간은 아니야. 불가능해.

“그렇게 부득부득 우긴다면야.”

안스는 탈란타우에가 모든 걸 알아차렸다고 생각했다. 때문에 차라리 정직하게 말하고 다짐받고 싶었다.

“……저 혼자만의 감정이고 상대는 알지도 못합니다. 차라리 절 협박하려는 용도라면 모르겠는데, 이미 제 발로 교국에 가서 하라는 대로 다 하겠다고 말씀드렸으니 티에겐 손끝도 대지 마세요.”

“무슨 그런 흉악한 소리를 하나. 내가 언제 네 친구를 해친다고 했어?”

“탈란타우에.”

그는 의자 등받이를 놓았다.

“약속하지. 나만 아는 비밀로 하겠네. 그 아가씨는 안전해.”

안스는 초상화를 품에 넣었다. 그 모습을 지켜보던 탈란타우에가 피식 웃었다.

“어차피 들통난 마당에 대화나 나누지. 뭐 하는 친구야?”

“당신과 이야기하고 싶지 않습니다.”

“우스페히 상의 사환 동료라면 너와 거의 일평생을 함께했을 텐데, 넉넉잡아 십 년이로군. 중간에 새로 들어왔다 해도 이 방의 해묵은 기록들이 그리 짧지는 않을 것 같네.”

“…… .”

“또한 떠난 시점도 꽤나 가까운 듯하고. 소조폴이 함락될 때 갈라졌나 싶은데. 네 낯짝을 보아 네가 원하진 않았을 테니 바로 저 친구가 떠났겠군. 내 지금 얼마나 고마운 마음인지 저 돔니니 씨는 모를 거야. 그녀가 계속 너와 함께했다면…… 바를라암의 자식이 그런 불법 산호 채취단에서 발견될 일이 있었겠나.”

“…… .”

안스는 꾹꾹 참았다. 탈란타우에는 가끔 이렇게 미친 인간처럼 정확히 무례할 때가 있었다.

총독은 끝끝내 상대가 대답하지 않자 관심을 잃은 듯했다.

“좌우간 우리는 보급품이 준비되는 대로 떠난다. 최대 한 달, 어쩌면 이 주 안에 가능할 것으로 본다. 방금 결정하여 내 유일한 동행인인 네게 알려야겠다 생각했지. 이곳에 두고 가는 게 없도록 짐을 잘 챙기게.”

“이미 개인 물품은 전부 회의장 건물에 옮겨 두었습니다. 당신이 얼마나 여러 번 출항을 논했는지 생각하면 당연한 일입니다.”

“네 것 말고. 사랑하는 아가씨 물건도 잘 챙겨야지.”

탈란타우에는 팔을 들어 그의 가슴팍을 쿡 찔렀다. 자신이 방금 전 티티라의 초상화를 넣은 자리였다. 모욕감에 인상을 찌푸렸다.

“우리가 떠난 뒤 우스페히 상관을 보존할 생각은 없다. 불필요하고 의심을 사는 일이지 않나. 곧 주인이 바뀌면 아주 다른 모습으로 탈바꿈할 테지. 그 전에 아쉬운 물건이 있다면 잊지 말게. 네가 이곳에 다시 돌아오더라도, 빈자리에 속이 상하지 않도록."

안스는 묵묵히 서서 탈란타우에가 떠날 때까지 기다렸다.

계단 아래로 걸음이 사라졌다.

그는 품에서 다시 티티라의 얇은 초상화를 꺼냈다. 그림 속에서도 진한 눈동자가 자신을 바라보고 있었다. 가슴이 크게 들렸다. 잠시 동안 바라보다가, 종이를 가까이했다. 아주, 아주 가까이. 얼굴을 완전히 묻거나 입김을 내뱉지는 못했다. 유일하게 가진 티티라가 사라질까 두려워서…….

안스는 결국 티티라의 책상에 든 물건을 몽땅 챙겼다. 티티라가 싫어하겠지만 어쩔 수 없었다.

만에 하나 시노드 신넬로 돌아오지 못하더라도 뜯어먹고 살 추억은 있어야지. 티티라도 내가 죽기 직전이라고 하면 이 정도는 호의로 내줄 것 같았다. 그는 다양하게 합리화하며 모든 물건을 나무 궤짝 안에 처넣었다.

교국으로 떠나는 배의 대장은 이프루이우호가 아니었다. 이프루이우호는 비록 호화스럽기는 하나 비교적 작은 배인지라 실을 수 있는 보급품이 적었다. 이에 영전榮典[16]을 위해 시노드 신넬에 남겨두기로 결정한 모양이었다.

어쨌든 소조폴에는, 총독이 부재한 동안 법황의 대리인이 지배자로 남아 있을 테니까. 그가 위엄을 부릴 만한 배가 필요하긴 할 것이다.

16) 전보다 더 좋은 자리나 직위로 옮김. 여기에서는 총독의 공식 배로 바뀌는 것을 의미.

그들이 탈 배는 멜로스 로불레호. 총원 육백 명, 팔십 개의 포문, 삼 층의 포갑판을 지닌 배였다. 이미 이프루이우호에 익숙해진 안스의 눈에도 그 배는 어마어마하게 커 보였기에, 교국의 백인대장인 척 구석구석 훑어보았다. 선창[17]까지 뜯어보자 여섯 시간이 넘게 걸렸다.

선장실로 돌아온 그에게 탈란타우에가 농담을 했다.

"너도 아펭글로처럼 한 척 만들어 보게?"

고개를 저었다.

"이 정도 되는 배여야 대양을 넘어올 수 있구나 싶었습니다. 삼십 년 전, 왜 이즈버르 상주들이 앞다투어 아펭글로에게 돈을 쏟아부었는지 알 것 같아요. 조선소에 뼈대만 섰어도 이건 다르다는 느낌이 왔을 겁니다. 물론 물에 제대로만 뜬다면."

"너희 배도 별반 다르지는 않다."

예상치 못한 말에 눈을 크게 떴다. 탈란타우에에겐 시노드 신넬을 기괴하게 칭찬하는 성향이 있었으므로 이해하려 해도, 그럼에도 불구하고 배의 수준에는 도저히 묵과할 수 없을 만큼의 차이가 있었다.

"나는 도이도흐에서 이즈폴즈바나호를 봤다. 그 정도면 이프루이우호와는 강도나 크기 차이가 없어. 돛을 좀 더 키우고 노를 다 빼 버리면 호신용 포 몇 대 정도는 들어가겠지. 그리고 뱃머리를 동쪽으로 돌린다면 대양에서 —충분한 보급품과 함께— 속도를 내는 것도 가능하다."

"……."

---

17) 배 안 갑판 밑에 있는 짐칸.

"진짜 문제는 배가 아니라, 너희가 배 위에서 정신을 못 차린다는 사실이지. 마주두 제일섬으로 향하는 항해마저도 해류에 기대어 계획을 못 세우는 깜냥이니 어찌 대양에 도전할 수 있겠나."

안스는 곰곰이 생각했다. 그러고 보니 교국의 배는 마주두에 처음 나타난 뒤 한참 동안 사라졌다가, 다음 순간 소조폴에 나타났다. 이 복작복작한 해안가에 인간이 살지 않는 곳은 없다. 따라서 그들이 마주두에서 바로 소조폴로 왔다고 보는 편이 타당할 것이다.

그는 천천히 말했다.

"당신들은 마주두에서…… 바로 소조폴로 왔죠."

탈란타우에가 빙그레 웃었다.

"설명해 줄 수 있는 때가 오겠지."

"……."

"네 선실은 편의를 위해 아래층 장교 선실에 둘까 생각했는데, 아무래도 나와 함께 생활하는 편이 좋겠다. 정체가 많이 알려져선 곤란하니까."

안스는 당신이 나를 목격한 이를 다 죽였단 사실을 안다고 말해보고 싶었다.

"……지난번처럼 부선장실에서 생활하면 안 됩니까?

"안 된다. 이프루이우호는 책임자가 두 명이어야 해서 웃긴 구조가 된 거지. 선장실은 내 몫, '부선장실'은 법황의 대리인 몫. 멜로스 로불레호는 제정신인 배이므로 이 층에는 선장실 하나다."

"아무리 그래도 최소 오 개월인데, 어떻게 같이 지내요? 게다가 갇혀 있어야 하면 미칠지도 모릅니다."

"누가 가둬 둔대?"

"눈에 띄면 안 된다면서요."

"얼굴을 가리고 사환으로 행동해. 큰 흉이 있어 가렸다고 하마. 선실도 같이 쓰는 게 아니라 바깥의 사환용 쪽방에 머무르면 된다."

그는 짓궂게 웃었다.

"익숙하지?"

안스는 개인 창고 자리만 넉넉히 준다면 불만 없다고 대꾸했다. 어느새 소조폴에서 가져갈 짐이 많아졌기 때문이다.

얼마 뒤 소조폴의 시민회장과 여러 협조자들, 바람잡이들, 진심으로 교국에 도움받은 평민들과 거지들이 바글바글하게 모여 송별회를 나누었다.

안전한 항해를 기원하는 월계수 목걸이를 여러 개 목에 맨 탈란타우에는 스스럼없이 시노드 신넬인들과 인사했다. 이방인들과 손을 잡고 어깨를 두드리며 웃는 행위가 몹시 자연스러웠다.

법황의 대리인은 그 같은 탈란타우에를 경멸하듯 바라보았고, 탈란타우에는 오로지 그를 바라볼 때만 증오하는 눈이 되었다.

안스는 멀찍이 얼굴을 가리고 앉아선 이천 명의 죽음이 완전히 잊혀진 소조폴을 바라보았다. 그들을 탓할 마음은 없었다. 어쩌겠어. 그들에겐 이쪽이 더 이득이었을 텐데. 담담하게 중얼거렸다.

저 사람들을 미워해 봤자, 그간 일면식도 없는 이들에게 얼마나 원한을 샀는지만을 더 강하게 느끼게 될 뿐이었다. 차라리 잊는 편이 나았다. 어차피 그는 살육의 장본인마저 어물쩍 용서한 처지였으니 남은 염치가 없기도 했다.

안스는 먼저 선실로 들어갔다.

동틀녘을 알리는 종소리에 눈을 떴을 때, 이미 배가 움직이고 있었다.

안스는 혹시 마지막이 될지 모르는 소조폴을 눈에 담기 위해 사환의 쪽방을 나섰다.

선장실 앞, 대포들 사이 달랑거리는 그물 침대에서 누군가 모자를 들어 올렸다.

그는 픽 웃었다.

"베오메네스."

"이제 '사환' 처지라면서요?"

"아."

"저는 그럼 좀 쉬겠습니다. 알아서 하십시오."

안스는 순간적으로 그의 모자를 떨어뜨리는 장난을 칠까 했지만, 그런 생각을 한 자신에게 조금 놀랐다. 교국군을 보고 반가워하는 처지가 되다니.

그는 얼떨떨한 채 고민하며 갑판으로 나갔다.

소조폴의 부두는 어느새 부드럽게 흐려져 있었다. 다행히 아침 안개가 짙지는 않았다. 하지만 시계탑이 사라진 도시에서, 당최 어떤 것을 보고 추억해야 할지 몰라 조금 혼란스러웠다.

그는 한참 동안이나 소조폴을 바라보고도 아무 감흥을 느끼지 못했다. 자신은 이미 항구에서 훔칠 것을 모두 훔쳤다.

"우리는 시간이 키워 줬고, 그게 사라지면 어쩔 수 없어지는 거야. 그러니 너도 나만큼이나 소조폴을 사랑해야지. 나만큼이나 우리가 자란 도시를 소중히 해야지. 그래야 우리가 여기서 계속 다시 만날 거란 믿음이 생겨."

이 도시에서 너를 다시 만날 수 있을까? 어쩌면 네가 옳았는지도 모르겠다. 나는 소조폴을 전혀 사랑하지 않았다. 이곳은 단지 흘러가다 머문 곳이었다.

너와 우스페히 씨가 사라지자, 나는 솔직히 상단 사람들의 죽음에도 크게 상처받지 못했다. 교국 놈들이 잔인했지만, 결국 상황이 그랬으니까. 시계탑이 무너져도 똑같았다. 교국 놈들이 잔인했지만, 결국 상황이 그랬다고.

내가 알던 도시. 큰 상단과 작은 상단의 회관이 오밀조밀 모여 있고, 수많은 창고가 물 샐 틈 없이 붙어 있고, 고래고래 요란한 소리의 경매장이 있던 곳.

부두 앞 화려한 천막들, 은행가들, 출장 치과의들, 광대들, 설탕 상인들, 작은 무투회 참가자들, 북부 방언을 지껄이던 여행객들, 향수, 모피, 태피스트리, 멋을 낸 모자, 가죽, 향신료, 다리를 동여맨 사냥매들……. 소조폴.

모두 사라졌지만 대수롭지 않았다.

안스는 품에서 티티라의 초상화를 꺼내 보았다. 티티라는 이 그림을 그린 날 밧줄 더미에서 졸다가, 깨다가, 다시 졸다가, 돌아다니며 더 안락한 밧줄 더미에 누워서 자다가, 다시 깨어나 수평선 너머를 바라보았을 것이다. 그만큼 부산스러웠으니 화가가 그녀의 눈을 선명하게 남길 수 있던 것이겠지. 흑연 자국으로 남은 동공을 보며, 화가에게, 또 잠귀가 밝은 티티라에게 감사했다.

시야에서 저무는 도시는 가치가 없었다. 그는 한동안 초상을 들여다보다가, 고개를 들어 종이쪽지와 도시를 수평으로 맞춰 보았다.

저 도시를 내게 다 준다 해도 이 초상화를 포기하지는 못할 것 같았다.

그는 마지막 인사를 마치곤 지붕 아래로 들어갔다. 어느새 잠든 베오메네스를 지나쳐, 사람 셋이 겨우 누울 법한 제 방으로 들어갔다. 천장에 매달린 침대에 몸을 끼워 넣었다. 그물 침대라기보단 차라리 관 같았다.

그는 이내 잠들었다.

(3권에서 계속)

BLACK LABEL CLUB 039

사마귀가 친구에게 2

초판 인쇄 2022년 2월 14일
초판 발행 2022년 2월 28일

지은이 윤진아
펴낸이 신현호
편집장 예숙영
편집 이혜영
편집디자인 한방울
영업 · 관리 김민원
물류 이순우 박찬수

펴낸곳 ㈜디앤씨미디어
출판등록 2002년 5월 1일 제117-90-51792호
주소 서울시 구로구 디지털로 26길 111 JnK디지털타워 503호
대표전화 (02)333-2513 팩스 (02)333-2514
전자우편 dncbooks@dncmedia.co.kr
디앤씨북스 블로그 http://blog.naver.com/dncbooks

ISBN 979-11-264-5906-3 (04810)
ISBN 979-11-264-5903-2 (세트)